Auteur d'une trentaine de ....., passionnée par la Régence, elle s'est spécialisée dans l'écriture de romances historiques et s'est également adonnée à l'érotique et au paranormal.

Elle s'est fait connaître du public avec sa série *Tigress*, qui a pour cadre la Chine, ce qui lui a permis de créer un univers bien à elle, empreint de multiculturalisme.

Elle a été récompensée par de nombreux prix et a reçu à deux reprises le prix du Romantic Times. Elle écrit également sous le pseudonyme de Kathy Lyons.

Que serais-je
sans ton amour ?

JADE
LEE

LES FRAZIER – 2

Que serais-je
sans ton amour ?

Traduit de l'anglais (États-Unis)
par Catherine Berthet

AVENTURES
& PASSIONS

Vous souhaitez être informé en avant-première
de nos programmes, nos coups de cœur ou encore
de l'actualité de notre site *J'ai lu pour elle* ?

Abonnez-vous à notre *Newsletter* en vous connectant
sur **www.jailu.com**

Retrouvez-nous également sur Facebook
pour avoir des informations exclusives :
www.facebook/pages/aventures-et-passions
et sur le profil *J'ai lu pour elle*.

Titre original
WICKED SEDUCTION

Éditeur original
Berkley Sensation Books, published by The Berkley Publishing Group,
a division of Penguin Group (USA) Inc.

© Katherine Ann Grill, 2011

Pour la traduction française
© Éditions J'ai lu, 2013

Prologue

Kit Frazier se hissa sur le bateau d'esclaves. Un jeune Anglais était enchaîné au mât, un garçon d'environ dix-sept ans, pieds et poings liés par des cordes et des chaînes. Du sang formait une tache sur le pont, mais Kit ne put distinguer d'où provenait la blessure.

Cela avait tout l'air d'un piège.

Il n'aurait su dire ce qui l'avait alerté. Tout était silencieux. L'homme de garde se tenait sur le pont avant, immobile comme une statue. Kit tendit l'oreille. Aucun sifflement, aucun sanglot, pas le moindre gémissement. La cale ne semblait pas abriter d'esclaves. Seul cet adolescent anglais se trouvait livré au vent, les cheveux blonds et sales retombant en paquets sur son visage.

Kit se faufila dans l'ombre. Lui-même avait été esclave sur ce bateau durant des mois. À ce souvenir, une bouffée de chaleur l'envahit. S'il avait eu une once de bon sens, il aurait fait demi-tour avant qu'il ne soit trop tard. Les enlèvements d'Anglais de haut lignage n'étaient pas rares et il n'avait qu'à ignorer ce trafic. Oui, mais lui aussi s'était trouvé enchaîné à ce mât des années auparavant, à attendre une rançon qui n'arrivait pas. Il ne pouvait abandonner ce garçon au même sort.

Kit se figea dans l'obscurité. Quelqu'un, plus loin, faisait craquer ses phalanges. Abdur sans aucun doute, le garde qui s'amusait à fouetter les enfants. Il sourit. Tant pis si c'était un piège, il avait là l'occasion inespérée de porter un coup au commerce scandaleux de l'esclavagiste Venboer.

Kit s'accroupit, essuya ses mains moites sur son pantalon et bondit pour frapper. Depuis quatre ans qu'il avait recouvré sa liberté, il était devenu plus fort et plus rapide qu'Abdur. Le misérable s'effondra sur le pont. Kit eut la présence d'esprit de le retenir pour qu'il tombe en silence. Puis il scruta les alentours. Combien d'autres hommes allait-il devoir affronter ?

Il en distingua trois, postés derrière des barriques, le long du bastingage. Il se faufila derrière eux et les assomma l'un après l'autre avec facilité et précaution.

Son regard balaya de nouveau le pont. Le garçon avait relevé la tête comme pour écouter. Le gamin avait l'oreille fine, mais serait-il assez malin pour se tenir tranquille jusqu'à ce que Kit puisse l'atteindre ? Conscient du risque, il fit glisser le poignard d'Abdur en direction du prisonnier et grimaça en entendant le frottement métallique de l'arme sur le pont. La lame ne pourrait rien contre les chaînes, mais le garçon

aurait de quoi se défendre pendant que Kit cher-
cherait les clés. À moins qu'il ne trouve une
hache assez lourde pour briser les maillons.

Le garçon n'esquissa pas un geste quand le
couteau buta contre son pied. Mais en un clin
d'œil la lame disparut et Kit réalisa qu'il était
penché en avant : sans doute en train de scier la
corde qui lui maintenait les chevilles. Bien.
Donc, le gamin était un malin.

Kit rampa vers un premier gaillard. La clé se
trouvait...

Trois silhouettes surgirent de l'ombre : deux
hommes massifs encadraient l'imposant capitaine. Kit pivota sur lui-même. Deux autres
hommes venaient sur lui. Cinq contre un, et le
gamin était toujours enchaîné au mât.

Diable !

Soudain, un miracle se produisit. Le garçon se
redressa et les chaînes tombèrent sur le sol dans
un fracas métallique. Kit écarquilla les yeux.
Apparemment, il avait porté secours à un cro-
cheteur ! Si bien qu'ils se retrouvaient à cinq
contre deux. Une offensive était envisageable si
le jeune savait se battre. Il distinguait ses blessures à présent : le visage tuméfié, de profondes
entailles tout le long des bras, mais rien qui
l'empêcherait de sauter à l'eau pour se sauver.

— Je savais que tu viendrais, fit Venboer, l'air
triomphant. Il te ressemble, n'est-ce pas ?

Kit dévisagea le monstre qui avait détruit tant
de vies, y compris la sienne.

— Nous sommes assez nombreux, nous nobles
Anglais, répliqua-t-il d'une voix nonchalante qui
avait le don de mettre Venboer hors de lui.

L'homme émit un rire proche du grognement.

— Il aura une place de choix dans un bordel. Assez joli pour plaire aux femmes et assez résistant pour servir aux hommes.

Horrifié, le garçon se raidit, la mâchoire crispée. Kit parvint à surmonter son dégoût. Il avait vu ce qui arrivait aux trop jolis garçons dans ces lieux de débauche. Certaines choses étaient pires que la mort. Il fit un effort pour demander d'un ton détaché :

— Personne n'a payé sa rançon ?

— Pas assez, rétorqua Venboer avec un haussement d'épaules.

— Combien en veux-tu ? Je pourrais l'acheter, répondit Kit en faisant mine d'examiner le jeune Anglais.

C'était une ruse. Il était loin d'avoir suffisamment d'argent pour se payer un esclave, mais ce prétexte lui permit de croiser le regard du prisonnier. D'un imperceptible mouvement de l'œil, il lui désigna le bastingage. C'était la seule issue, à condition que le gamin sache nager.

— Il ne m'a pas l'air en très bonne santé… hasarda-t-il en faisant un pas vers lui.

Les hommes de Venboer se jetèrent sur lui. Cet infâme personnage n'était pas du genre à se perdre en discussions. Kit le connaissait assez, mais il avait espéré avoir le temps de mieux se positionner. Trop tard. Kit n'avait que ses dagues, assez légères pour lui permettre de nager et qui ne servaient pas à grand-chose face aux sabres des deux marins, habitués au combat. Le plus important c'était que le garçon avait une opportunité de s'enfuir.

Kit fit un bond de côté pour alterner feintes et reculades, tout en prêtant l'oreille aux mouvements des deux hommes derrière lui. Il esquiva un coup, manquant de peu se faire tuer, mais fut inexorablement repoussé vers Venboer et ses gardes du corps.

Sacrebleu ! Le temps allait manquer. Ses deux assaillants s'avançaient vers lui de part et d'autre. C'était maintenant ou jamais. Kit fit brusquement volte-face et lança une première dague.

Le second de Venboer s'écroula, un poignard dans la gorge. Kit ne s'accorda même pas le temps de sourire. Plus tard, il songerait avec délectation à la mort de l'homme qui l'avait battu chaque soir pendant des mois. Il tournoya de nouveau, et lança une deuxième dague. L'homme le plus proche du garçon tomba.

Le garçon ? Bonté divine ! Cet idiot aurait dû sauter par-dessus bord depuis longtemps. Mais non. Dans un admirable élan de courage, le gamin retira le poignard du cadavre et vint se placer à côté de Kit. Les Anglais et leur sens de l'honneur ! Maintenant, ils allaient mourir tous les deux.

Sauf que ce ne fut pas le cas. Le combat s'intensifia et Venboer lui-même vint prêter main-forte à ses hommes. Seul contre des sabres, Kit n'aurait pas eu une chance de s'en sortir. Mais le garçon avait l'art d'intervenir chaque fois au bon moment. Tout d'abord avec une corde, qu'il lança sous les pieds d'un des hommes. Cela donna à Kit le temps d'utiliser encore une dague, réduisant à deux le nombre de leurs adversaires.

11

Puis le jeune Anglais lança le sabre dans sa direction. Un exploit quand on connaissait le poids et le tranchant de la lame. Kit parvint à l'attraper au vol. De mieux en mieux. Néanmoins les brigands étaient encore deux contre un, et Venboer représentait un adversaire de taille. Kit ne pourrait les repousser indéfiniment.

— Saute ! cria-t-il à l'intention du garçon. Sauve-toi à la nage.

Il y eut un instant d'hésitation, puis le gamin tourna les talons et se mit à courir. Kit entendit le bruit d'un plongeon et en fut soulagé. S'il n'avait rien fait de bon dans sa misérable existence, il aurait au moins sauvé une vie. Il nargua Venboer en souriant.

— Ton trésor s'est échappé.

— Ce gamin n'est rien, répliqua l'autre avec un sourire narquois. Ma plus belle prise, c'est toi.

— C'est ce que je voulais dire, lança Kit avec un rire proche de la démence. Je te tire ma révérence.

C'était du bluff. Kit se lança dans la bataille avec férocité, mais il n'échapperait jamais aux griffes de ses adversaires. Ses ennemis étaient entraînés, il était épuisé, et ils le savaient. Mais c'était son dernier espoir. Il obligerait Venboer à le tuer. Il préférait mourir que de se retrouver une nouvelle fois esclave.

La chance lui sourit. Venboer détestait les démonstrations de joie, surtout de la part d'un esclave. Le rire fou qui résonnait dans l'air le désarçonna, et Kit plongea pour porter un coup à son adversaire. Mais il paya très cher cette brève victoire. Le dernier marin riposta avant que Kit ait pu s'écarter, et ce dernier s'écroula, touché à la jambe. Il sentit un flot de sang s'écouler sur son mollet et comprit que la blessure était profonde. Il était perdu, mais il lui restait encore quelques ressources.

— Pour Jeremy ! cria-t-il joyeusement.

Il brandit sa dague vers le haut, se jeta de tout son poids en avant et embrocha Venboer comme un vulgaire poisson. L'homme ouvrit la bouche, les yeux exorbités, et bascula lentement sur le sol, le cœur transpercé.

Victoire ! Et maintenant... la mort. Dans le mouvement, Kit s'était trouvé à la merci du garde du corps de Venboer. Son cou, son bras, tout le côté droit de son corps, étaient exposés. Cependant, un intense sentiment de satisfaction l'envahit. Il avait sauvé un garçon et mis fin au règne de terreur de Venboer. À tout prendre, c'était une très bonne façon de mourir.

Le coup qu'il attendait ne vint pas.

Éberlué, Kit se redressa et parvint non sans mal à recouvrer son équilibre. Pourquoi n'était-il pas encore mort ? Son ennemi brandissait son sabre, prêt à frapper, mais ses yeux étaient élargis, ses traits crispés de douleur. Que s'était-il passé ?

Le garçon ! Ce stupide, maudit, merveilleux gamin n'avait pas plongé ! Il avait trompé l'ennemi. Puis, n'écoutant que son sens de l'honneur, il avait déniché un sabre abandonné sur le pont et s'en était servi pour pourfendre leur adversaire.

Ils étaient vivants ! Ils allaient s'en sortir tous les deux !

Kit esquissa un sourire. Il aurait voulu rire et danser la gigue. Mais il s'effondra, terrassé par la douleur. Sa jambe était en sang. La blessure n'était pas aussi grave qu'elle en avait l'air. Il vivrait, à condition que la plaie soit recousue et qu'elle ne s'infecte pas. Malheureusement, il se trouvait à bord du navire d'esclaves de Venboer, et il n'y avait pas de chirurgien caché dans la cale ! Il perdait trop de sang pour partir à la nage. Et il n'irait pas bien loin à pied non plus. Le garçon et lui ne pouvaient tout de même pas manœuvrer ce bateau seuls !

Il respira lentement, s'efforçant de calmer les battements erratiques de son cœur. Après avoir roulé sur le côté, il ôta sa chemise pour panser la blessure. Tout en bandant sa jambe, il tendit l'oreille. Aucun cri ou gémissement, aucun bruit de pas. Il n'y avait donc que lui et le jeune Anglais sur ce bateau qui tanguait doucement ? Comment était-ce possible ? Venboer était-il si sûr de lui pour laisser un navire de cette taille sous la surveillance de neuf hommes ? Dans ce cas, Kit était à présent en possession d'une galère entière !

Il réprima un sourire. Son plan pouvait marcher, à condition de mettre quelques petites choses en place. Il venait tout juste d'échapper à la mort et il avait tué Venboer, le plus puissant des pirates barbaresques. C'était son jour de chance ! Il jeta un coup d'œil au garçon, en état de choc devant le cadavre étendu à ses pieds.

— Regarde-moi, mon gars. Comment tu t'appelles ?

— Alexander Jacques Morgan, monsieur, marmonna le jeune homme d'une voix sourde.

— Eh bien, Alex, tu sais ramer ? Tu penses pouvoir faire avancer une barque ?

Le gamin cligna des paupières et acquiesça.

— Je suis un excellent rameur, monsieur, affirma-t-il en reprenant peu à peu ses esprits.

— C'est bien, Alex. Écoute. Je ne peux pas quitter ce bateau. Toi, tu peux m'aider.

— Vous êtes blessé, monsieur, remarqua le gamin en désignant la chemise devenue écarlate.

— J'ai connu pire.

Certes, il n'avait jamais été obligé de recoudre lui-même ses plaies tout en préparant un navire à la traversée de l'océan.

— Tu vois ces deux lumières, là-bas ? Rame jusqu'au rivage. À quelques mètres de la plage se trouve une cabane où l'on sert le meilleur rhum de toute l'Afrique. L'homme qui est au bar parle anglais. C'est un noir, petit comme un lutin, que j'ai surnommé Puck. Donne-lui ceci de ma part et dis-lui que le moment est arrivé. Nous lèverons l'ancre ce soir.

Tout en parlant, Kit ôta une cordelette de son cou et la passa au garçon.

— Ce soir ? répéta Alex, les yeux brillants.

— Oui, ce soir nous partons pour l'Angleterre.

Après sept ans d'exil, Kit allait enfin rentrer chez lui.

1

— Tu es parent avec un comte ? Nous allons rendre visite à un « comte » ?

Ébahi, Alex finit sa phrase dans un murmure.

— C'est un homme comme les autres, juste un peu plus arrogant, répondit Kit, qui avait du mal à cacher son amertume.

Lui-même était loin d'être impressionné par la position sociale de Michael et Lily, comte et comtesse de Thorndale. En fait, il n'arrivait pas à imaginer ce que serait sa réaction en les revoyant, et cela l'angoissait. Sept années avaient passé depuis qu'ils l'avaient fait embarquer, malgré lui, dans un navire à destination des colonies. Il était alors sur le point d'épouser une actrice, ce qui faisait scandale. Certes, ce n'était pas leur faute si le navire avait été attaqué par les Barbaresques, et si sa vie était devenue une longue suite d'horreurs. Cependant, ils étaient à l'origine du tournant dramatique qu'avait pris son existence.

Que disait-on à des gens qui étaient responsables de ce genre de choses ? Il avait passé des années à ruminer sa haine à leur égard. Mais il se trouvait chez lui à présent, Venboer était mort, et le passé était le passé. Sa colère s'était apaisée et se voyait remplacée par un sentiment de vide que rien ne pourrait combler. Il ne savait pas quels seraient ses premiers mots. Et il n'avait plus le temps de préparer un discours ! Ils venaient d'arriver devant la somptueuse résidence londonienne de Michael.

Alex descendit le premier, grand adolescent encore impulsif. Il était trop maigre pour sa haute stature, mais des mois passés en mer avaient développé sa force. Quelques semaines de nourriture saine lui feraient reprendre du poids, mais les cicatrices ne disparaîtraient jamais.

Kit le suivit et grimaça de douleur lorsque sa jambe toucha le sol. Un mois, un an, même dix ans de bons traitements n'y changeraient rien. Sa blessure s'était infectée, et il avait effectué la plus grande partie du voyage en proie à la fièvre et aux hallucinations. Il avait survécu, mais sa carrière de marin était finie. Si marcher était devenu douloureux, grimper aux gréements était dorénavant impossible. Kit avait vu assez d'hommes blessés dans sa vie pour savoir qu'il ne pourrait plus jamais se servir de sa jambe comme autrefois.

— Nous aurions dû acheter des vêtements, s'inquiéta Alex en tirant sur l'étoffe grossière de sa chemise de marin.

Kit haussa les épaules.

— Ce sont les meilleurs que nous possédons ! Notre volonté de paraître sous notre plus beau jour nous rend d'ores et déjà respectables.

Alex se garda de répondre. Il prit le sac que lui tendait le cocher et se dirigea vers la porte de la demeure. Kit lui emboîta le pas tout en s'efforçant de trouver quelque chose de familier autour de lui. En vain. Les oiseaux pépiaient gaiement, l'air était chargé de poussière de charbon, mais il ne percevait pas les odeurs de sueur et de peur qui régnaient sur les navires. Le sol était stable, ce qui suffisait à le mettre mal à l'aise. Mais surtout, les arbres et les bâtiments semblaient beaucoup trop proches les uns des autres. L'espace, l'étendue de l'océan, le roulis du bateau lui manquèrent.

C'est dans cet état d'esprit qu'il vit s'ouvrir la porte d'entrée. Owen se tenait sur le seuil. En sept ans, son visage s'était creusé de nouvelles rides, mais son uniforme restait le même et son expression plus hautaine que jamais.

— Bonjour, Owen. Vous me reconnaissez ?

L'homme le toisa, par-dessus son nez pointu. Il fronça les sourcils et, soudain, il écarquilla les yeux, abasourdi.

— Maître Kit ? C'est vous, maître Kit ! Mais c'est impossible ! Vous êtes mort.

Kit eut une moue amusée.

— Je ne suis pas un fantôme.

Les yeux d'Owen s'embuèrent sous le coup de l'émotion, et Kit vit ses doigts se crisper comme s'il se défendait de lui sauter au cou. Le majordome savait tenir sa place. Depuis le débarquement en Angleterre, c'était bien la seule fois que Kit ressentait cette petite pointe de joie à l'idée des retrouvailles. Il s'avança et prit l'homme dans ses bras, surpris de sentir les larmes lui monter aux yeux.

— Oh, maître Kit, ils disaient que vous étiez mort, murmura le majordome. Mais entrez, entrez.

Kit pénétra dans le hall et eut immédiatement l'impression de se dédoubler. Il retrouva l'ancienne routine, fut tenté d'ôter ses gants et de tendre son chapeau au domestique. Mais depuis sept ans, il n'avait plus ni gants ni chapeau. Aussi demeura-t-il au milieu du hall, mal à l'aise, à observer la vaste pièce. La demeure avait-elle toujours été aussi propre ? Les valets au sourire narquois avaient-ils toujours eu un visage aussi pâle et imberbe ? Il avait vu nombre de palaces au cours de ces dernières années, et des étalages de bijoux précieux. Ce décor-là était typiquement anglais : un assemblage de lambris sombres et cossus, cirés à la perfection, qui absorbaient les moindres bruits de la maison.

Kit frotta son visage sale, conscient que son apparence devait constituer un contraste saisissant avec cet environnement luxueux. Les vêtements du majordome étaient d'un blanc immaculé. Alex avait raison de vouloir acheter de nouveaux habits. Lui-même avait oublié ce qu'était le raffinement. Ses chaussures lui parurent affreuses sur le parquet élégant.

— Nous aurions dû attendre, murmura-t-il.

Il était sur le point de tourner les talons quand des cascades de rires féminins lui parvinrent du salon. Des rires cristallins, délicieux. Des images de dames en robes de bal, parées de bijoux, se mouvant dans un bruissement de soie, se bousculèrent dans son esprit. Il se revit, au milieu des groupes de débutantes. Comme dans un rêve, il se dirigea vers le salon, attiré irrésistiblement vers ces femmes.

— Monsieur ! Maître Kit !

Il entendit la voix d'Owen lui parvenir de très loin. Il avait besoin de revoir ces jeunes filles anglaises dans leurs vêtements colorés, de rire de leurs bavardages, pour être sûr qu'il était rentré chez lui.

Il traversa le salon, passa dans la salle à manger et arriva sur la petite terrasse donnant sur un jardin parfaitement entretenu. Elles étaient là, toutes parées de leurs beaux atours. Un tourbillon de peaux blanches, de bijoux scintillants, de boucles tournoyantes. Tous les yeux rivés sur lui, ébahis. Étaient-elles bien réelles ?

Son regard passa de l'une à l'autre, absorba chaque détail comme la ligne d'un nez, la couleur d'un iris. Celle-ci avait des dents irrégulières, celle-là ressemblait à une poupée anglaise : blonde, les yeux bleus, vêtue d'une superbe robe de dentelle blanche.

Une des femmes s'avança d'une démarche ondoyante et avec une moue de dégoût.

— Owen !

Le majordome se précipita vers elle.

— Pardonnez-moi, madame, mais c'est maître Kit. Kit Frazier. Il est revenu d'entre les morts !

Kit ne la reconnut pas tout de suite. C'était Lily, la femme de son cousin. Son corps s'était empâté avec l'âge. Avait-elle toujours eu cette allure maladive ? Elle était pâle, trop poudrée, et de profondes rides creusaient son front, comme si elle avait pris l'habitude de garder les sourcils arqués pour regarder les autres de haut. Il avait vu d'autres femmes, comme elle, venir sur le marché aux esclaves. Lily ?

Les sourcils froncés, la bouche pincée, elle le détailla de la tête aux pieds. Instinctivement, il se redressa, rejeta les épaules en arrière, l'air menaçant. Qu'elle ose l'attaquer. Elle trouverait à qui parler.

Lily déglutit et recula, les yeux élargis de stupeur. Kit réalisa, un peu tard, que ce genre de lutte silencieuse n'avait pas cours dans le monde civilisé. Et encore moins avec le beau sexe.

Un autre homme arriva précipitamment. Son pas était lourd, irrégulier, ponctué d'un bruit sourd. Par réflexe, Kit se tourna et agrippa son sac de la main droite, s'apprêtant à s'en servir comme d'une arme. L'homme avait vieilli, ses joues s'étaient empâtées, mais ses traits restaient les mêmes. Kit reconnut son cousin Michael.

— Mon Dieu ! s'exclama ce dernier en s'appuyant lourdement sur sa canne. Oh, mon Dieu !

Il s'élança vers Kit et le prit dans ses bras.

Kit se figea, étourdi. Michael le serrait contre sa poitrine. La surprise se mêla à un flot d'émotions diverses qu'il aurait eu du mal à démêler. Son corps réagit de lui-même et sa main gauche alla se poser sur l'épaule de Michael.

Puis Michael relâcha son étreinte et recula pour le regarder. Le comte était encore jeune, mais une nourriture trop riche et abondante l'avait fait grossir. Ses yeux s'emplirent de larmes et sa main se mit à trembler.

— Comment as-tu fait pour t'échapper, Kit ?

Kit déglutit, les mots se bousculèrent dans sa tête. Et tout à coup, l'évidence lui sauta aux yeux : Michael savait qu'il s'était évadé… il savait donc aussi qu'il avait été capturé !

— Tu savais ? Tu savais que j'étais prisonnier ! Michael hocha la tête.

— La rançon qu'ils réclamaient était exorbitante. Mes agents ont essayé de négocier, en vain. Je me suis dit qu'ils finiraient par revoir leurs prétentions si je les faisais attendre.

Ils avaient négocié. Pendant que Kit suait sang et eau dans les cales d'un navire de pirates, son cousin avait décidé de marchander. Pendant qu'il se battait chaque jour pour avoir de quoi boire et manger, pendant qu'il était considéré moins qu'un animal et luttait seconde après seconde pour survivre, Michael négociait et différait…

— Tu sais ce qu'est la vie d'un esclave ? lança-t-il, sans prendre le temps de la réflexion. Devoir se battre pour une bouchée de pain dur et se demander sans cesse si tu vis tes derniers instants ?

Michael haussa les sourcils.

— Eh bien, j'imagine que ce doit être terrible, mais ce n'est pas une raison pour céder à ces barbares.

Kit le considéra bouche bée. Ses poings se crispèrent d'eux-mêmes alors qu'il se sentait presque détaché. Seigneur, ce type était un crétin ! Un pauvre débile ! Comment ne s'en était-il pas rendu compte ?

Il s'efforça de respirer profondément, de calmer les battements de son cœur et de garder son sang-froid. Le passé était derrière lui. Il avait survécu et avait fini par ne plus être tourmenté par les circonstances de sa capture. À présent il était capitaine, il avait un navire amarré dans le port et un équipage qui lui était entièrement dévoué. La stupidité de Michael n'avait plus tellement d'importance. Certes, c'était un idiot arrogant, mais Michael avait toujours été ainsi. Il aurait fallu être fou pour s'attendre à autre chose.

À force d'arguments, Kit parvint à contrôler les violentes émotions qui l'étreignaient.

C'était sans compter Alex. Le garçon l'avait suivi sur la terrasse, certainement aussi attiré que lui par les voix des femmes. Kit avait eu des années pour surmonter le traumatisme de sa capture et de son esclavage. En revanche, pour Alex, la blessure était fraîche et à peine guérie. Le garçon était malin et très intelligent. En moins d'une seconde, il comprit l'ampleur des crimes commis par Michael, et ce dernier devint la cible de toute sa rancœur.

Avec un grondement de fureur, il se jeta sur le comte, qui s'affala sur le sol comme un gros tas de pâte molle. Avant que Kit ait pu intervenir, Alex fit pleuvoir sur sa victime une pluie de coups. Ses poings s'enfoncèrent dans sa chair comme dans un sac de farine. Trois secondes s'écoulèrent avant que Kit n'entende les os craquer.

Madeline Wilson fit la moue en entendant les cris de son cousin. Lady Rose se mit à hurler, comme toutes les autres jeunes filles, qui n'avaient guère plus d'une vingtaine d'années. Les autres invitées de la comtesse poussèrent des cris ou décidèrent de s'évanouir. À en juger par leur réaction, on aurait pu croire qu'elles n'avaient jamais vu deux hommes rouler dans la poussière. Certes, un comte et un pirate, mais cela n'avait tout de même rien de si extraordinaire !

— Calme-toi, ordonna Madeline à Rose, en la poussant doucement sur le côté. Cela ne durera pas.

Les valets se précipitaient déjà, bien décidés à jeter les deux fauteurs de troubles à la rue. Personnellement, Madeline trouvait que le garçon avait mille fois raison de battre le comte, bien que le combat soit inégal. L'aristocrate n'était visiblement pas apte à se défendre. La goutte ou l'âge ne lui étaient d'aucune excuse ; de toute évidence il ne savait pas quoi faire pour repousser son adversaire.

Le plus âgé des deux pirates faisait son possible pour calmer la situation. Il avait passé un bras autour des épaules du garçon et essayait de le tirer en arrière. Il aurait réussi si les valets l'avaient laissé faire. Mais ces idiots se mêlaient à la bagarre et l'envenimaient.

— Oh, pour l'amour du ciel ! s'exclama-t-elle, excédée.

La solution du problème était évidente : les sacs des deux marins bloquaient le passage. Il suffisait de les déplacer pour que l'homme ait la

place de reculer avec le garçon, et tout rentre-
rait dans l'ordre. Avec une grimace de dégoût,
Maddy s'avança pour tirer les sacs sur le côté.

Si personne ne l'avait fait, c'était qu'il y avait
une raison… Au moment où elle posa les doigts
sur la toile rude, les pirates firent volte-face et la
considérèrent avec férocité. Elle se figea, les
mains sur les poignées. Les deux hommes ne
prononcèrent pas un mot, n'esquissèrent pas un
geste. Parfaitement immobiles, ils concentraient
leur attention sur la jeune femme. Le majordome fit reculer les valets, mais cela ne l'aida en
rien.

— Bonjour, messieurs, articula-t-elle d'une
voix étranglée.

Rose laissa fuser un gémissement de peur,
mais Maddy ne pouvait rien pour elle. Elle était
fascinée par les yeux du plus âgé. Une étendue
bleu pâle dans laquelle elle aurait pu se perdre.

— Il est évident que ce sont vos sacs, mais ils
gênent le passage. Nous devrions les pousser
sous la table, vous ne croyez pas ? Ensuite vous
pourrez continuer, euh… votre activité sans
endommager leur contenu.

La comtesse poussa un petit soupir, excédée
par ces palabres. Elle devait tenir à ce que son
mari ne soit frappé davantage, et c'était compré-
hensible. Mais il était urgent que les deux
hommes recouvrent leurs esprits. Comme
Maddy l'espérait, sa note d'humour détendit les
traits du pirate. Excellent résultat. Le problème,
c'était le jeune garçon. Ses yeux lançaient des
éclairs.

26

— C'est une bonne idée, tu ne crois pas, Alex ?
De repousser les sacs ?

Sans répondre, le gamin leva de nouveau le
poing au-dessus du comte. Par bonheur, son
compagnon le tenait solidement, sans toutefois
avoir assez de place pour reculer avec lui. Il revenait donc à Maddy d'apaiser les ardeurs, en espérant que le jeune homme finirait par se ressaisir.

— Je crois qu'une telle victoire sur le comte a
dû vous donner soif. Voulez-vous une tasse de
thé ?

Elle pensait flatter son orgueil de mâle en faisant allusion à sa victoire, pourtant ce fut le dernier mot qui eut raison de la fureur d'Alex. Il
cligna des paupières, interloqué.

— Du thé ?

— Oui, du thé, renchérit son acolyte.

Les mots étaient sortis avec une telle aisance
que l'on aurait pu croire qu'il revenait tout juste
d'une promenade à Hyde Park.

— Du thé serait parfait. Tu ne crois pas, Alex ?

— Merveilleux ! s'exclama Maddy, en se retour-
nant pour prendre la première tasse qui lui tombait sous la main.

C'était celle de Rose.

— Tenez. Dites-moi si c'est ainsi que vous
l'aimez.

Elle tendit la tasse au garçon qui se trouvait
encore à califourchon sur le comte. Ce dernier
gémissait et saignait abondamment, et sa femme
n'eut ni la patience ni l'intelligence de jouer le
jeu. Elle s'avança, offusquée, et tenta de prendre
la tasse des mains de la jeune fille.

— C'est parfaitement ridicule, et...

— Madame ! s'exclama le majordome, en rete-
nant sa maîtresse par les épaules. Il vaut sans
doute mieux laisser Mlle Wilson et maître Kit
raisonner ce garçon.

— Ce garçon mériterait d'être fouetté !

Le pirate se crispa et lança un regard noir à la
comtesse. Maddy ne put s'empêcher de le
comparer à un chien de combat, juste avant
l'attaque.

— Le thé est une boisson apaisante, suggéra-
t-elle, désespérée. Tout ce qu'il faut après un
exercice violent.

Et soudain, oubliant toute convenance, elle fit
l'impensable : elle s'immisça entre deux hommes
qui se battaient à coups de poing. Si le plus âgé
des deux hommes lâchait son compagnon, elle
ne pourrait reculer pour se protéger. Mais il la
rassura d'un coup d'œil. Son regard était rassurant, son expression ferme. D'un léger signe de
tête, il lui fit comprendre qu'elle n'avait rien à
redouter.

Elle ne pouvait en être sûre. Il n'était pas raisonnable de faire confiance à un pirate. Pourtant
elle remercia l'homme d'un sourire et reporta
son attention sur le plus jeune des deux.

— J'ai réussi à ne pas renverser de thé, ce qui
est un petit miracle. Goûtez-le, je vous en prie.

Elle tendit la tasse et la soucoupe au garçon. Il
ne fit pas mine de les prendre, aussi se pencha-
t-elle pour lui effleurer le poing. Comme par
magie, ses doigts se décrispèrent et elle lui glissa
la tasse dans la paume. Puis elle posa les yeux
sur l'autre poing, toujours serré sur la cravate du
comte.

— Oh mon Dieu, fit-elle d'un ton léger. Vous avez du sang sur la main.

Elle sortit un mouchoir en lin blanc de sa poche.

— Puis-je m'en occuper ? Mon père était médecin, il m'a appris à soigner les plaies. Je ne vous ferai pas mal.

Elle tendit la main pour qu'il lui donne la sienne. Tous les yeux étaient braqués sur eux.

— Je crois que le thé te fera du bien, dit l'homme plus âgé. Je vais te relâcher un peu pour te permettre de boire, Alex. Sois poli. Ne le renverse pas sur la robe de la dame.

Le garçon battit des paupières, recouvrant peu à peu sa raison. Maddy s'en aperçut et poursuivit d'un ton maternel :

— J'insiste, il ne faut pas continuer de faire couler du sang sur le comte. Cela ne se fait pas. Allons, donnez-moi votre main.

— Ce n'est pas mon sang, répondit le garçon d'une voix un peu haut perchée.

Le plus vieux des deux pirates soupira, exaspéré.

— Ma jambe me fait mal, Alex. Libère mon cousin et bois donc une tasse de thé !

Sur ces mots, il relâcha lentement son étreinte. Ses gestes étaient doux, mais prudents. Au moindre signe alarmant, il était prêt à retenir le garçon.

Alex ne cilla pas. Il finit cependant par prendre une longue inspiration, après quoi il ouvrit le poing. La tête du comte retomba sur le sol avec un bruit sourd.

— C'est bien, mon gars, dit son compagnon.

Kit voulut se redresser, mais le mouvement lui arracha un tressaillement.

— Seigneur... ça fait mal !

Maddy risqua un coup d'œil dans sa direction. Remarquant que son beau visage était crispé de douleur, elle se rappela qu'il boitait à son entrée sur la terrasse. Cela ne l'avait pas empêché d'intervenir avec vivacité, mais à présent l'effort devenait douloureux.

— Aimeriez-vous, euh... une tasse de thé, également ?

Cela pouvait sembler idiot, mais ce fut la première chose qui lui passa par la tête. Et l'incroyable se produisit.

Les yeux du pirate s'animèrent, ses lèvres esquissèrent un sourire.

Quel homme extraordinaire !

Il souffrait, fournissait un effort considérable pour retenir un garçon déchaîné et avait la présence d'esprit de lui sourire. En un instant, elle devina en lui un mélange de bonté, de générosité et autre chose encore qu'elle n'aurait su définir. De la noblesse, peut-être. L'absurdité de la situation ne le choquait pas. Il ne voyait pas d'inconvénient à parler rafraîchissement, alors qu'il empêchait un jeune homme de commettre un meurtre.

— À vrai dire, je préférerais un grog. Mais je suppose que vous n'avez pas cela sous la main.

— Je n'ai pas de thé non plus, avoua-t-elle, dépitée.

La comtesse choisit ce moment pour leur rappeler sa présence. Décidément cette femme manquait d'à-propos.

— Du grog, du thé ! Bonté divine, mademoiselle Wilson. Dites à cet homme de libérer Michael, il lui faut des soins !

Heureusement, le majordome intervint.

— Tout de suite, madame, dit-il d'un ton apaisant. Simpson, allez chercher le médecin, vite.

— Et le garde, ajouta une des femmes.

Les deux pirates se raidirent, et Maddy vit les yeux du plus vieux s'assombrir. Mais seul le jeune homme représentait un danger, aussi se pencha-t-elle pour lui prendre la main.

— Le thé est froid ? Voulez-vous que j'aille vous en chercher une autre tasse ?

Le garçon battit des paupières. Elle soutint son regard et éprouva un intense soulagement quand il porta enfin la tasse à ses lèvres et que son compagnon le libéra complètement. Toute l'assistance avait les yeux rivés sur Alex.

— C'est doux ! s'exclama-t-il en faisant la moue.

Maddy se rappela un peu tard que Rose avait la manie de trop sucrer son thé.

— Oh, mon Dieu, je suis désolée, dit-elle en tendant les mains. Je vais vous en servir une autre tasse.

Le gamin eut un mouvement de recul, comme un enfant auquel on veut retirer son jouet préféré.

— J'aime le sucre.

Comme pour prouver ce qu'il disait, il avala le liquide d'un trait et reposa la tasse vide dans la soucoupe, d'un geste si brusque qu'il fit tinter la porcelaine. Maddy et les deux hommes considérèrent la tasse avec inquiétude. Le comte revint à lui et se mit à gémir de douleur.

Par bonheur, la porcelaine était intacte, et Alex rendit la tasse à Maddy. Celle-ci ne le quittait pas des yeux et ne décela chez lui aucun signe de folie. Son expression menaçante avait disparu. Elle ne vit dans ses yeux que de la douleur et une profonde terreur quand il posa les yeux sur le comte.

— Que dois-je faire ? demanda-t-il d'une voix basse et paniquée.

M. Frazier haussa les épaules.

— Il n'y a pas grand-chose à faire, Alex. Relève-toi et laisse les valets s'affairer. Nous verrons bien.

— Mais ils ont appelé le garde ! s'exclama le garçon, affolé. Je ne veux pas qu'on m'enferme ! Je ne veux pas !

— C'est pourtant ce qui va vous arriver, jeune homme ! déclara Lily d'un ton grinçant. Et maintenant, laissez mon mari tranquille !

— Non !

Aussitôt, il leva le poing, de nouveau menaçant. Maddy n'aurait su dire s'il voulait s'en prendre à la comtesse ou juste la repousser pour s'échapper. Mais cela n'avait pas d'importance, car M. Frazier s'interposa aussitôt.

Il passa un bras autour du cou du garçon et serra. Alex s'agita, en proie à la panique ; il n'arrivait plus à coordonner ses mouvements. M. Frazier grogna en recevant des coups de pied et de poing, mais à aucun moment il ne relâcha l'étreinte. Maddy le vit serrer les dents quand du sang jaillit sur ses avant-bras, mais il demeura calme et résigné. Il n'avait pas le choix. Peu à peu, les mouvements du garçon ralentirent, il roula des yeux et tomba en arrière, soutenu par M. Frazier qui le déposa délicatement sur le sol.

— Oh ! s'écria Rose. C'était magistral !

Maddy avait oublié la présence des autres femmes, mais on pouvait faire confiance à sa cousine pour se mettre en avant ! Elle se mit même à applaudir, sans se soucier de l'expression peinée de M. Frazier. Maddy s'agenouilla à côté du garçon pour lui prendre le pouls. Il respirait. Elle n'avait jamais vu quelqu'un sombrer dans l'inconscience de manière aussi soudaine.

— Il est vivant, dit M. Frazier d'une voix sourde. Il va dormir un moment.

Maddy lui tendit son mouchoir. Son autre main était pressée contre le pouls d'Alex, qui battait de manière régulière. M. Frazier contempla sans comprendre le petit carré de lin, souillé de sang.

— Pour vos bras, expliqua-t-elle avec douceur. Vous saignez.

— En effet, répondit-il, désarçonné, en baissant les yeux.

Il prit le mouchoir, mais ne réussit qu'à étaler le sang sur ses avant-bras brûlés par le soleil.

— Je suis désolée… murmura Maddy.

Elle ne put continuer. La comtesse la poussa rudement de côté pour s'approcher de son mari. Maddy chancela et elle serait tombée si M. Frazier ne l'avait rattrapée. D'un mouvement alerte, il la retint puis l'aida à se relever et l'entraîna près du mur.

La comtesse lançait des ordres, tout en tamponnant inutilement les lèvres tuméfiées de Michael.

— Il ne faut pas le bouger, dit Maddy. Ses côtes sont brisées et…

Les mots s'éteignirent sur ses lèvres. Personne ne lui prêtait attention. Les valets soulevèrent le comte pour l'emmener dans sa chambre. Comme elle le craignait, le pauvre homme, pâle comme la mort, se mit à hurler en agrippant le bras du valet le plus proche. Puis, au soulagement général, il s'évanouit.

— Ne vous inquiétez pas, lui dit M. Frazier. Avec un peu de chance, ses côtes ne sont pas cassées mais simplement fêlées. Alex n'est pas aussi fort qu'il en a l'air, et Michael est bien rembourré. Il aura simplement d'atroces douleurs en se réveillant.

Ces paroles s'adressaient à Maddy, mais la comtesse semblait avoir l'oreille fine. Elle pivota brusquement sur elle-même et pointa vers Kit un doigt accusateur.

— C'est votre faute ! Comment avez-vous osé vous introduire chez moi avec ce… cet animal !

— Ce n'est qu'un jeune garçon, Lily. Voilà ce que deviennent les gentils jeunes hommes quand ils sont enlevés par les pirates barbaresques.

— Je me moque de ce qui lui est arrivé. Sortez de chez moi. Sur-le-champ !

M. Frazier réagit très calmement. C'est à peine s'il eut un haut-le-corps. Personne ne le remarqua, sauf Maddy qui se trouvait juste derrière lui, plaquée contre le mur. Il parut cesser de respirer un instant et se raidit. Cela ne dura qu'une seconde, puis il s'inclina comme si de rien n'était.

— Comme il vous plaira, Lily.

La comtesse ne parut pas entendre. Elle rentra avec son mari, tandis que les autres dames se remettaient à parler toutes en même temps. Maddy ne put s'empêcher de les comparer à des oies. Elle chercha Rose des yeux, mais les larges épaules de M. Frazier lui bloquaient la vue. Alors qu'elle allait se glisser sur le côté, le majordome surgit devant eux.

— Il vaudrait mieux que vous partiez, maître Kit. Ils ont appelé le garde, je n'ai rien pu faire. Avez-vous un endroit où aller ?

Kit secoua la tête en regardant le garçon allongé sur le sol.

— Nous venons d'arriver. Le navire est à quai, mais…

— Venez avec nous, proposa alors Maddy.

Le majordome et le pirate la considérèrent avec stupéfaction. Ce qui se comprenait fort bien. Les convenances ne prévoyaient pas qu'une jeune fille invite des pirates chez elle. Elle-même séjournait chez oncle Frank. Elle n'était qu'une parente sans biens que celui-ci hébergeait. Mais elle ne pouvait revenir en arrière, surtout devant le regard plein de gratitude que M. Frazier lui accorda.

— C'est très aimable à vous. Ce garçon a besoin d'une vraie maison, il a été trop longtemps prisonnier en mer. Il lui faut un vrai lit, sur la terre ferme, pour l'apaiser et chasser tous ses cauchemars. Mais je n'ai pas encore de livres

35

sterling pour payer une auberge et je comptais sur Michael...

Il soupira.

— C'est entendu alors, dit vivement Maddy. Voulez-vous faire appeler notre voiture, s'il vous plaît, Owen ? Et n'oubliez pas les sacs.

Puis elle prit une profonde inspiration. À son grand regret, il lui restait encore une chose à faire. C'était très égoïste, mais jusqu'ici, elle avait été heureuse d'être la seule femme à avoir capté l'attention de M. Frazier. Malheureusement, sa cousine allait faire le trajet en voiture avec eux, et elle était obligée de faire les présentations. Sa cousine à la beauté rayonnante et au titre ronflant. Celle-là même qui avait tous les hommes à ses pieds.

Pourtant, il le fallait. Aussi posa-t-elle les doigts sur le bras de M. Frazier en lui désignant Rose, qui trépignait littéralement d'impatience.

— J'ai le plaisir de vous présenter ma cousine Rose.

2

— Enchanté de faire votre connaissance, dit Kit avec un bref coup d'œil à la belle blonde.

Le temps passait, et Kit ne cachait plus son impatience. S'ils ne partaient pas tout de suite, ils risquaient fort de passer la nuit en prison. Il se pencha donc pour soulever Alex. Grâce au ciel, le garçon n'avait pas encore son poids d'adulte, sans quoi la jambe de Kit n'aurait jamais résisté. Il craignait déjà de ne pas pouvoir parcourir la distance qui les séparait de la voiture.

— Oh, mon Dieu, chuchota celle qu'il considérait comme une vraie beauté, celle au visage d'ange, aux cheveux bruns, à la voix et aux yeux doux. Vous êtes sûr que vous pouvez faire cela ? Nous pourrions sans doute trouver une sorte de civière.

Non seulement elle était charmante, mais rien ne lui échappait. Devinant qu'il était en difficulté, elle avait fait une habile suggestion, sans insister sur le fait que sa jambe était estropiée.

Mais ils n'avaient pas le temps d'aller chercher une civière.

— Tout ira bien, protesta Kit en se dirigeant vers la porte d'entrée.

Owen se précipita devant lui pour repousser les jeunes femmes qui se pressaient dans le hall. La blonde choisit ce moment pour s'écrier :

— Mais nous ne pouvons pas le ramener à la maison ! Il a attaqué le comte. La comtesse nous décriera auprès de tous les bons partis et nous finirons vieilles filles !

Kit ne prit même pas la peine de la regarder. D'une certaine façon, il trouvait cette voix stridente rassurante. Cela faisait presque dix ans qu'il n'avait plus entendu une jeune Anglaise s'offusquer. Les souvenirs de son enfance refirent surface, et il fut tenté de lancer une de ses taquineries qui, jadis, faisaient rougir les filles. Mais Alex se mit à remuer, et il se hâta de sortir du salon.

— Tais-toi donc, Rose, tu t'inquiètes pour rien, répliqua l'ange aux yeux bruns.

— Père n'autorisera jamais une chose pareille. Tu n'aurais pas dû les inviter. Tu n'es qu'une provinciale, tes manières ne sont pas dignes d'une dame de Londres !

Kit franchit la porte d'entrée, mais il ignorait quelle voiture était celle des jeunes femmes. Il fit une pause, et les regarda s'avancer tandis qu'elles chuchotaient :

— Ne te tourmente pas, Rose. C'est tout à fait convenable, puisque ton père sera là. Et la comtesse ne nous battra pas froid, nous venons en aide au cousin de son mari.

— Mais il a attaqué le comte !

L'ange soupira, partagée entre l'agacement et la culpabilité. Cela faisait sept ans que Kit ne fréquentait plus la bonne société, mais il se rappelait nettement qu'une jeune fille à marier n'était pas censée inviter des hommes chez elle. Un gentleman aurait décidé de se rendre dans un hôtel. Mais il y avait longtemps qu'il n'appartenait plus à cette catégorie, aussi ignora-t-il les reproches de sa conscience. Il avait envie de rester auprès de ces femmes, et son vœu était en passe de se réaliser. Ce qu'il voulait au plus profond de lui, toutefois, n'était ni convenable ni envisageable, et même un pirate de son espèce ne pouvait s'y risquer. Une des voitures s'avança. Elle était ornée d'armoiries, et un valet en livrée mit pied à terre.

— Votre voiture ? demanda Kit aux deux femmes.

— Oui, oui, répondit l'ange brun.

— Tout va bien, murmura-t-il à Alex, qui s'agitait. Tu n'as rien à craindre. Tiens-toi tranquille encore un moment.

— Il va tous nous tuer ! s'exclama la blonde.

— Rose ! Monte dans la voiture et tais-toi, ordonna l'ange, à bout de patience. Thomas ! Aidez-nous, soutenez la tête du garçon.

Le valet obéit dans l'instant.

— Allongeons-le sur le siège, dit Kit.

Les deux hommes déposèrent Alex à côté de la jeune femme blonde horrifiée. Enfin, Kit put étirer son dos et ses jambes endoloris.

— Maddy ! cria la jeune fille à l'intérieur du carrosse. Il se réveille !

— Chut ! Tu vas lui faire peur. Monsieur, vou-lez-vous monter dans la voiture et le rassurer ? Faites-le asseoir afin que je puisse prendre place à côté de Rose.

— Nous pouvons partir, lança Kit au cocher autant qu'à la jeune femme.

Tous deux acquiescèrent, et il grimpa dans le carrosse. Alex reprenait déjà ses esprits et il écar-quilla les yeux, paniqué, quand Kit l'aida à se redresser.

— C'est bon, mon garçon. Dans une minute, nous serons loin d'ici. Les dames nous accompa-gnent, alors tiens-toi tranquille.

Le garçon hocha la tête. Son regard se posa sur la jeune fille blonde et il esquissa un sourire trem-blotant. Mais ce fut l'ange brun qui s'adressa à lui.

— Je suis contente que vous ayez repris connaissance. Je suis Mlle Madeline Wilson. Et voici ma cousine, lady Rose.

Une jeune fille noble. Et sa cousine sans argent, devina Kit, en observant les vêtements de l'ange brun. Visiblement elle portait ceux dont sa parente ne voulait plus. Leur couleur et leur forme ne seyaient pas du tout à une brune comme elle, à la silhouette élancée. Ils étaient mieux adaptés à la blonde à l'allure de poupée. Ajoutez à cela les armoiries délavées sur le car-rosse et la livrée fatiguée du valet, et Kit n'avait aucun mal à se faire une idée de leur hôte. Un comte probablement, une famille vieillissante, à bout de souffle, qui économisait sou par sou.

— Enchanté, dit-il en s'inclinant maladroite-ment dans l'habitacle exigu. Comme vous le savez, je suis M. Frazier, et voici Maître Alexander

40

Morgan, qui semble se remettre enfin de son moment de folie. N'est-ce pas, Alex ?

Alex s'empourpra, embarrassé. Ce qui ne l'empêcha pas de fixer la jolie blonde.

— Vous êtes belle, articula-t-il, l'air énamouré.

— Oh, monsieur ! protesta la jeune fille, ravie.

Kit se tourna vers l'ange brun, et ils échangèrent un regard amusé. Mais l'expression de la jeune fille était triste et résignée. Kit arqua les sourcils. L'ange ne devait pas avoir conscience de son charme et semblait habitué à être ignoré en présence de sa jeune et jolie cousine. Celle-ci se mit à jacasser en ponctuant ses paroles de sourires radieux et d'œillades coquettes.

— C'est très excitant de vous avoir fait monter dans notre carrosse, mais ma cousine n'est pas familiarisée avec les manières londoniennes. Elle vient de la campagne, voyez-vous, et n'est pas habituée au grand monde. Vous comprenez…

— En réalité, Rose, je pensais que la situation pourrait tourner à notre avantage. Après tout, M. Frazier est le cousin d'un comte. Tu trouveras un moyen de faire accepter la situation. Rose est très douée pour ce genre de choses, ajouta-t-elle à l'intention des deux hommes.

Kit sourit. Il n'était pas dupe une seconde. De toute évidence, l'ange brun manipulait sa cousine avec habileté. Amusé, il retrouva le jeu subtil des échanges verbaux, cet exercice oublié qu'il avait pratiqué dans sa jeunesse. Rose, de son côté, s'était radoucie.

— Peut-être, mais tu sais ce que dira papa : une action charitable, c'est déjà bien assez.

C'était injuste ! Parler ainsi à cet ange, et devant des messieurs qui plus est, c'était d'une insigne cruauté. À en juger par l'attitude résignée de l'ange, celle-ci devait subir quotidiennement ce genre de remarques. Il se jeta aussitôt à son secours, cherchant dans sa mémoire les mots adaptés.

— Je peux vous dédommager, dit-il doucement. Je me considérerai comme votre débiteur. De fait, votre action charitable à notre égard prouve que vous avez un cœur généreux. Je m'étonne que vous ne soyez pas assiégée par les prétendants. Les hommes sont-ils tous devenus aveugles à Londres ?

C'était à l'ange que ce compliment s'adressait, et il la vit agrandir les yeux de surprise. Mais naturellement la blonde prit la remarque pour elle.

— La fille d'un comte ne peut épouser le premier venu, vous savez.

Kit fut désarçonné par la tristesse qui perçait dans sa voix. Sans doute n'était-ce qu'une jeune fille trop gâtée sous ses airs d'aristocrate hautaine.

— Quant au dédommagement que vous nous offrez, nous en discuterons avec mon père.

Kit hocha la tête. Il s'apprêtait à répondre quand il vit que l'ange avait les yeux rivés sur Alex. Elle semblait troublée.

— Mademoiselle Wilson ?

— Je me disais que nous devrions appeler un médecin. Je sais que le sang est celui du comte, mais par prudence...

Elle sourit gentiment à Alex, et Kit éprouva un vif pincement de jalousie.

— C'est inutile, déclara-t-il sèchement. De la bonne nourriture et du repos suffiront à nous remettre d'aplomb.

— Comme vous voudrez.

L'ange acquiesça en baissant les yeux. Elle avait l'air raisonnable, mais Kit soupçonnait mille pensées de s'agiter derrière cette apparence tranquille.

— Mademoiselle Wilson...

Mais la blonde l'interrompit, et ils attendirent tous qu'elle ait fini de parler.

— Si j'ai bien compris, monsieur Frazier, vous avez été capturé par des pirates ? Des pirates barbaresques ? Il m'a semblé que c'était ce que disait le domestique, mais je n'en étais pas sûre. C'est une histoire si rocambolesque ! Et vous avez réussi à vous échapper ! Oh, il faut absolument nous raconter comment cela s'est passé ! Étiez-vous aussi esclave, monsieur Morgan ? Doux Jésus, c'est abominable !

— En effet lady Rose, c'était abominable, répondit Kit d'un ton plat, qui n'incitait pas à demander de plus amples détails.

Mais lady Rose n'était pas femme à se laisser décourager.

— Absolument ! Mais comment vous êtes-vous évadé ? Était-ce très dangereux ? Nous nous rendons au concert ce soir, vous pourriez sans doute nous accompagner ? Oh, non, pas dans cet accoutrement. Demain, peut-être ?

Rose continua de babiller et de les presser de questions. Grâce au ciel, ils atteignirent

43

rapidement leur destination, ce qui les dispensa de répondre à toutes.

Maddy referma la porte et poussa un soupir de soulagement. Elle avait installé les deux messieurs dans la chambre de la gouvernante, qui était disponible. La pièce était minuscule, mais le lit assez large pour deux. Sans oublier le salon attenant à la chambre. Maddy s'y installait généralement pour faire les comptes et établir les menus de la semaine. Cela leur ferait un endroit où se retirer s'ils éprouvaient le besoin de se tenir à l'écart de la famille. Ce serait bien mieux pour tout le monde, et cela leur permettrait d'échapper aux questions incessantes de Rose.

M. Frazier s'en était très bien sorti jusqu'à présent. Contrairement au garçon, il savait garder son sang-froid et était très tolérant. Cependant, quelque chose chez lui la troublait. Sans pour autant le craindre, elle n'éprouvait pas de plaisir à se trouver en sa présence. Il était extrêmement poli, mais semblait la surveiller, l'observer et lire en elle comme dans un livre. Cela agaçait la jeune femme qui avait elle-même insisté pour les ramener à la maison.

— Que font-ils ? s'impatientait Rose, depuis la porte du salon.

Elle était entourée d'un groupe de domestiques curieux et Maddy les gronda, irritée.

— Vous devez avoir mieux à faire. Voulez-vous que je vous trouve du travail ?

La menace eut l'effet escompté, et les trois domestiques de la famille disparurent en un

44

instant. Rose tenta de se faufiler jusqu'à la chambre.

— Ils dorment ? Ils n'ont pas besoin d'un valet ? Ils ne veulent pas prendre un bain ? Je pense vraiment que papa ne sera pas content, mais si M. Frazier peut payer, cela se passera bien. C'est assez romantique, tu ne trouves pas ? Ce M. Morgan qui s'est évanoui en me voyant. Il a dit qu'il me trouvait belle, tu te rappelles ?

— Oui, bien sûr.

Maddy saisit fermement Rose par le bras et l'entraîna dans le corridor.

— Mais je ne pense pas qu'il se soit évanoui à cause de toi, ma chérie. Je crains qu'il n'ait souffert d'un...

— Oui, oui ! Et M. Frazier, tu imagines ? Capturé par des pirates, il apprend en rentrant chez lui que sa fiancée a épousé un autre homme ! Le pauvre ! Il ignore probablement que sa mère et sa grand-mère sont mortes d'une mauvaise fièvre il y a deux ans.

Maddy se figea et dévisagea sa cousine.

— Que veux-tu dire ? Il n'a pas parlé de sa fiancée.

— Oh, bien sûr, tu ne vivais pas encore chez nous à l'époque, et je n'avais même pas fait mon entrée dans le monde. Mais tout le monde a appris la mort de M. Frazier. Et sais-tu qui s'est permis de venir aux funérailles ? Sa fiancée ! À quoi fallait-il s'attendre de la part d'une actrice ? De toute évidence elle n'était venue que pour se trouver une nouvelle cible, car le mois suivant elle épousait lord Blackstone ! Elle a eu un enfant dans l'année.

— Oh, mon Dieu. Pauvre homme.

Maddy jeta un coup d'œil en direction de la chambre. M. Frazier prétendait qu'ils avaient besoin de repos, mais ils devaient surtout vouloir la paix. Ils avaient certainement faim, elle allait leur faire apporter un plateau.

— Et le plus jeune ? demanda-t-elle à sa cousine, en l'emmenant dans le salon.

— Oh, je ne crois pas qu'il ait de la famille, répondit Rose d'un ton vague. M. Frazier est merveilleux, n'est-ce pas ? Tu as vu comme il a su se rendre maître de la situation ?

Maddy hocha la tête, enchantée que M. Frazier ait pris aux yeux de sa cousine la dimension d'un héros romantique.

— Il faut réfléchir à ce que nous allons dire à ton père. Il va rentrer de son club d'une minute à l'autre.

— Oh, fit Rose, en balayant ce détail d'un geste de la main. Parle-lui simplement de l'argent.

Elles se trouvaient dans l'entrée, et Rose s'arrêta brusquement, les yeux écarquillés.

— Tu crois qu'il est très riche ? Qu'il a de l'or, des pierres précieuses ? Il n'a pas l'air fortuné, mais Dieu sait de quel enfer il revient, et...

— Rose ! Tu ne devrais pas parler ainsi, intima Maddy en l'entraînant jusqu'au salon.

— Quoi ? répondit Rose en battant des paupières d'un air innocent. À propos de l'argent ou de l'enfer ?

— Des deux, et tu le sais.

Rose se mit à glousser.

— Naturellement, je le sais ! Et je ne pensais pas t'entendre un jour critiquer mon langage !

46

Maddy sourit gentiment à sa cousine. Trois ans auparavant, à son arrivée dans cette maison, elle jurait elle-même fréquemment et avait un langage peu châtié. Elle avait passé toute sa vie seule avec son père, qui s'occupait beaucoup de ses patients. Ce qui lui laissait du temps pour s'amuser avec qui elle voulait. Les romanichels avaient enrichi son vocabulaire. Après la mort de son père, il avait fallu qu'elle s'adapte à la bonne société, et cela n'avait pas été sans mal. Mais elle avait fini par apprendre à se comporter correctement, à se taire quand il le fallait. Rose n'était pas consciente de ce changement et se considérait comme la plus sage et la plus éduquée, sans tenir compte des huit années qui les séparaient.

— Allons, Rose, il faut que tu m'aides...

— Rose ! Madeline ! Où êtes-vous ?

La voix irritée d'oncle Frank résonna dans la maison.

— Oh, mon Dieu, chuchota Maddy, consternée.

Rose se mordit les lèvres, puis fit un clin d'œil de connivence à sa cousine.

— Nous sommes dans le salon, papa ! Ne criez pas autant, j'ai la migraine !

Maddy lui lança un regard noir. Elle savait exactement où Rose voulait en venir. Celle-ci prenait déjà un air alangui, une main mollement posée sur son front. Oncle Frank les rejoignit dans l'instant, tandis que Rose gémissait de douleur.

— Papa, je sais que vous êtes en colère, dit-elle sans lui laisser placer un mot. Mais essayez de comprendre, Maddy ne connaît pas les convenances, on ne lui a rien appris à la campagne.

Ma tête me fait terriblement mal. Je vais m'allonger un moment.

Oncle Frank considéra sa fille avec sévérité. Il n'était pas dupe de sa petite comédie.

— Comment avez-vous osé ramener un homme violent à la maison ? Quelle mouche vous a piquées ?

Les doigts de Rose tremblaient sur son front.

— Papa, ma migraine. Je vous en prie...

— Laissez-la, oncle Frank, dit doucement Maddy. Elle a essayé de m'en dissuader, mais j'ai insisté.

L'homme fronça les sourcils. Puis, d'un geste sec de la main, il congédia sa fille. Rose ne se fit pas prier et disparut dans l'instant. Maddy, le père et les trois domestiques demeurèrent dans la pièce.

— Ces hommes ne sont pas violents, oncle Frank. Vous le constaterez par vous-même quand ils se seront reposés. L'un est le cousin du comte et le plus jeune est malade.

Son oncle pénétra dans le petit salon, avec l'intention visible de faire irruption dans la chambre des deux pirates.

— Mon oncle ! s'écria Maddy en courant se camper devant la porte. Je pense qu'il vaut mieux les laisser prendre du repos. Le plus âgé des deux est blessé à la jambe, il peut à peine marcher. Et l'autre n'est qu'un jeune garçon.

— Tu arranges le tableau à ta façon, il me semble ! rétorqua l'homme, irrité. Ce n'est pas lui qui a cassé cinq côtes au comte de Thorndale ?

Tant que ça ?

— Je suis sûre que c'est exagéré.

— Et qui va payer leur pension ?

— Ils ont de l'argent. M. Frazier a proposé de vous dédommager.

Elle ne précisa pas qu'il faudrait quelque temps à ce dernier pour se procurer des livres sterling.

— Hum. Ma maison n'est pas un hôtel...

— Je sais, mon oncle. Nous pourrions peut-être aller en discuter ailleurs. Ils ont besoin de repos. Je pense sincèrement que tout ira bien ; ils ont seulement besoin de retrouver leurs repères.

Le comte posa une dernière fois les yeux sur la porte close, puis hocha la tête à regret. Il n'était pas homme à céder facilement, mais Maddy était fille de médecin, et il s'en remettait souvent à ses connaissances médicales. Ils s'éloignèrent donc et oncle Frank se laissa tomber dans le canapé du petit salon.

— Mon oncle ?

— Je ne les laisserai pas sans surveillance. Pas tant que je ne serai pas certain qu'ils ne sont pas dangereux.

— Je vous assure...

— Ils se sont attaqués à l'une de mes connaissances. Je ne tiens pas à être assassiné dans mon lit par des sauvages qui reviennent d'Afrique.

Maddy déglutit. Son oncle semblait déterminé. Elle acquiesça donc, l'air résigné, et s'assit face à lui. Visiblement il avait besoin de parler et, comme il aimait discuter parfois pendant des heures, elle s'installa confortablement. Elle tenta de le distraire pour l'empêcher de se lancer dans un sermon.

— Comment avez-vous su ce qui s'était passé ?

— Il n'était question que de cela au club. Kit Frazier, revenu d'entre les morts et atteint de démence. Il s'est jeté sur le comte, l'a sauvagement...

— Non !

— Un enfant sauvage l'accompagnait. Il a fallu sept hommes pour le retenir...

— Ce n'est pas...

— Et sur ce, il vient chez moi avec ma fille ! Certains ont même dit qu'il l'avait enlevée.

— C'est ridicule.

Oncle Frank croisa les bras.

— Vraiment ? Ils sont pourtant derrière cette porte !

Maddy fit la moue.

— Ils ne nous ont pas enlevées puisque nous sommes tous à la maison. Le garçon a simplement eu un moment d'égarement avant de s'évanouir.

— Et de s'affaler sur toi.

Maddy battit des paupières. À entendre son oncle, on aurait pu croire qu'elle avait été agressée dans le salon du comte.

— Non. M. Frazier le soutenait.

— Hmm.

— Je peux vous expliquer exactement ce qui s'est passé...

Oncle Frank l'interrompit en secouant la tête.

— Pas maintenant, Madeline. Je voudrais discuter d'une autre affaire avec toi.

Maddy se rembrunit. Que pouvait-il bien lui vouloir ? Les comptes étaient à jour et elle parvenait même à faire quelques économies. Les

50

domestiques étaient à la hauteur de leur tâche, ce qui n'était pas le cas à son arrivée. Elle avait même réussi à modérer le train de vie grandiose de Rose.

— Cela fait maintenant trois ans que tu es avec nous, n'est-ce pas ? Je sais que tu considères Rose comme une sœur, mais tu es plutôt une mère pour elle, tu ne crois pas ?

Maddy hocha la tête en silence. Son oncle se frotta la joue et poursuivit :

— Estimes-tu qu'elle a une chance de trouver un mari, cette saison ?

Peut-être. À condition que l'homme soit aussi jeune qu'elle et qu'il tolère les caprices d'une enfant gâtée. Oncle Frank était le père de Rose, elle ne pouvait se permettre de dire tout haut ce qu'elle pensait tout bas.

— Rose est belle et aura sûrement du succès cette saison. Elle aura des demandes.

— C'est ce que je pense aussi. Elle sera donc mariée dans l'année...

— Mon oncle, est-ce raisonnable ? Rose est si jeune.

— Mais elle est en âge de se marier. Je ne peux pas me permettre de lui payer une troisième saison.

Maddy fronça les sourcils. L'argent était un souci permanent pour son parent, alors que la situation n'était pas si grave que cela.

— J'ai diminué les dépenses de la maison. Il me semble qu'en faisant quelques économies...

— Peu importe. C'est sa deuxième saison, et ce sera la dernière ! Ce devrait être plus que suffisant pour une aussi jolie fille.

Maddy se retint d'argumenter. Il valait mieux attendre de voir quels gentlemen se présenteraient pour demander la main de sa cousine. Qui sait ? L'un d'eux serait peut-être le mari idéal.

— Ce qui nous amène à parler de toi, ajouta oncle Frank, d'un ton dur.

Maddy cligna des yeux, déconcertée. Son esprit était fixé sur Rose, pas sur son propre avenir. Du moins, à ce moment précis. Parfois, cette pensée l'obsédait : que deviendrait-elle quand Rose se marierait et quitterait la maison ? Une jeune fille célibataire ne pouvait habiter seule avec son oncle veuf. Cependant, elle n'avait pas les moyens d'aller vivre ailleurs.

— Je... je ne me rendais pas compte que j'étais une telle charge pour vous, murmura-t-elle, cherchant des arguments en sa faveur.

— Une charge ? Tu n'es pas une charge, pas du tout ! Oh, zut, je m'y prends mal, n'est-ce pas ?

Ne sachant que répondre, Maddy garda le silence. Où voulait-il en venir ?

— Nous nous sommes toujours bien entendus, n'est-ce pas ? Tu tiens la maison à la perfection, et Rose n'a jamais été aussi heureuse que depuis que tu es là. Elle est moins étourdie, aussi, bien qu'elle ait parfois des idées fantasques.

— Elle devient une jeune femme réfléchie.

— Exactement. Le fait est que les choses ne s'étaient plus passées aussi bien, depuis que ma douce Susan s'est éteinte il y a cinq ans. J'aurais dû te faire ce compliment il y a des mois. Mais je réalise seulement maintenant, alors que Rose est en âge de se marier, que ta présence ici a toujours été très agréable.

— Merci mon oncle. Je me plais beaucoup chez vous.

— Excellent. Excellent. Je suis content de l'entendre. Tu sais que nous n'avons pas de lien de sang, n'est-ce pas ? Ton père était le frère de Susan, et c'était aussi un homme très bon.

— Oui mon oncle, je sais.

Maddy réprima la bouffée de tristesse qui l'envahissait chaque fois qu'elle pensait à son père. Certes elle appréciait sa vie actuelle, mais elle avait été tellement plus heureuse avec lui ! Elle était aimée sincèrement alors, et pas seulement parce qu'elle savait tenir une maison, économiser le charbon et acheter les chandelles les moins chères.

— Eh bien, Maddy, j'ai une idée, en quelque sorte. Une proposition à laquelle j'aimerais que tu réfléchisses.

Maddy s'efforça de chasser ces souvenirs d'enfance et de reprendre le fil de la discussion.

— Oui, mon oncle ?

— Tu ne me trouves pas désagréable, n'est-ce pas ? Je veux dire, tu n'éprouves pas de répulsion pour moi ?

— Bien sûr que non.

Son oncle était en excellente forme pour un homme de son âge. Il était de constitution robuste, et sa haute stature supportait sans mal un certain excès de poids. Les poumons sains, Les muscles puissants, il était considéré comme un bel homme.

— Excellent, excellent. Donc, je me demandais si tu accepterais de rester. Lorsque Rose sera mariée. Avec moi.

Maddy inclina la tête de côté. Apparemment son oncle essayait de lui dire quelque chose d'important, mais elle ne voyait pas quoi. Après l'avoir dévisagé un instant, elle finit par hausser les épaules.

— Je suis désolée, je ne comprends pas. Vous savez bien qu'il ne serait pas convenable que je reste. Surtout que, comme vous le faisiez remarquer, nous ne sommes pas unis par le sang.

— Pardonne-moi, mon enfant, mais tu es consciente que tu ne pourras pas trouver de mari, n'est-ce pas ? Tu es trop âgée, et tes toilettes ne te mettent pas en valeur.

Madeline s'assombrit, blessée par la remarque sous le ton affectueux.

— Je suis obligée de porter les robes dont Rose ne veut plus. Nous n'avons pas la même taille.

— C'est justement le problème. Tes perspectives d'avenir sont minces, l'argent te manque et les années défilent. Personne ne voudra épouser une jeune fille à ces conditions.

Maddy se détourna, les yeux brûlants de larmes contenues. Son oncle avait entièrement raison, et cette vérité la tenait éveillée des nuits entières. Avait-il besoin de lui rappeler des faits aussi douloureux ?

— Allons, ne pleure pas. Je sais que c'est dur, mais je voulais te tranquilliser, pas te tourmenter davantage.

Avec un lourd soupir, il vint s'asseoir au bout du canapé, tout près du fauteuil dans lequel elle avait pris place.

— Je ne suis pas un romantique. Et comme ton père ne l'était pas non plus, j'ai cru que tu pourrais te passer d'un peu de poésie.

— Je sais m'en passer, mentit-elle avec aplomb.

Les petits mots tendres et les câlineries de son père lui manquaient cruellement.

— Eh bien, écoute-moi. Tu es habituée à bien manger et à vivre entourée de belles choses. Tu sais tenir une maison mieux que ma pauvre Susan. Une fois que Rose sera partie, j'aurai assez d'argent pour t'acheter des robes et tout ce dont tu auras besoin.

— Ce serait merveilleux mon oncle, mais...

— Appelle-moi Frank.

Maddy s'interrompit, désarçonnée. Pourquoi voulait-il qu'elle l'appelle... Une pensée lui traversa l'esprit. Une idée épouvantable qu'elle ne put chasser.

— Vous êtes mon oncle, répliqua-t-elle vivement. Oncle Frank...

— Ton oncle par alliance, précisa-t-il.

Elle le dévisagea avec stupeur. Il tendit vers elle une main tremblante, et lui caressa délicatement la joue.

— Tu es belle à ta manière, tu le sais ? Je veux que tu restes après le départ de Rose. Avec moi.

Il déglutit, suivant la ligne de ses lèvres du bout du doigt.

— Tu voudras bien rester, Maddy ?

Elle eut un mouvement de recul.

— Mon oncle, nous ne pouvons pas nous marier. Au regard de la loi, nous sommes parents.

Il s'empourpra et laissa retomber sa main. Il ne savait où poser les yeux.

— Tu as raison, bien sûr. Légalement, je ne peux rien faire pour toi.

Sauf lui accorder une dot convenable, afin qu'un autre homme puisse s'intéresser à elle. Elle avait toujours espéré secrètement que son parent ferait cela pour elle. Mais ce qu'il lui avouait à demi-mot était... étrange.

— Oncle Frank, vous me demandez d'être votre maîtresse ?

— Ne me donne pas de réponse tout de suite, Maddy. Songe à la vie que tu as ici grâce à moi, et à celle que tu aurais dans la rue.

Madeline battit les paupières, étourdie.

— Vous me mettriez à la porte ?

— Eh bien, il ne serait pas convenable de garder une jeune fille sous mon toit une fois que Rose sera partie, n'est-ce pas ? demanda-t-il d'une voix dure.

— Mais vous m'accepteriez, si je n'étais pas convenable ?

Il soupira, conscient que la demande qu'il lui faisait était basse et méprisable.

— Réfléchis, Maddy. As-tu le choix ? Tu ne peux pas devenir l'épouse d'un boucher ou d'un boulanger ou tu perdras ton statut social.

— Mais je suis de trop bonne naissance aussi pour devenir votre maîtresse.

— J'oublie parfois que tu es plus naïve qu'il n'y paraît, répondit son oncle en secouant la tête. Je te promets que je prendrai soin de toi. Tu as ma parole.

— Non, mon oncle. Non.

L'homme la dévisagea en faisant la moue.

— Il était encore trop tôt pour te parler comme je l'ai fait. Je le vois bien. Tu comprendras par toi-même à la fin de la saison.

Maddy se leva. Elle ne savait où elle voulait aller, mais elle ne supportait plus de rester assise.

— Je rencontrerai quelqu'un cette saison, déclara-t-elle solennellement, comme si elle prononçait un vœu. Je serai mariée avant Rose !

Son oncle se leva aussi, l'air calme et bienveillant. Ce fut cette bonté qu'elle décela en lui qui lui fit monter les larmes aux yeux. Il pensait réellement qu'elle n'avait pas d'autre choix que d'accepter sa proposition.

— Tu es une fille raisonnable, Maddy. Trop intelligente pour épouser le premier vaurien venu et trop habituée à une vie confortable pour accepter un valet. Tu comprendras vite que j'ai raison. Je m'y suis pris trop tôt, voilà tout.

Elle pressa une main contre son cœur, comme pour contenir son chagrin. Son être tout entier souffrait.

— Je rencontrerai quelqu'un.

— Peut-être, concéda son oncle en haussant les épaules. Peut-être pas.

Il lui effleura le menton, mais elle recula.

— Ne me repousse pas trop vite, Maddy. Je suis un excellent amant, je pourrais t'apprendre beaucoup de choses et te rendre heureuse.

Sur ces mots, il s'inclina brièvement et sortit.

3

Kit grimaça en écoutant la conversation qui avait lieu derrière sa porte et recula. Il n'avait pas envie d'en entendre davantage. Il avait besoin que ces deux personnes s'en aillent pour passer à Alex le savon qu'il méritait. Cet idiot s'en était pris à un comte ! D'accord, Michael n'avait pas volé cette correction, mais ce n'était pas à Alex de la lui donner. Ce qui était pire encore, c'était que la fureur d'Alex n'était pas née d'un sentiment d'injustice vis-à-vis de sa victime, mais d'une souffrance intense et refoulée qui lui avait fait perdre tout contrôle sur lui-même. S'il comprenait cette blessure, Kit ne pouvait tolérer un tel manque de sang-froid. Il fallait expliquer cela au garçon au lieu de rester là, à écouter les manigances diaboliques d'un autre comte.

Kit tenta de faire abstraction des voix, mais la porte était trop mince pour étouffer la conversation. Après tout, si cette fille était obligée de devenir la maîtresse de son oncle, qu'est-ce que cela pouvait lui faire ? Ce genre de choses arrivait tous les jours, même aux anges à la voix pure.

Cela lui était égal. Et pourtant, malgré lui, il s'assit sur le lit et continua d'écouter. Il entendit tout, jusqu'à la menace voilée de l'homme. Il perçut le petit cri étouffé de son ange brun, lorsqu'elle comprit qu'elle n'avait pas le choix. Il écouta même ses sanglots, une fois que l'odieux aristocrate l'eut laissée seule.

Bon sang ! Un autre sauvetage, une autre brebis égarée. Il prit sur lui et n'esquissa pas un geste. Alex non plus, bien qu'il fût tendu comme un arc, prêt à intervenir.

Kit s'obligea à s'allonger sur le lit, essayant d'oublier la douleur dans sa jambe, et ferma les yeux. Ce monde était cruel, et il avait déjà la responsabilité d'Alex. Il ne pouvait prendre une charge supplémentaire.

— Monsieur...

Kit l'interrompit.

— Être la maîtresse d'un comte est une position enviable, plus confortable que bien des mariages. Nous ne pouvons ni l'un ni l'autre lui offrir mieux.

Alex hésita, semblant retourner l'idée dans sa tête. Puis il s'allongea en soupirant. Au bout d'un moment qui sembla durer une éternité, les sanglots de l'ange brun s'apaisèrent. Kit soupira. Il entendit la jeune femme quitter le salon. Son pas lui parut particulièrement déterminé. Ou bien voulait-il espérer que l'ange allait trouver un moyen de se sortir seule de cette situation ?

Quoi qu'il en soit, il avait déjà bien assez de soucis. L'équipage était au port et attendait ses ordres. Alex avait besoin de discipline ; lui avait besoin d'argent. Il ne pouvait se soucier en plus d'un ange en difficulté.

Il portait encore ces affreux vêtements, songea Maddy lorsqu'elle vint leur rendre une brève visite après le concert. M. Morgan était profondément endormi, roulé en boule sous ses couvertures, et on n'apercevait même pas ses boucles brunes. Ses habits étaient pliés dans un coin et un léger ronflement montait des couvertures.

Mais M. Frazier était tout habillé et couché sur le sol. Le plateau du dîner était posé près de sa tête. Pourquoi un homme choisirait-il de dormir à même le sol ? Maddy l'observa en fronçant les sourcils. Ses lèvres étaient entrouvertes, ce qui lui donnait l'air détendu. Mais il dormait sur le côté, les mains croisées devant lui, sans oreiller, et il semblait prêt à bondir d'un instant à l'autre.

C'était idiot. Un homme endormi n'était pas prêt à bondir. Pourtant, cette impression ne quitta pas la jeune femme.

Celle-ci attendit un moment, ne sachant que faire. Il fallait reprendre le plateau, dont le contenu risquait d'attirer les souris. Elle soupira, s'approcha aussi silencieusement que possible et se pencha pour saisir le plateau.

Il n'y eut aucun bruit, rien pour l'avertir. M. Frazier lui agrippa le poignet et l'attira brusquement à lui. Elle trébucha, tomba et sentit une main lui serrer la gorge.

61

Le souffle coupé, elle se débattit, abattant les poings dans le vide. Rien ne semblait pouvoir arrêter le pirate. Ses yeux étaient hagards, comme s'il n'était pas conscient qu'il allait la tuer.

Le cœur de Maddy se mit à battre violemment, le bouillonnement de son propre sang résonnait à ses oreilles. La pression contre son cou dépassait tout ce qu'on pouvait imaginer. Sa gorge allait céder, se rompre, et elle allait mourir.

Il fallait changer de tactique. Ses poings ne lui servaient à rien, elle enfonça donc les ongles dans le bras de son agresseur. La douleur le ramena à l'état conscient. Brusquement, il se rejeta en arrière et s'affala contre le mur.

Les poumons en feu, Maddy avala une longue bouffée d'air.

— Je suis désolé, l'entendit-elle bredouiller. Vraiment désolé.

Elle voulut hocher la tête, mais n'en eut pas la force. Elle comprenait ce qui s'était passé, ayant déjà vu des animaux surpris dans leur sommeil. Les plus sauvages d'entre eux s'éveillaient en grognant, prêts au combat avant même d'avoir évalué la situation. De toute évidence, M. Frazier appartenait à cette sorte de créatures.

— Vous avez mal ? Vous pouvez parler ? s'enquit-il d'une voix tremblante. Je suis désolé.

Le garçon s'était éveillé également. Il bondit hors du lit et alla se recroqueviller à l'autre bout de la chambre, l'air égaré. M. Frazier leva la main pour le rassurer.

— C'est bon, Alex. Tu n'as rien à craindre.

Mais il n'en continua pas moins de fixer Maddy avec inquiétude.

Elle lui fit un signe de la tête pour le rassurer. Elle respirait normalement, mais elle savait qu'elle aurait des hématomes et serait obligée de porter un foulard autour du cou pendant quelque temps. Par chance, elle en possédait plusieurs. Elle se mit à quatre pattes pour se relever. M. Frazier approcha les mains comme s'il voulait l'aider mais ne pouvait se résoudre à la toucher.

— Je vais bien, articula-t-elle d'une voix éraillée.

— Du thé ! suggéra-t-il. Vous devriez...

Le regard de M. Frazier se posa sur le plateau, mais il n'y avait pas de thé.

Madeline leva la main pour le tranquilliser et il se figea, s'attendant visiblement à recevoir un coup. Elle écarta lentement les doigts et lui toucha délicatement le visage. Elle sentit le crissement de sa barbe, comme la dernière fois qu'elle avait fait ce geste, lorsqu'elle avait caressé la joue de son père un instant avant sa mort. Depuis toute petite, elle avait toujours adoré passer la main sur ses joues, avant qu'il ne se soit rasé.

Elle éprouva la même sensation et laissa sa main s'attarder en une lente caresse. M. Frazier demeura parfaitement immobile, les yeux écarquillés.

L'instant passa, Madeline réalisa qu'elle était à genoux devant un inconnu et lui touchait le visage. Elle recula en repliant les doigts.

— Je suis désolée, murmura-t-elle, la gorge en feu.

— Je vais vous faire du thé, répondit-il en se levant. Avec du citron, cela vous fera le plus grand bien. Alex, reste ici, garde nos sacs.

Le garçon acquiesça d'un air grave, et Maddy vit que son attitude était plus détendue. Il se tenait debout, avec une expression d'indifférence étudiée. C'était assez effrayant. Qu'était-il arrivé à ces hommes pour qu'ils émergent du sommeil prêts à se battre ? Elle ne pouvait imaginer ce qu'ils avaient dû subir, après leur enlèvement par les pirates barbaresques.

Elle se redressa enfin. M. Frazier tournait autour d'elle, comme pour la retenir au cas où elle se trouverait mal, sans pour autant la toucher. Par chance, elle pouvait se débrouiller sans son aide. Elle était grande, en bonne santé et ses jambes étaient intactes. Il ne s'en était pris qu'à sa gorge.

— Une tasse de thé serait la bienvenue, admit-elle. Mais je peux le préparer moi-même. Aimeriez-vous vous joindre à moi ?

C'était à se demander où elle avait la tête ! Inviter un inconnu à moitié sauvage à prendre le thé avec elle ! Et au beau milieu de la nuit ! Pourtant il n'avait pas l'air si sauvage que cela, et ce qui venait de se passer, loin de la rebuter, avait éveillé son intérêt.

Il répondit d'un signe de tête, les yeux fixés sur son cou et sur les hématomes qui apparaissaient déjà.

— Je n'ai pas mal du tout. Je vous assure.

Cependant, sa voix était encore rauque et étouffée. Elle tourna les talons et sortit sans regarder s'il la suivait. Elle prêta l'oreille, mais n'entendit rien. Finalement, elle se retourna. Comptait-il rester caché dans sa chambre ?

Kit se tenait à un pas derrière elle, le plateau dans les mains. Comment avait-il pu empêcher les assiettes de s'entrechoquer ?

Il la regarda calmement, l'air interrogateur. Ne sachant que dire, elle désigna l'escalier d'une main et fit mine de prendre le plateau de l'autre.

Kit fronça les sourcils sans comprendre.

S'attendait-il à la suivre comme un domestique ? Apparemment, car il refusa de lui laisser le plateau.

— Vous portez déjà le chandelier, expliqua-t-il avec douceur. Vous ne pouvez pas prendre les deux. Et il faut que vous me montriez le chemin, car je ne connais pas la maison.

Maddy acquiesça devant la voix de la raison. Néanmoins, elle trouvait bizarre que le cousin d'un comte la suive comme un majordome ou un valet.

— Posez le plateau ici, dit-elle en entrant dans la cuisine. Je vais faire le thé et…

Les mots moururent sur ses lèvres. À peine se trouvèrent-ils dans la cuisine qu'il l'avait dépassée. Débarrassé du plateau, il alluma le feu. Cela lui prit quelques secondes, comme s'il avait perdu l'habitude, mais il se débrouilla assez bien. Bientôt, une douce chaleur régnerait dans la pièce.

— Merci, dit Madeline, enchantée qu'il ait pensé à allumer le feu pour elle.

Son oncle aurait considéré cela comme du gaspillage. Ils n'avaient besoin que du fourneau. Mais elle ne dit rien et mit la bouilloire à chauffer. Quand elle se retourna, elle le vit prendre deux grands seaux pour transporter de l'eau.

— Il y a déjà de l'eau dans la bouilloire. Mais je vous remercie…

— Y a-t-il un puits ou une fontaine quelque part ?

— La fontaine se trouve à deux maisons d'ici. Mais nous n'avons pas besoin…

— Je vous en prie, protesta-t-il d'un air un peu gauche. J'aimerais prendre un bain ce soir.

Madeline le dévisagea, interdite.

— Il faudrait que je réveille les domestiques pour transporter l'eau.

— Je le ferai moi-même. Le tub est là, dit-il en désignant une grande bassine en bois retournée, sous un sac de farine.

Un morceau de savon noir était posé sur le sol.

— Vous n'allez tout de même pas transporter vous-même l'eau de votre bain. La fontaine est boueuse, il faut filtrer l'eau, cela prendra des heures.

— Je sais.

— Demain matin, il y aura…

— Je veux le faire ce soir. S'il vous plaît.

Il regarda par-dessus son épaule et ajouta :

— J'ai des cicatrices qui pourraient paraître effrayantes à certains.

— Oh… oh, bien sûr, bredouilla-t-elle, confuse.

Il sortit à la vitesse de l'éclair, tandis qu'elle se mordait les lèvres. Il avait des cicatrices ? Bien sûr, cela n'avait rien d'étonnant. Mais où ? Étaient-elles profondes ? Ces pensées peu convenables se bousculaient dans sa tête sans qu'elle puisse rien faire pour les arrêter. Le visage de

M. Frazier était rude et beau, et une lueur amusée dansait parfois dans ses yeux, ce qui le rendait très séduisant. Elle avait imaginé que son corps était aussi beau que son visage. Mais s'il avait été gravement blessé, il avait des cicatrices, quoi de plus normal ! Des cicatrices hideuses qui lui faisaient prendre ses bains à l'abri des regards. Cette idée attrista la jeune femme.

Jetant un coup d'œil à la porte, elle se demanda ce qu'elle pourrait faire pour lui. Pas grand-chose, à vrai dire. Malgré les bonnes intentions de cet homme, elle doutait qu'il parvienne à se débrouiller seul. L'eau boueuse devrait être filtrée, puis chauffée. Il fallait deux personnes pour cela, elle devrait donc l'aider, n'irait pas se coucher avant des heures et salirait sa plus jolie robe.

Sa jupe blanche, comme tout ce qu'elle possédait, avait appartenu à Rose. Étant donné leur différence de taille, Maddy avait dû ajouter des bandes de tissu en largeur et un volant de dentelle pour la rallonger. Pour une fois, ce n'était pas elle qui avait fait le travail. Elle avait payé une couturière. Avec ses rubans bleus et rouges, le vêtement était d'une merveilleuse simplicité. Mais la robe serait gâchée, à moins qu'elle n'aille se changer.

Elle était sur le point de monter dans sa chambre, quand M. Frazier revint avec les seaux remplis à ras bord. Maddy alla chercher les contenants de sable et les mit en place. Il versa l'eau sale sur le sable qui servait de filtre, et des gouttes se mirent à couler dans une grande bassine qu'il faudrait ensuite mettre sur le feu. C'était un travail que Maddy avait accompli des dizaines de fois, mais sans sa jolie robe destinée à se dénicher un mari !

Ce qui devait arriver arriva. Malgré toutes les précautions qu'elle prit, sa robe fut éclaboussée et deux grosses taches de boue s'étalèrent sur la jupe. Maddy réprima un soupir de contrariété. M. Frazier l'entendit et s'excusa, mais elle secoua la tête, avec un rire forcé.

— Aucune importance, j'ai des douzaines de robes.

Il la dévisagea en fronçant les sourcils, mais ne fit pas de commentaire. Le sifflement de la bouilloire rompit le silence. Maddy alla chercher des tasses et du thé. Mais quand elle se retourna, M. Frazier était ressorti pour aller chercher de l'eau. À son retour, elle avait sorti les biscuits, du fromage, et s'apprêtait à servir le thé.

Il refusa fermement son aide pour soulever les seaux et les renverser sur le sable. Ses gestes étaient rapides, précis, et ne semblaient lui coûter aucun effort. Maddy ne put s'empêcher de l'admirer. Ces récipients remplis étaient lourds, et le plus costaud de leurs valets peinait et soufflait pour les transporter. Ce n'était pas le cas de M. Frazier. Quelle que soit l'origine de ses cicatrices, celles-ci ne l'empêchaient pas de vivre normalement. À l'exception de sa légère claudication, rien ne laissait deviner qu'il avait souffert.

— Cela va prendre un moment, dit-elle doucement quand il eut vidé le deuxième seau. Voulez-vous boire le thé avec moi en attendant ?

Il esquissa un sourire, si bref qu'elle crut avoir rêvé. Mais il vint s'asseoir à côté d'elle devant la grande table, toujours silencieux.

— Comment l'aimez-vous ? demanda-t-elle, consciente de sa présence tout près d'elle.

Ils étaient à peu près aussi grands l'un que l'autre, mais il était plus fort qu'elle. Plus puissant. Elle se sentit délicieusement féminine. Elle, qui était bâtie comme une Amazone, eut l'impression d'être toute petite ! Elle en demeura pantoise.

— Sucré, répondit-il au bout de quelques secondes. Je l'aime bien sucré.

Elle versa une cuillère de sucre dans la tasse qu'elle lui tendit délicatement. Il la saisit d'un geste élégant et raffiné, comme s'il se trouvait dans le salon du prince régent.

— Merci.

Tout était normal... et rien ne l'était. Ils n'étaient pas dans un salon, mais dans la cuisine. M. Frazier était le cousin d'un comte, ses mains étaient calleuses et couvertes de cicatrices. Ses vêtements étaient ceux d'un pauvre marin abattu, et il avait manqué l'étrangler. C'était un pirate, et il dégustait son thé avec elle, comme si c'était la chose la plus naturelle du monde.

— Étiez-vous au bal ce soir ? demanda-t-il en faisant un geste vers sa robe.

— Pardon ? fit-elle, brusquement tirée de ses réflexions. Oh, non ! Un concert. C'était ennuyeux à vrai dire, mais les jeunes filles à marier doivent se montrer en société.

Il hocha la tête sans faire de commentaire. Maddy le dévisagea pour essayer de lire en lui, en vain. Avait-il entendu la proposition que son oncle lui avait faite ? Si c'était le cas, il avait sûrement une opinion à ce sujet.

Cette pensée lui traversa l'esprit, et elle s'en voulut aussitôt. Espérait-elle qu'il viendrait à son secours ? Elle savait mieux que personne que les chevaliers en armure n'existaient pas. Elle reposa sa tasse en faisant tinter la porcelaine délicate.

— Vous savez, il faut que nous parlions du paiement de votre pension. Oncle Frank va tempêter et vous menacer, mais n'acceptez pas de lui verser plus d'un shilling par nuit. Il ne devrait rien vous demander du tout, mais apparemment pour lui, il a fait acte de charité chrétienne en me recueillant et cela le dispense d'en faire plus.

Tout en parlant, elle réalisa que son parent n'avait pas eu que la charité chrétienne en tête quand il lui avait ouvert sa porte. Le cœur de la jeune femme se serra. Mais ce n'était pas le moment d'en discuter, et surtout pas avec cet homme. Il avait certainement des problèmes plus importants. Elle continua son verbiage afin de masquer sa gêne.

— S'il insiste, faites semblant de céder, mais dites-lui que vous me verserez l'argent. Je ne vous retiendrai pas plus d'un shilling, je vous le promets. Je m'arrangerai avec les livres de comptes.

Il arqua un sourcil, ce qui le rendait encore plus séduisant. Avec son visage buriné et sa barbe, il ne lui manquait qu'un bandeau sur l'œil pour que toutes les jeunes filles s'évanouissent à sa vue.

— Vous faites cela souvent ? demanda-t-il d'une voix qui la fit frissonner.

— Quoi donc ?

— De mentir pour cacher les manières grossières de votre oncle ?

Que devait-elle répondre à cela ? En temps normal elle aurait menti davantage, ne fût-ce que pour préserver le nom de la famille et épargner Rose. Mais cet homme l'aurait certainement percée à jour. Aussi se contenta-t-elle de hausser les épaules.

— Il paraît qu'il était bon, autrefois. Du vivant de tante Susan, quand il était encore dans sa prime jeunesse.

— Et maintenant ?

— Maintenant je mens parfois pour couvrir ses fautes, avoua-t-elle dans un soupir.

Confuse, Maddy baissa les yeux et tressaillit quand M. Frazier lui prit la main.

— Nous faisons tous ce qu'il faut pour survivre, mademoiselle Wilson.

Elle croisa son regard, surprise par la profondeur de ses mots, et y lut une compassion qu'elle n'avait encore jamais décelée chez les gens de son entourage. Ses yeux se brouillèrent de larmes. Seigneur, elle n'allait tout de même pas se mettre à pleurer !

M. Frazier dut voir ses larmes et comprendre son embarras, car il retira brusquement sa main. Il se leva et posa les yeux sur les deux seaux.

— Nous réglerons la question du dédommagement demain si vous n'y voyez pas d'objection.

Pour ce soir, je me limiterai à un bain et un rasage.

Maddy acquiesça, comprenant le sens de sa phrase : C'était elle qui était incapable d'aborder un sujet grave, ce soir. Il y mettait un terme pour elle.

— Bien sûr, répondit-elle en s'efforçant de maîtriser sa voix. Je vais chercher un rasoir.

— Et moi, de l'eau.

Elle tourna les talons, mais il la retint par le bras.

— Monsieur Frazier ? murmura-t-elle, déstabilisée par le regard intense qu'il posa sur elle.

— Je vais avoir besoin d'aide. Vous m'avez dit que votre père était médecin. L'avez-vous assisté parfois ?

— Souvent, admit-elle, hésitante.

Qu'attendait-il d'elle ? Il détourna les yeux.

— J'ai eu la fièvre récemment, et mes mains tremblent encore. J'aurais bien demandé à Alex de me raser, mais...

— Oh ! Oh, non, ce garçon est trop jeune et encore trop nerveux.

Une expression de soulagement passa dans les yeux de M. Frazier.

— Je ne suis pas très habile avec les rasoirs... murmura-t-il en frémissant. Je ne les aime pas.

Il fallut quelques minutes à Maddy pour faire le lien entre les rasoirs et les cicatrices dont il avait parlé. Avait-il été blessé intentionnellement par un pirate ? Elle sourit en avalant sa salive.

— Vous n'avez rien à craindre. J'ai la main très sûre, je vous raserai ce soir. Vous verrez, demain tout ira mieux.

Il élargit les yeux, la contemplant avec un mélange de surprise et d'admiration.

— Vous croyez, mademoiselle Wilson ? Vous croyez vraiment que les lendemains seront meilleurs pour nous ?

— Bien sûr, affirma-t-elle avec assurance. Pourquoi penserais-je le contraire ?

Il n'avait aucune réponse à cette question et se contenta d'émettre un petit rire guttural. Quand elle s'écarta, le cœur battant, le visage de son interlocuteur se ferma et il se détourna.

— Monsieur Frazier ?

— Je vous prie de m'excuser. Le retour en Angleterre est plus déstabilisant que je ne le croyais.

— Bien sûr monsieur, mais…

— N'en parlons plus, mon ange. Allez juste chercher ce rasoir pendant que je prépare le bain.

4

Kit versa l'eau filtrée dans le large faitout posé sur le feu. Le tub était déjà à moitié plein. Dans dix minutes il aurait suffisamment d'eau chaude pour prendre un bain, comme un homme civilisé. Ce qui était très ironique, vu qu'il ne s'était jamais senti aussi éloigné de la civilisation ; même maintenant qu'il était revenu sur sa terre natale.

Il avait pourtant cru avoir tourné le dos au passé. Trois ans d'esclavage, suivis de quatre années de liberté… Il lui avait fallu tout ce temps pour pardonner à sa famille et devenir l'homme qu'il était aujourd'hui. Mais revoir Michael et Lily lui avait porté un coup. Ensuite, il avait appris la mort de sa mère et de sa grand-mère. Et finalement la nouvelle que Scher, sa douce Scher, son amour de jeunesse, avait épousé le frère de Michael à peine un mois après sa disparition. C'était une blessure qui ne cicatriserait peut-être jamais.

Mais il ne devait pas s'attarder là-dessus. Il avait d'autres préoccupations, bien plus urgentes. Alex, pour commencer. Et ensuite l'ange qui se trouvait derrière cette porte et qui était importuné par son oncle. Tous ces problèmes l'aidaient à oublier ses souffrances, à se comporter comme s'il allait bien. D'ailleurs cela avait fonctionné pendant quelque temps.

Mais à présent, il se trouvait avec cette jeune ingénue qui voulait s'occuper de son avenir, alors que le sien était tellement incertain. Il avait à la fois envie de la protéger du monde et de la secouer pour lui reprocher son ignorance ! Ne voyait-elle pas que cet homme était déterminé à la prendre comme maîtresse ? Ne voyait-elle pas à quel point elle était utilisée dans cette maison ?

Bien sûr que si, car elle n'était pas idiote. Elle savait très bien que la seule solution était de tenir son oncle à distance, en espérant trouver un mari au plus vite. En attendant, elle tenait la maison, obligeait son parent à accueillir deux inconnus et était encore assez aimable pour s'inquiéter de l'avenir de Kit ! La bonté de la jeune femme semblait infinie ; elle le stupéfiait et le rendait fou de désir.

Seigneur, il aurait voulu la posséder, la prendre avec passion. Qu'elle soit à lui, et rien qu'à lui.

Kit serra les mâchoires. N'était-il qu'une bête ? Un esclave à la recherche de plaisirs éphémères pour combler le vide de son existence ? C'était pour cette raison qu'il avait repoussé si longtemps son retour en Angleterre. Il espérait que ces quatre années de liberté l'auraient changé, qu'il serait redevenu un homme, prêt à retourner là d'où il venait, à retrouver les grands de ce monde.

Comme il s'était trompé !

Il suffisait qu'il jette un regard à Mlle Madeline Wilson pour sentir resurgir en lui ses instincts les plus bas. En plein jour, entouré de gens, il se sentait revigoré. Mais à présent, seul avec elle dans cette cuisine... il la désirait avec une violence qui l'effrayait lui-même. Il ne pouvait se résoudre à la renvoyer.

Elle était de retour ! Il humait déjà son parfum, entendait le bruit léger de ses pas. Il attendit, le souffle court, qu'elle entre dans la pièce. Il sut à quel moment exactement elle franchit la porte. Elle poussa un petit cri.

— Que faites-vous ?

Il se déshabillait, afin qu'elle puisse voir ses cicatrices et savoir quel sauvage il était. Mais au lieu de prononcer ces mots à haute voix, il esquissa un sourire moqueur, en disant :

— Je ne peux tout de même pas me baigner tout habillé ?

Le visage coloré, les yeux grands ouverts, elle n'avait jamais paru aussi belle.

— Mais... mais le bain n'est pas prêt !

Il se tourna dans sa direction. Il avait ôté son foulard, mais portait encore sa chemise. Celle-ci était entrouverte, laissant voir une partie de son torse.

Elle n'osa pas regarder et garda les yeux fixés sur son visage, dans une expression neutre.

— Je... hum... voulez-vous vous asseoir là ? fit-elle en désignant une chaise près de la table.

Ceci protégera votre chemise, ajouta-t-elle en lui montrant une serviette de lin blanc.

Kit fit la moue.

— Cette serviette vaut dix chemises comme celle-ci. Vous n'avez jamais vu d'homme torse nu ? ajouta-t-il en penchant la tête d'un air de défi.

La jeune femme se raidit, l'air offusqué.

— Je suis fille de médecin, monsieur Frazier. J'en ai vu des dizaines.

— Bien. J'espère que le choc ne sera pas trop violent...

Tout en parlant, il ôta sa chemise d'un mouvement souple et rapide, comme s'il exhibait un monstre dans une fête foraine. Autrefois, il adorait faire cela avec les prostituées. Il leur montrait son corps et les écoutait hurler de terreur ou de dégoût. La façon dont une femme réagissait à la vue des cicatrices était révélatrice.

Il se tint à demi nu devant l'ange brun, attendant qu'elle s'enfuie, effarée. Mais elle n'en fit rien. Elle ne cria pas, émit tout juste une exclamation étouffée. L'espace d'un instant il craignit que ce ne fût de l'indifférence, comme chez certaines filles de joie qu'il avait côtoyées. Mais il ne lui fallut qu'une seconde pour comprendre que ce n'était pas le cas. Loin de là.

Elle examinait son torse, les yeux étrécis. La cicatrice la plus large lui barrait la poitrine, de l'épaule jusqu'à la taille. La plupart des gens étaient impressionnés. Elle ne dit rien et s'attarda sur d'autres marques plus petites, et plus profondes.

— Vous avez été fouetté ?

Il acquiesça d'un signe de tête.

— Et poignardé aussi. Mais ces lignes plus fines, juste au-dessus du nombril ont été faites par...

— Par un rasoir. Un travail très habile.

— Et destiné à faire souffrir. Monsieur Frazier, reprit-elle en levant les yeux vers lui. Je suis vraiment désolée.

Il eut envie de lancer une réplique acerbe. Il lui était arrivé de croiser le chemin de femmes innocentes, qui avaient été enlevées comme lui par des pirates. Des jeunes filles trop choquées, ou trop stupides, pour se rendre compte que leur vie allait devenir un enfer. Il leur adressait toujours des paroles cruelles pour leur faire comprendre qu'il n'y avait plus de place pour les tendres émotions dans leur existence, désormais.

Mais il n'était plus dans la cale d'un navire négrier. Il se trouvait dans une cuisine londonienne, face à une femme aux paroles réconfortantes. Il eut honte soudain d'avoir ôté sa chemise et de la traiter comme une vulgaire prostituée.

— Asseyez-vous, dit-elle avec douceur. Ce sera plus commode.

Il n'avait pas le choix. Il obéit et s'assit pour qu'elle puisse draper la serviette de lin d'un blanc immaculé sur sa poitrine.

— Inutile de salir...

— Mais si, protesta-t-elle, en fixant le tissu sur sa nuque à l'aide d'une pince à linge. Vous ne voudriez pas que le savon dégouline sur vous. De plus, il me faut un tissu pour essuyer la lame du rasoir.

Il ne trouva rien à répliquer. Peut-être, songea-t-il après coup, voulait-elle aussi éviter de voir les cicatrices. Il demeura immobile, agrippant à deux mains les côtés de la chaise, tandis qu'elle faisait mousser le savon à barbe sur ses joues. Kit avait eu un valet autrefois. Celui-ci le coupait fréquemment en le rasant. Son ange avait une main sûre, des gestes efficaces. De toute évidence, elle avait déjà accompli ce genre de tâches de nombreuses fois.

— Qui avez-vous rasé avant moi ? demanda-t-il d'un ton brusque.

— Les patients de mon père, de temps en temps. Et mon père, durant les dernières semaines de sa vie. Ce rasoir lui appartenait.

La mélancolie qui perçait dans sa voix fit surgir chez lui quelques scrupules. Il n'avait aucune raison d'être jaloux des hommes qu'elle avait ou non rasés avant lui. Vu le tour que prenaient les choses, elle le ferait sans doute bientôt pour son oncle Frank. Cette pensée le contraria et le fit grimacer.

— Tenez-vous tranquille, le réprimanda-t-elle. Je ne veux pas vous couper.

Kit ne put réprimer un sourire. Après tout ce qu'il avait vécu, ce n'était pas une petite écorchure qui pouvait lui faire peur. Elle fit glisser la lame sur sa gorge, et il ferma les yeux. Elle était adroite. C'est à peine si un petit tremblement…

Non, ce n'était pas elle qui tremblait, mais lui. Cette idée l'ébranla. Pourquoi tremblait-il ? Elle passa sur le côté, et sa jupe lui effleura l'avant-bras. Elle avait ôté sa robe blanche quand elle était allée chercher le rasoir et avait revêtu une épaisse jupe de coton. Un vêtement bleu foncé, qui curieusement plaisait à Kit, plus que la robe de dentelle.

— Vous vous êtes changée. J'aime mieux cette robe.

Ses mains s'immobilisèrent contre sa joue. Kit ouvrit les yeux, l'air interrogateur.

— Pourquoi dites-vous cela ? demanda-t-elle, l'air légèrement offensé.

Il fronça les sourcils, surpris par sa réaction.

— Elle vous va mieux. Vous devriez porter des couleurs soutenues.

— C'est une robe de travail.

— Elle n'est pas trop petite pour vous, avec des bandes de tissus pour l'élargir et la rallonger.

— Je vous dis que c'est une robe de travail !

— Eh bien, les robes que vous portez pour aller au concert devraient ressembler à vos robes de travail.

Madeline ne sut que répondre à cela. Kit lui-même ne savait pas très bien ce qui lui était passé par la tête. Sa propre remarque lui parut déplacée.

— Au concert de ce soir... murmura-t-il.

— Oui ?

— Je devais être au centre de toutes les conversations ?

Il lui glissa un coup d'œil en coin et la vit réprimer un rire.

— En effet.

— Et vous deviez être la femme du jour, car vous m'aviez ramené chez vous.

— Oh, non. C'était Rose, la vedette de la soirée. Elle a fait une belle description de vous. Le pirate maudit rentre chez lui pour avoir le cœur brisé...

— Moi ? Mais Alex...

— Alex a été relégué au rang de domestique, décidé à défendre votre honneur, trop fou pour se rendre compte qu'il s'attaquait à un comte.

Kit déglutit, effaré. Comment la vie tragique du pauvre Alex pouvait-elle se résumer à ces quelques mots ?

— Avez-vous passé toute la soirée à raconter l'histoire de notre arrivée ? Ou bien avez-vous entendu autre chose ?

Il la fixa, et son désir resurgit. Il n'aurait pas dû lui poser cette question. Mais il fallait qu'il sache, et elle seule pouvait lui dire.

— Autre chose ? répéta-t-elle, interloquée.

— Sur ma famille. J'ai trois frères. Et il y a aussi Schéhérazade. Comment a-t-elle pu... est-elle réellement...

— Lady Blackstone ?

— Oui.

Il s'empourpra. Il avait cessé de penser à elle depuis des années, mais une petite partie de lui avait tout de même envie de savoir. Madeline soupira, et son souffle frais lui effleura la joue.

— Vous voulez vraiment que je vous raconte ?

— Oui.

— Très bien. Je vais vous dire tout ce que j'ai entendu, mais je ne peux vous garantir que c'est la vérité.

— Tout ce que vous savez pourra m'aider.

En outre, cela le détournerait de cette envie de la caresser et de la tenir dans ses bras.

Visiblement inconsciente des pensées qu'elle suscitait en lui, elle se mit à raconter ce qu'elle avait entendu. Sa voix mélodieuse était envoûtante. Kit ferma les yeux et se laissa bercer. Mais très vite, il fut captivé aussi par ce qu'elle disait.

Elle avait un esprit très aiguisé, une excellente mémoire. Au fur et à mesure qu'elle parlait, il reconnut le langage de la femme en quête d'un mari. Chaque homme était catalogué dans son esprit, elle remarquait les détails concernant l'habillement, la conversation. Ceux qu'elle côtoyait étaient divisés en deux catégories : ceux que l'on pouvait épouser, et les autres.

Elle n'était pas à blâmer, étant donné sa situation. Il était fasciné de découvrir comment fonctionnait son esprit. M. Johan prétendait être un érudit, mais la façon dont il relatait les obsèques de M. Frazier révélait qu'il n'était qu'un amateur de ragots. Apparemment, l'église ce jour-là était pleine à craquer. Aussi, chacun avait une opinion sur l'apparition de Schéhérazade aux funérailles.

Lady Haverson se trouvait à Londres, à l'époque de la mort supposée de Kit. Ses filles n'avaient pas encore fait leur entrée dans le monde, mais elle s'était rendue dans des réceptions et avait entendu dire que Schéhérazade Martin avait quitté Londres tout de suite après la cérémonie. On ne l'avait revue qu'un mois plus tard, alors qu'elle était devenue lady Blackstone.

Ses filles avaient des renseignements plus précis. D'après Emily, lord et lady Blackstone résidaient dans une petite ville non loin de Londres. Ils avaient deux fils, et attendaient un autre enfant, en espérant que ce serait une fille. Sa sœur Susan avait corrigé cette information, précisant qu'ils avaient deux filles et espéraient avoir enfin un garçon. Ou était la vérité ? M. Rufton, un jeune dandy arrivé récemment en ville et encore trop sincère pour les mondanités, trouvait qu'ils avaient l'air heureux ensemble. Il les avait vus au théâtre de la Taverne, et ils lui avaient paru très amoureux.

Elle continua de lui rapporter ce qu'on disait de Scher et Brandon, lord Blackstone, puis de la famille de Kit. Son frère aîné était marié et bien installé dans sa baronnie. Lucas, son frère chéri, se trouvait quelque part sur le continent, et Paul, le plus jeune, voyageait dans le nord du pays. La plupart de ses cousins semaient des bâtards un peu partout. L'un était un joueur invétéré, l'autre un débauché…

Quand elle s'arrêta de parler, Kit était rasé de près et l'eau bouillait sur le feu. Il l'avait écoutée, envoûté par sa voix, fasciné par son esprit, concentré sur l'évolution de son histoire, comme si la vie qu'elle décrivait était celle d'un étranger.

— C'est tout ce dont je me souviens, finit-elle par dire. Mais je suis sûre que les gens vont continuer de parler dans les semaines qui viennent, et qu'il y aura d'autres choses à rapporter. Mais peut-être aimeriez-vous le découvrir par vous-même ? ajouta-t-elle, hésitante. Et rendre visite à votre frère, le baronet ?

Donald ? Ce dernier était terre-à-terre depuis l'âge de douze ans. Il se souvenait encore du jour où son aîné l'avait caressé sous le menton en le traitant de « bon garçon », comme s'il était un chien. Qu'aurait-il à lui dire à présent ? Son parent le considérerait sans doute comme un loup à abattre !

— Oui, dit-il néanmoins, j'aimerais revoir mon frère.

Il fut content d'avoir menti, en voyant un sourire se dessiner sur les lèvres de Maddy.

— Très bien. Maintenant, monsieur, votre bain vous attend.

Il se leva, et un silence pesant les enveloppa. Il alla chercher l'eau bouillante et lui lança un regard noir quand elle fit mine de l'aider.

— J'ai accompli des travaux plus pénibles, je vous assure. Et vous risqueriez de vous brûler, ajouta-t-il en versant l'eau dans le tub.

La jeune femme demeura immobile, l'observant d'un air pensif et horrifié. Pourquoi le considérait-elle ainsi ?

Enfin, le tub fut plein, et l'eau à la bonne température. Madeline lui avait apporté un savon parfumé et une serviette. Il ne lui restait plus qu'à se déshabiller et se plonger dans l'eau.

Apparemment, elle arriva brusquement à la même conclusion. Si elle ne sortait pas sur-le-champ, elle allait le voir nu et constater de ce fait la force de son désir. Dans un moment de sensualité bestiale, il envisagea de l'entraîner avec lui dans le bain.

— Avez-vous déjà vu un homme nu ?

Il se demanda ce qui le poussait à être aussi brutal.

Maddy acquiesça, s'efforçant de rester de marbre.

— C'est moi qui ai assisté mon père à la fin de sa vie. Il est resté alité pendant près de deux mois.

— Je doute qu'il ait eu besoin de vous comme moi.

La jeune femme battit des paupières et se redressa avec dignité.

— Ce dont vous parlez n'est pas un besoin, mais un désir, monsieur.

— Parfois cela devient un besoin, répliqua-t-il alors que des images érotiques affluaient dans son esprit.

Serait-elle consentante s'il la renversait sur le sol ? Pourrait-il l'embrasser, lui offrir de l'or et des bijoux de pirates pour faire taire sa conscience ?

— Avez-vous déjà touché un homme en proie au désir ?

— Certainement pas !

Ses yeux se posèrent brièvement sur son entre-jambe, où se devinait son sexe tendu, puis elle croisa de nouveau son regard. Il vit naître dans ses yeux un certain intérêt, du désir, et soudain de la froideur.

— Vous pensez à elle, dit-elle. À Schéhérazade.

Il tressaillit, surpris, car son ancienne fiancée était bien la dernière personne à qui il avait envie de penser.

— Je suis désolée que vous l'ayez perdue, monsieur. Mais ce n'est pas avec moi que vous vous consolerez, déclara-t-elle d'un ton sec et impertinent.

— Alors, vous feriez mieux de partir, répondit-il en dégrafant le bouton de sa ceinture. Seule une femme pourrait m'empêcher de prendre ce bain.

— Bonne nuit, monsieur. Laissez le tub tel quel quand vous aurez fini. Le valet nettoiera demain matin.

Sans répondre, il fit glisser son pantalon sur ses chevilles avec des mouvements brusques. Quand il se redressa, la jeune femme avait disparu. Mais elle s'était attardée assez longtemps pour l'apercevoir nu.

Fasciné par cette idée, il se laissa glisser dans l'eau. C'était son premier vrai bain depuis sept ans.

5

— Oh, mon Dieu, c'est donc vrai ! Tu es encore au lit ! C'est la première fois que je me lève avant toi ! Tu réalises ? Oh, Maddy, j'ai eu une idée formidable !

Maddy se redressa dans son lit et jeta un coup d'œil à la petite horloge posée sur la table de chevet. Il était plus de dix heures du matin. Rose avait raison. En temps normal, elle était levée depuis longtemps et avait déjà accompli les corvées matinales. Toutes ses pensées étaient restées tournées vers l'homme qu'elle avait rasé et elle n'avait trouvé le sommeil qu'à neuf heures du matin.

— Maddy ! Tu es sûre que tu ne dors pas ?

— Je t'en prie, Rose, ne crie pas, marmonna la jeune femme. J'ai très mal à la tête.

Ce n'était pas un mensonge. Les cris stridents de sa cousine lui vrillaient les tempes.

— Il faut que tu m'écoutes ! J'ai une idée extraordinaire, la meilleure idée du monde !

— Rose, s'il te plaît, ne fais pas rebondir le matelas.

— Mais tu ne m'écoutes pas ! Oh, mon Dieu, tu n'es pas malade au moins ? Cela gâcherait tout ! Car j'ai une...

Rassemblant ses forces, Maddy se pencha en avant et plaqua une main sur la bouche de sa cousine. Celle-ci poussa une exclamation de surprise et se mit à glousser, les yeux brillants de malice. Maddy sentit son agacement se dissiper. Rose était adorable quand elle était de si bonne humeur. Elle se résigna à laisser retomber sa main.

— Ma chérie, va me chercher une tasse de thé bien fort, s'il te plaît...

— Mais je...

— Je sais que tu bouillonnes d'idées, mais j'ai besoin d'un petit moment pour émerger.

— C'est tellement parfait que...

— Rose, mon thé, je t'en prie, rétorqua Maddy plus sèchement. Je vais prendre du papier et de l'encre, et me préparer à noter toutes tes merveilleuses pensées.

Le visage de Rose s'illumina.

— C'est une excellente idée ! Il y en aura tant, que...

— Du thé, ma chérie. Il me faut du thé.

Rose haussa les épaules, sortit et se précipita dans l'escalier pour gagner la cuisine.

La cuisine !

Tout le personnel devait parler du bain que quelqu'un avait pris la veille. Oh, mon Dieu, qu'en déduirait Rose ? Rien, avec un peu de chance. Après tout, il était logique que M. Frazier ait voulu prendre un bain. Oui, mais aucun des domestiques n'avait été appelé pour l'aider. Et ils devaient tous se poser des questions. Qui avait aidé M. Frazier ? Ils devineraient sûrement que c'était Maddy, car c'était ce qu'elle faisait toujours dans cette maison : elle aidait tout le monde. Et de là naîtraient toutes sortes de spéculations.

Madeline Wilson, la petite sauvage, la fille qui allait gambader dans la campagne avec les romanichels, avait aidé un pirate à prendre un bain, alors que toute la maisonnée était endormie. Mon Dieu, les commérages iraient bon train ! Quand les domestiques commençaient à parler, il ne fallait pas longtemps pour que les rumeurs se répandent dans le voisinage. L'aristocratie n'allait pas tarder à avoir vent de l'affaire. D'ici quelques heures, son nom serait irrémédiablement lié à celui de M. Frazier, et donc aux scandales que celui-ci avait suscités. Dont sa liaison avec une actrice ! Et Maddy aurait perdu toutes ses chances de trouver un mari au cours de la saison.

Elle se renversa contre les oreillers en gémissant. Toute son existence tournait désormais autour de cette quête d'un mari. Autrefois, elle se moquait de ce que les gens pensaient d'elle. Puis son père était mort et elle avait dû venir vivre ici. Hier, après sa conversation avec oncle Frank, elle avait réalisé qu'elle détestait sa nouvelle vie. Des médisances sans fin. Des réceptions soir après soir. Et tout cela pour quoi ? Pour pouvoir bavarder avec des hommes prétentieux, se faire écraser les pieds par des danseurs maladroits ou, pire encore, faire tapisserie pendant que Rose flirtait et babillait devant ses prétendants. Mon Dieu, elle était lasse de tout cela. Déjà, les pas rapides de Rose résonnaient dans l'escalier.

Dans un élan désespéré, Maddy se rua sur la porte et poussa le verrou. Cela ne la débarrasserait pas définitivement de sa cousine, mais lui laisserait au moins le temps de se rafraîchir le visage. Cinq secondes plus tard, Rose secoua le battant de toutes ses forces.

— Maddy ! Maddy ! La porte est fermée à clé !

— Quoi ? Un instant, ma chérie.

— Maddy ! Pourquoi t'es-tu enfermée ?

— Hum ? Un réflexe, ma chère. Il y a des hommes dans la maison, tu sais.

— Oh, oui je le sais ! C'est justement de cela que je voulais te parler.

Seigneur ! Il fallait que Rose cesse de crier dans le couloir. Cela ne ferait qu'attiser les mauvaises langues.

— Tais-toi, ma chérie ! Tu vas réveiller ton père.

À vrai dire, rien n'aurait pu tirer oncle Frank du sommeil. C'était son seul refuge quand il ne supportait plus le babillage incessant de Rose.

— Alors, ouvre la porte ! chuchota Rose d'une voix que toute la maison pouvait entendre.

Maddy était loin d'être prête, mais elle céda tout de même.

— Entre Rose, entre. Et parle plus bas, je t'en prie.

— Tu crois que j'ai réveillé père ? Je l'espère, car je viens d'avoir la plus merveilleuse des idées !

Maddy se mit à brosser ses cheveux, essayant du même coup de remettre de l'ordre dans ses idées. Sans succès. La pensée ridicule que M. Frazier puisse se lever et faire irruption dans sa chambre la perturbait.

Rose se laissa tomber sur le lit, avant de se relever d'un bond.

— Tu n'as pas sorti l'encre et le papier ! Oh, cela ne fait rien. Je prendrai des notes pendant que tu m'écouteras. C'est une idée tellement magnifique !

— Bien sûr.

Maddy passa mentalement sa garde-robe en revue. Qu'allait-elle mettre ce matin ? Pas une robe de travail, car il y aurait des visites dans l'après-midi. Pourtant, il préférait la robe bleue à la blanche, qui était à présent tachée de boue. Toutes ses jolies robes avaient été élargies et rallongées par des bandes de tissu, comme la blanche. L'une d'elles avait même trois volants superposés.

— Maddy, j'ai décidé de lancer une invitation pour le thé !

— Très bonne idée. Pourrais-je t'emprunter une robe ? Une trop grande pour toi ?

Rose laissa fuser un rire strident.

— Tu sais bien que mes robes ne te vont pas ! Prends de l'argent sur le budget de la maison pour t'en acheter une. Tu n'auras qu'à dire à papa que je te l'ai offerte avec mon argent de poche. Il ne s'apercevra de rien.

Non. Mais il verrait que sa chambre n'avait pas été nettoyée ou que les repas étaient moins copieux que d'habitude. Quand Maddy était arrivée dans la maison, le personnel n'était plus payé depuis des mois car Rose ne cessait de piocher dans l'argent destiné aux dépenses quotidiennes.

— Je t'ai déjà expliqué qu'il ne fallait pas agir ainsi, Rose, gronda Maddy.

Ce qui signifiait qu'elle n'aurait pas de robe neuve. Elle choisit donc la plus simple de celles qu'elle possédait, avec juste deux petits rajouts sur les côtés. Elle était blanche et un ruban de velours vert soulignait la taille avec grâce. De plus, elle avait un foulard assorti qui couvrirait les hématomes sur son cou, qu'elle venait tout juste de remarquer dans la glace de sa coiffeuse. Grâce au ciel, Rose n'était pas très observatrice. Maddy prit ses précautions et releva soigneusement le col de sa robe de chambre avant de lui consacrer son attention.

— Très bien, ma chérie. Je suis désolée d'avoir mis si longtemps à me préparer. Parle-moi vite de ce que tu as concocté.

— Mais je te l'ai déjà dit ! Je veux lancer une invitation pour le thé.

Maddy acquiesça et attendit la suite. Une invitation pour le thé n'était pas une idée très originale en soi.

— Eh bien, cela me paraît intéressant, dit-elle lentement.

Rose se renversa dans le fauteuil, sans faire mine d'écrire quoi que ce soit.

— Tu crois que ce sera un après-midi comme les autres, mais tu te trompes. Maddy, ce sera l'événement de la saison !

94

— Pardonne-moi, ma chérie, mais je ne vois pas pourquoi.

— Parce que je compte inviter Schéhérazade Martin et M. Frazier !

Maddy se figea, horrifiée.

— Mlle Martin est devenue lady Blackstone, Rose. Et ce serait blessant pour M. Frazier !

La remarque vexa Rose, qui se raidit.

— Il faudra bien qu'il la voie un jour ou l'autre, non ? Pourquoi pas à l'occasion de mon invitation ?

— Parce que c'est cruel ! Tu imagines, comme ce sera dur pour lui ? De voir la femme qu'il aimait, mariée à un autre ? Et en présence de plusieurs personnes ?

— Ce n'est pas cruel, parce que tu ne sais pas tout, répliqua Rose en se penchant en avant, l'air rêveur. Tu sais que papa veut que je trouve un mari cette saison, n'est-ce pas ?

Maddy s'adossa au montant du lit et se rembrunit.

— Je sais qu'il a des espérances, mais cela ne signifie pas que tu dois…

— Il m'a dit que je devais absolument me marier, et qu'il ne m'offrira pas une troisième saison. Si je ne trouve pas de mari, il me mettra à la porte !

Rose et ses expressions mélodramatiques ! Bien sûr, Maddy ne pouvait négliger cet argument. L'argent ne coulait pas à flots et, après sa discussion d'hier avec oncle Frank, elle se doutait qu'il souhaitait que Rose quitte la maison. De fait, il semblait l'avoir annoncé clairement à sa fille.

— Tu restes sa fille, il ne te jettera pas à la rue. Il t'aime. De plus, cela serait très mal vu par la bonne société et le mettrait dans une position inconfortable.

Rose hocha la tête et essuya une larme. Elle semblait vraiment bouleversée, mais Maddy n'aurait su dire si sa cousine était réellement désespérée ou si elle devenait simplement meilleure actrice.

— Mais tu vois, cela n'a pas d'importance, reprit Rose, d'une voix à la fois tremblante et courageuse. J'ai choisi mon futur mari.

— Ce n'est pas possible ! protesta Maddy. La saison n'a même pas commencé, tu ne peux pas avoir...

— Je vais épouser M. Frazier !

Maddy demeura interdite. Il lui fallut un moment pour absorber les paroles de sa cousine et les répéter dans sa tête. Elle ne comprenait toujours pas.

— Pardon ? Tu vas épouser qui ?

— M. Frazier.

— Mais... Mais pourquoi ? Je veux dire... ce n'est pas le genre d'homme qui te plaît.

Rose avait une attirance pour les dandys au corps élancé et à la langue bien pendue. M. Frazier ne correspondait pas du tout à ces critères.

— Il a dit que j'étais belle, tu te rappelles ?

— Ce n'était pas plutôt M. Morgan ?

— Pas du tout ! C'était M. Frazier ! Comme si j'allais décider d'épouser un domestique !

Maddy soupira.

— M. Morgan n'est pas un domestique, Rose. Et tu es très belle, en effet.

96

Avec son corps menu, ses boucles blondes et ses superbes yeux bleus, Rose était la quintessence de la beauté anglaise. Contrairement à Maddy, grande, brune et plus plantureuse.

— Cela ne me dit toujours pas pourquoi tu veux épouser M. Frazier. Des tas d'autres hommes t'ont déjà dit que tu étais belle.

— Réfléchis, répondit Rose d'un ton patient. C'est le cousin d'un comte riche comme Crésus ; il deviendra rapidement le parti le plus recherché de la saison.

— Tu es toi-même fille de comte, et ce mariage avec M. Frazier serait une mésalliance.

— Le titre de mon père ne vaut plus rien, alors que la famille de M. Frazier est prospère. De plus, ajouta Rose en se redressant d'un air indigné, tu m'as toujours dit que je devais me marier par amour. Et qu'avec mon titre et ma beauté, je pouvais choisir qui je voulais ! N'est-ce pas ?

Mal à l'aise, Maddy se balança d'un pied sur l'autre.

— J'ai dit cela, c'est vrai, ma chérie, mais pourquoi M. Frazier ? C'est un homme rude, et… et il a subi de terribles épreuves, bredouilla-t-elle, ne pouvant avouer qu'elle avait vu ses cicatrices.

— Exactement ! Tu ne vois pas ? Un pirate vient retrouver sa fiancée et découvre qu'elle est mariée à un autre. Quel destin tragique !

— On n'épouse pas un homme parce qu'il est une figure de tragédie, Rose.

— Mais je sais exactement comment les choses vont se passer. Il faut juste que tu m'aides un peu !

— Rose…

— Écoute-moi ! M. Frazier et lady Blackstone vont se revoir à l'occasion de mon invitation. Tout le monde sera là, car les gens voudront assister à la scène ! Et moi je serai au centre, en train de servir le thé.

— Tu détestes servir le thé.

— Mais pour une fois, je le ferai. Comprends donc : au bout de quelques minutes M. Frazier se rendra compte que sa fiancée n'était qu'une personne cupide et…

— Tu n'en sais rien !

— Mais si. C'est ce que tout le monde dit.

— Mais…

— Bref, lady Blackstone sera odieuse avec M. Frazier – toutes ces actrices sont des mégères. Une fois qu'elle sera partie, j'irai le réconforter. L'étincelle aura lieu, et je serai devenue sa femme avant la fin de la saison. Ce sera le mariage d'amour du siècle !

De toute évidence, Rose avait passé beaucoup de temps à élaborer son plan. Rien de très réaliste, mais cela ne semblait pas la gêner. Elle avait raison sur un point : une rencontre entre M. Frazier et lady Blackstone serait l'événement de la saison. Du moins, en attendant que survienne un autre événement pour détrôner le premier.

— Rose, ton idée n'est pas facile à mettre à exécution.

— Au contraire ! C'est pour cela que j'ai décidé d'inviter pour le thé, tu vois. Papa ne m'autorisera jamais à donner un bal. J'avais aussi envisagé un concert, mais c'est déprimant de devoir écouter quelqu'un chanter ou jouer du piano... Le thé est moins onéreux à organiser, et cela permet les conversations.

— Oui, en effet, c'est bien vu. Cependant, tu n'as pas résolu le problème le plus important.

— Ah, non ? fit Rose en arquant un sourcil finement dessiné.

— Non, ma chérie. Est-ce que tu connais lady Blackstone ?

La jeune fille eut un haut-le-corps.

— Pas du tout ! Une jeune fille à marier ne fréquente pas ce genre de créature, ce serait catastrophique pour ma réputation !

— Exactement. Comment peux-tu donc espérer qu'elle répondra à ton invitation ? Elle se doutera que c'est une manigance pour lui faire rencontrer M. Frazier. Elle serait folle d'accepter.

— Ah, mais tu ne connais pas encore la partie la plus importante de mon plan !

— Vraiment ?

— Vraiment ! Je vais la soudoyer pour qu'elle accepte.

Réduite au silence par cet argument, Maddy considéra sa cousine avec stupeur.

— Tu vois ! s'écria Rose, triomphante. Elle n'est pas géniale, cette idée ?

— Ma chérie... il faut de l'argent pour soudoyer quelqu'un.

— Mais j'en ai. Cela fait des mois que j'économise mon argent de poche. Et en piochant un peu dans la caisse du ménage...

— Non, Rose, non ! Il n'en est pas question. La caisse du ménage ne contient rien de trop.

Rose regarda Maddy comme si celle-ci venait de la trahir.

— Mais il y a sûrement un peu...

— Non, Rose, il n'y a rien du tout. Et cela n'a d'ailleurs aucune importance. De toute évidence, c'est lady Blackstone qui est riche comme Crésus, et non M. Frazier. Et...

— Je te dis que cela fonctionnera ! s'exclama Rose en se levant d'un bond. Je le sais ! Nous sommes faits l'un pour l'autre, lui et moi !

Maddy dévisagea sa cousine. Rose se croyait dans une pièce de théâtre et interprétait avec brio la passion amoureuse. Elle était persuadée que M. Frazier et elle allaient s'entendre. L'idée était ridicule, bien sûr. M. Frazier n'était pas un parti convenable pour elle, et elle finirait par s'en rendre compte. Mais pour l'heure, elle se berçait de rêves romantiques.

— Tu es tellement sûre de toi, dit Maddy avec douceur. C'est ce que j'aime le plus, chez toi. Tu es quelqu'un d'entier.

— Il est aisé d'être sûre de soi, quand on a raison, déclara Rose d'un ton de petite fille modèle.

— Oui, je suppose.

Bientôt, sa cousine tomberait de haut, songea Maddy, en espérant que ce jour était encore loin. Sa passion et son assurance ne suffiraient plus. Ce serait très triste pour Rose, qui était pleine de vie alors qu'elle-même avait perdu tout enthousiasme. Quand s'était-elle trouvée aussi excitée ? Cela remontait sans doute à des années.

— Ton plan ne fonctionnera pas, ma douce.

— Maddy ! cria Rose en grimpant sur le lit. Tu ne peux pas dire cela, alors que rien n'est encore fait !

Maddy leva les mains devant elle dans un geste d'apaisement.

— Pour commencer, je te répète que ce projet est cruel pour M. Frazier, l'homme que tu crois aimer. Pourquoi veux-tu le faire souffrir ?

— Parce qu'il doit comprendre que lady Blackstone n'est pas la femme qu'il lui faut ! Il doit faire le deuil de son amour pour elle afin de pouvoir s'intéresser à moi !

— Ma jolie...

— Et d'ailleurs, il trouve que c'est une excellente idée.

Maddy leva brusquement la tête.

— Que dis-tu ?

— Il pense que c'est un plan formidable.

— Je ne le crois pas !

— C'est vrai ! Je lui ai exposé mon idée ce matin, et il a trouvé qu'elle était merveilleuse.

— M. Frazier est déjà levé ?

Rose battit des paupières, désarçonnée.

— Oui... sinon, comment aurait-il pu me dire ce qu'il en pensait ?

Maddy fronça les sourcils, cherchant à déceler le mensonge sur le visage de sa cousine. Elle ne vit rien. Naturellement, puisque Rose croyait toujours sincèrement ce qu'elle disait.

— Rose, pourquoi M. Frazier accepterait-il de se donner en spectacle ?

Rose descendit du lit en haussant les épaules d'un air dédaigneux.

— Parce qu'il m'aime, figure-toi. Mais il ne le sait pas encore.

— D'accord. Mais s'il ne le sait pas, cela n'explique pas sa motivation. Donc je le répète, Rose. Pourquoi accepterait-il ?

Rose fronça le nez et ses lèvres esquissèrent une moue délicate.

— D'abord, tu dois promettre de m'aider.

— Je promets de faire tout ce qui est en mon pouvoir pour t'aider à trouver un mari convenable.

— Ce qui arrivera au cours de cet après-midi !

— Rose...

— Même si tu penses que M. Frazier et moi ne sommes pas faits l'un pour l'autre, tu vois bien que cette réception sera un événement !

Maddy ne trouva aucun argument contre cette idée.

— Oui, je suppose que oui.

— Ce qui signifie que tous les bons partis viendront.

— Les gentlemen ne répondent pas toujours aux invitations à prendre le thé.

— Cette fois, ils viendront. Et même si ce n'est pas le cas, ils nous assiégeront par la suite, juste pour savoir ce qui s'est passé.

Cette dernière remarque était également exacte. C'était ce qui s'était produit la veille, au concert. Tout le monde avait voulu parler avec elles. Maddy n'aurait pu imaginer meilleure opportunité pour rencontrer les bons partis de la saison. Mais tout de même...

— Je ne peux pas croire que M. Frazier soit d'accord.

— Mais puisque je te dis que c'est vrai ! protesta Rose en tapant du pied.

— Très bien, concéda Maddy dans un soupir. Laisse-moi le temps de m'habiller. Je discuterai des détails de cette affaire avec M. Frazier.

Elle alla ouvrir la porte, mais Rose la retint par le bras.

— Tu me promets que tu feras en sorte que lady Blackstone soit là ?

— Personne ne peut le promettre, en dehors de lady Blackstone elle-même.

— Mais tu as un don pour ces choses-là, Maddy. Je sais que tu peux le faire.

— Laisse-moi voir d'abord ce qu'en dit M. Frazier.

— Tu promets de m'aider ?

— Oui, ma chérie, tu le sais. Je te l'ai promis le jour où je suis venue vivre dans cette maison.

— Je sais, répondit Rose avec un franc sourire. Mais j'aime que tu me le redises.

— Sors, maintenant ! Laisse-moi m'habiller !

— D'accord. Et je vais prévenir M. Frazier que tu veux lui parler, lança la jeune fille en sortant prestement.

— Quoi ? Non, c'est inutile !

Trop tard. Rose avait déjà disparu dans le corridor.

6

— C'est ce qu'a dit M. Smithson, mais Maddy trouvait que c'était drôle…

Kit se tourna vers la porte de la salle à manger dans l'espoir de percevoir le bruit de pas angéliques.

— Les habitudes campagnardes de Maddy la rendent plus tolérante, poursuivit Rose. Les choses les plus affreuses lui semblent amusantes.

Rose continuait de babiller, sans se rendre compte que seul Alex l'écoutait encore. Ils étaient tous assis à la table du petit déjeuner, à l'exception de Maddy. Pendant que Rose bavardait, son père lisait les comptes rendus des courses, Alex chipotait dans son assiette et Kit attendait, avec une impatience qui lui serrait la gorge, de voir apparaître Maddy. Quand elle avait quitté la cuisine, la veille, il s'était attardé dans son bain en pensant à elle. Plus tard, dans sa chambre, il avait rêvé d'elle. Des cauchemars l'avaient tourmenté, dans lesquels il voyait

Maddy battue et fouettée. Il avait besoin de la voir à présent pour s'assurer qu'elle allait bien.

— Elle dit que tout se passera bien si nous faisons attention. Maddy est ainsi, plus efficace que tous les domestiques. Et elle n'est pas du tout une charge pour nous, n'est-ce pas, papa ?

Frank Pershing, comte de Millsford, émit un grognement, sans même lever les yeux.

— Vous voyez ? Elle est merveilleuse, et je suis tellement contente d'avoir une sœur ! Pendant ses premiers mois ici, elle faisait même la cuisine. Elle disait que notre cuisinière était trop mauvaise et qu'elle nous volait.

Allait-elle enfin apparaître ? se demanda Kit. Tout le monde s'attardait devant le petit déjeuner. Kit avait fini depuis longtemps et avait patienté dans l'espoir de la voir. Mais c'était Rose qui avait surgi, décoiffée, les yeux agrandis par l'excitation. Elle n'avait pas paru surprise que Maddy ne soit pas encore levée, ce qui n'avait fait qu'inquiéter Kit davantage. Sa réaction n'était pas logique. Il était normal qu'elle dorme, après s'être couchée aussi tard... Mais où était-elle donc ?

Rose, qui s'était absentée, fit une deuxième incursion dans la salle, pour lui apprendre que son ange brun voulait lui parler de toute urgence. À cette nouvelle, une vague de chaleur s'était répandue dans son corps, mais il avait réussi à contenir son désir. Il faisait grand jour et il était un homme, bon sang, pas un animal !

Maintenant enfin, Alléluia, Maddy arrivait ! Quelqu'un descendait l'escalier, et une seule personne pouvait avoir une démarche à la fois aussi sûre et aussi légère.

Elle entra par la porte de service qui donnait dans l'office. Elle portait encore une de ces affreuses robes blanches qui la faisaient paraître trop pâle. Il posa immédiatement les yeux sur son cou, qui devait être marqué par les hématomes. Mais elle avait pris soin de se couvrir d'un fichu et de passer une crème pour cacher les bleus. Elle se mouvait avec aisance, il n'avait donc pas dû la blesser trop gravement. Elle tenait une assiette dans les mains, et la cuisinière la suivait avec une théière.

— Il n'y avait donc pas de désordre ce matin ? s'enquit-elle, l'air intrigué.

— Pas le moindre, mademoiselle, assura la domestique. Pourquoi y en aurait-il eu ?

— Je ne sais pas. Je pensais...

Kit lui sourit d'un air innocent. Elle avait cru qu'il laisserait le tub en l'état pour que les valets le nettoient. C'est ce qu'il aurait fait autrefois, il y avait des années. Mais il avait changé.

— J'ai cru entendre du bruit la nuit dernière. J'ai dû me tromper. C'était sans doute un rêve.

— Rien d'étonnant avec tous ces étrangers dans la maison, répliqua la cuisinière, en posant sur Kit un regard appuyé.

Étonné, Kit haussa les sourcils. La cuisinière traitait son ange avec une affection toute maternelle et, de toute évidence, elle voulait le mettre en garde. Cette attitude lui plut et il inclina la tête pour manifester son respect. La femme parut gênée et se retira rapidement dans sa cuisine. Il put enfin concentrer toute son attention sur Maddy.

— Bonjour, mademoiselle Wilson. Comment allez-vous ce matin ?

Elle arborait un grand sourire sous un regard inquiet qui passait sans cesse de lui à Rose. Cette dernière se remit à babiller.

— Tu as très bien choisi ta toilette, Maddy. C'est celle de mes vieilles robes que je préfère.

Maddy eut un sourire peiné.

— Merci Rose. Et merci d'avoir retenu M. Frazier afin que je puisse échanger quelques mots avec lui.

— Je lui ai parlé de l'invitation, et il pense que c'est une idée épatante.

Maddy haussa les sourcils, stupéfaite.

— Vraiment, monsieur ? Je ne pensais pas que vous seriez de cet avis.

Kit se rembrunit, cherchant dans sa mémoire de quelle idée il était question.

— Je vous demande pardon. J'étais dans les nuages.

— Mon invitation pour le thé ! s'exclama Rose en riant. Cette idée vous a beaucoup plu !

Bien sûr. Comment pouvait-on refuser une invitation à prendre le thé ?

— Oui, expliqua doucement Maddy. Il s'agit d'une réception à laquelle lady Blackstone sera conviée.

Schéhérazade. Bien sûr. Ce genre d'invitation... Pour la première fois depuis que Maddy était entrée dans la pièce, il baissa les yeux et passa rapidement en revue les arguments pour et contre. La liste n'était pas bien longue. Il fallait qu'il voie Schéhérazade. Une fois en privé, une fois en public. C'était ainsi que les choses se faisaient à Londres. Il comprenait aussi pourquoi lady Rose tenait à provoquer cet événement. Après cela, elle deviendrait le point de mire de la bonne société pendant au moins une semaine ou deux.

Il plaqua un sourire sur ses lèvres, mais ne put se résoudre à croiser le regard de son ange.

— Vous avez été fort aimable de nous offrir l'hospitalité en attendant que nous retrouvions nos repères, dit-il à lady Rose. Il serait grossier de refuser votre charmante invitation.

Le sourire de Rose creusa deux ravissantes fossettes sur ses joues. Elle lança à sa cousine un regard de triomphe.

— Tu vois ! Il comprend parfaitement. La réception aura lieu la semaine prochaine ! déclara-t-elle en bondissant de sa chaise. Je vais établir tout de suite la liste des invités. Oh, ne craignez rien, papa, vous ne serez pas obligé d'y assister.

Avec un petit rire espiègle, elle se retourna dans un bruissement de tissus et sortit.

Son père replia enfin son journal. Il posa sur Alex, puis sur Kit, un regard menaçant. Alex se hérissa aussitôt ; Kit, lui, n'était pas assez naïf pour laisser transparaître sa colère. Il demeura assis et contempla son hôte avec placidité.

— Vous pouvez rester jusqu'à la réception, pas un jour de plus, grommela le comte. Vous me paierez votre pension. Je vous préviens, les femmes de cette maison sont à moi.

— Oncle Frank ! protesta Maddy.

Aucun des trois hommes ne crut bon de lui accorder un regard.

— À vous ? répéta Kit avec une grimace narquoise. Vous les avez marquées au fer rouge ? Vous les avez achetées au...

— Ne soyez pas ridicule ! rétorqua sèchement le comte.

— Je ne pense pas l'être. Votre fille vous appartient de par la loi. Votre nièce n'est pas encore votre maîtresse et par conséquent...

— Allez-vous cesser ? tonna le comte en abattant les deux mains sur la table.

Alex se leva, mais Kit le fit reculer d'un geste de la main.

— Messieurs, je vous en prie, supplia Maddy d'une voix étranglée.

Kit ne pouvait quitter le comte des yeux pour la rassurer. Il se renversa dans son fauteuil, toisant froidement son hôte.

— Savez-vous ce que j'ai appris quand j'étais esclave des pirates, monsieur ? J'ai appris à fouetter un homme le plus longtemps possible sans le tuer. À manier un poignard pour castrer ou pour tuer. J'ai marqué des hommes, des femmes et des enfants au fer rouge, moi. Vous pensez vraiment m'intimider en tapant sur la table ?

Il vit la remarque faire son chemin dans l'esprit du comte. Kit était un sauvage et n'aimait pas être menacé. Le comte non plus.

— Vous allez sortir de cette maison sur-le-champ.

— Et décevoir votre charmante fille ? Elle m'a invité à sa réception, l'auriez-vous oublié ?

— Je m'en moque ! Sortez de chez moi.

Kit attendit un long moment, sans lâcher le comte du regard.

— Nous serons partis dans moins d'une heure. Alex, va préparer nos bagages.

Le comte tourna les talons d'un air dédaigneux et sortit. Un silence de mort s'abattit dans la pièce. Alex fit un signe de tête et sortit pour exécuter les ordres de Kit. Ce dernier ne bougea pas, décidé à ne pas quitter son ange jusqu'à la toute dernière seconde. Il demeura assis, impassible. Maddy secoua la tête et prit sa tasse d'une main tremblante.

— Pourquoi l'avez-vous provoqué ? demanda-t-elle d'une voix qu'elle avait du mal à maîtriser.

— Il n'aurait pas dû m'affirmer que vous lui apparteniez.

Maddy balaya cette remarque d'un geste de la main.

— C'est un comte. Il pense avoir un droit de propriété sur tout, même sur l'air qu'il respire. Qu'est-ce que cela peut bien vous faire ?

Ne comprenait-elle donc pas ?

— Pendant trois ans, j'ai été la propriété d'un corsaire nommé Venboer. J'ai vécu l'enfer, j'ai sué sang et eau pour lui. Posséder des esclaves est une sale affaire, mademoiselle Wilson. Votre oncle ne devrait pas dire des choses comme celles-ci.

L'agacement de Maddy céda la place à la surprise et à la compassion. Il vit qu'elle cherchait quelque chose à dire mais, pour la première fois, il n'eut pas envie d'entendre sa voix. Il ne voulait pas qu'elle exprime des platitudes ou prononce des mots inadéquats. Il lui posa une main sur le bras.

— Vous ne lui appartenez pas, mademoiselle Wilson. Ne le laissez pas croire le contraire, car cela deviendra très vite une réalité, que vous le souhaitiez ou non.

Maddy regarda sa main posée sur son bras. Il vit ses doigts basanés se détacher sur sa peau blanche et pure. Il perçut son léger tremblement.

— Je ne le laisserai pas faire, finit-elle par dire. Mais maintenant vous êtes obligé de partir.

— En êtes-vous peinée ?

Elle se mordit les lèvres sans répondre. Kit comprit qu'il l'avait mise mal à l'aise. Elle n'avait probablement jamais rencontré d'homme aussi bizarre que lui dans toute sa vie. Assombri par cette pensée, il se baissa pour prendre sa sacoche sous la table. Maddy cligna des paupières, surprise qu'il l'ait gardée avec lui pour le petit déjeuner. Kit ne s'en séparait que pour prendre un bain. Il lui fallut moins d'une seconde pour en sortir une pièce d'or espagnol qu'il posa devant elle.

— J'ai de l'or, dit-il doucement.

— Cachez cela ! Les domestiques sont honnêtes, mais il ne faut pas tenter le diable en leur mettant de l'or sous le nez.

Kit fit glisser la pièce vers elle.

— C'est pour vous. Allez à la banque et échangez-la contre des livres sterling. Vous mettrez quelques pièces dans la cagnotte du ménage et utiliserez le reste pour vous acheter une nouvelle robe. C'est pour vous remercier de m'avoir aidé hier soir.

Maddy contempla la pièce d'or en pinçant les lèvres, puis recula comme si elle était empoisonnée.

— Je vous ai aidé par charité chrétienne, monsieur Frazier, assura-t-elle, les yeux luisant de fureur.

— Les chrétiens ne peuvent-ils recevoir de récompense ? Je vous assure que les missionnaires de la Barbade ne s'en privaient pas.

— Nous ne sommes pas à la Barbade, et je ne suis la maîtresse de personne. Reprenez votre or et quittez cette maison comme vous l'avez promis. Je commence à croire que vous êtes encore plus sauvage que vos vêtements ne le laissent penser.

— Vous avez vu mes cicatrices, mademoiselle Wilson, répondit-il en haussant les sourcils. Et c'est seulement maintenant que vous vous apercevez que je suis un sauvage ?

Maddy soupira.

— Vous êtes un mystère, monsieur Frazier. Une énigme que je n'ai pas envie de résoudre.

Kit repoussa sa chaise.

— Eh bien, je m'en vais, dit-il en reprenant la pièce d'or. Il vous faudra une robe pour remplacer celle que vous avez abîmée hier soir à cause de moi. J'irai à la banque acheter des devises anglaises dans la journée et je m'assurerai que vous receviez une récompense pour...

Les yeux de Maddy lancèrent des éclairs, et il rectifia aussitôt.

— Que le comte soit récompensé pour son hospitalité.

Elle inclina la tête. Une reine n'aurait pas paru plus digne.

— Je vous en serai reconnaissante, monsieur.

Il lui prit le menton avant qu'elle ait pu se dérober. Sa peau était douce et ferme. Elle laissa échapper un petit cri, et il contempla sa bouche entrouverte.

— Ce n'est pas de la reconnaissance que je veux, murmura-t-il.

Il ne put résister à la tentation et lui vola un léger baiser. Sa bouche contre la sienne, il sentit son souffle chaud, effleura ses lèvres du bout de la langue et s'obligea à reculer.

Maddy demeura sous le choc, les yeux écarquillés, les lèvres rouges et humides. Elle ne cria pas, et il considéra cela comme une victoire.

— Bonne journée, mademoiselle Wilson.

Il tourna les talons et sortit, avant que la stupeur de la jeune femme ait pu se dissiper.

Maddy bâilla, cachée derrière son éventail, et jeta un coup d'œil à Rose. Celle-ci fit la grimace, mais inclina la tête en signe d'agrément. Rose n'aimait pas quitter les réceptions trop tôt, surtout lorsqu'elle était au centre de l'attention, mais Maddy avait envie de rentrer. Elle voulait faire semblant d'aller se coucher pour se glisser le plus rapidement possible hors de la maison et accomplir ce qu'elle avait à faire.

Rose continua de papoter. Tout le monde voulait tout savoir sur M. Frazier et son compagnon terriblement violent. Rose prenait garde de ne pas donner trop d'informations, tout en divulguant quelques détails croustillants. Il lui était facile de captiver son auditoire, surtout qu'elle inventait au fur et à mesure qu'elle parlait. Personne ne songea à demander son avis à Maddy. Rose retenait toute l'attention.

Maddy avait passé sa journée assaillie par toutes sortes de questions. Qu'est-ce que M. Frazier avait en tête quand il l'avait embrassée ? La voyait-il comme une maîtresse possible ? Sa maîtresse ? Non, elle ne le croyait pas. Un baiser ne signifiait pas qu'il voulait lui faire ce genre de proposition. Peut-être ses intentions étaient-elles honorables ? Elle ne pouvait pas le croire non plus. Il n'avait pas l'air d'un homme en quête d'une épouse et, même s'il demandait sa main, accepterait-elle ?

Il était différent de tous les hommes qu'elle avait rencontrés. Parfois, son regard intense et passionné lui rappelait les romanichels qu'elle avait connus dans sa jeunesse. Mais alors que ces derniers exprimaient bruyamment leur joie et leurs émotions, M. Frazier, lui, restait silencieux, réservé, parfaitement maître de lui-même, en apparence. De temps à autre, elle voyait passer une lueur d'amusement dans ses yeux. Mais, la nuit dernière, il s'était montré sombre et maussade. Il avait oscillé entre la peine et la colère ; sa bouche s'était étrécie de fureur et ses poings s'étaient serrés malgré lui.

Le souvenir du baiser refit surface. Elle n'avait décelé nulle colère en lui. Juste une infinie douceur mêlée de passion. Elle-même avait été effarée de sa propre réaction : son cœur s'était emballé et une vague de désir l'avait submergée, avant qu'il ne s'écarte. Tout cela était merveilleux et extrêmement déconcertant. De la folie, une pure folie ! Comment pouvait-elle envisager une relation aussi intime avec un homme qui avait manqué la tuer ?

En temps normal, elle aurait chassé ces troublantes pensées en un clin d'œil. Mais la scène du baiser revenait sans cesse. Sans parler de l'horrible conversation qu'elle avait eue avec oncle Frank. Si elle devait perdre son honneur, devenir une femme déchue, vaudrait-il mieux être la maîtresse d'un homme étrange, mais fascinant, comme M. Frazier ? Ou celle d'un homme qu'elle connaissait bien, comme son parent ?

Beurk ! L'idée de se retrouver dans les bras d'oncle Frank était répugnante. Mais mourir de faim dans la rue ne l'enthousiasmait pas non plus. Grâce au ciel, il y avait d'autres possibilités. Par exemple, elle pouvait devenir dame de compagnie. Elle avait même été à l'affût de ce genre d'opportunité. Mais toute la bonne société croyait qu'elle était la dame de compagnie de Rose, et qu'elle avait donc déjà un emploi.

Elle pouvait aussi devenir gouvernante. C'était un travail qui lui conviendrait. Mais elle gardait encore l'espoir de trouver un mari au cours de la saison. Ce serait la solution à tous ses problèmes. Si seulement un homme songeait à faire sa demande…

— Les tartelettes ne vous plaisent pas ? s'enquit une voix grave et masculine à sa gauche.

— Pardon ?

Maddy battit des paupières et croisa le regard calme et brun de M. Mitchell Wakely.

— Vous avez plissé les lèvres, comme si les pâtisseries étaient amères.

— Hélas, vous avez raison ! Je me rappelais celles du mois dernier, aussi j'ai préféré refuser. Elles étaient inoubliables, vous vous en rendrez compte par vous-même.

— En effet. Puis-je vous demander alors pourquoi cette moue ?

Peu désireuse de partager ses pensées, Maddy inclina la tête de côté et fit mine de flirter.

— Ce que vous me dites là n'est pas très aimable, monsieur Wakely. Vous me trouvez l'air amer ?

— Je faisais allusion à votre expression. En fait, je vous trouve ravissante.

— Vous êtes très bon.

— Personne n'a jamais proféré ce genre d'accusation à mon encontre.

Maddy haussa les sourcils.

— Il me semble pourtant que je l'ai souvent entendu dire.

— Que j'étais bon ? Certainement pas. Aimable, brun, d'une curiosité agaçante, certainement. J'ai une détermination de limier quand il s'agit de résoudre une énigme. Mais « bon » ? Non, jamais de la vie.

Maddy détourna les yeux. Elle avait en effet entendu dire tout cela à son sujet. Le teint basané, les yeux et les cheveux bruns, les habits ternes comme le reste de sa personne, il était connu pour aimer les intrigues, et on le voyait souvent en compagnie d'hommes politiques. Doté de revenus modestes, il cherchait une

117

épouse. Ce qui faisait de lui l'homme idéal au regard de Maddy.

— Eh bien, monsieur, permettez-moi de vous dire que vous me semblez d'une grande bonté, répliqua-t-elle d'un ton enjoué.

Il s'inclina légèrement, une main sur la poitrine.

— Le compliment me touche. Mais vous ne m'avez toujours pas dit ce qui suscitait en vous d'amères pensées.

— Et je ne vous le dirai point, tant que nous ne nous connaîtrons pas mieux.

— Un challenge ! s'exclama-t-il, enchanté. À moins que je ne considère cela comme un mystère. Dans ce cas, puis-je tenter de l'éclaircir ?

Maddy se renversa légèrement en arrière, un peu étonnée par l'attention que lui portait soudain M. Wakely. Cet intérêt la flattait, mais l'expérience lui avait appris à rester sur ses gardes.

Elle replia son éventail et considéra le gentleman avec un brin de froideur.

— Je ne comprends pas ce que vous voulez dire, monsieur.

— Et vous n'aimez pas ne pas comprendre. Vous voyez donc ce que j'endure quotidiennement.

Maddy se rembrunit, s'efforçant de suivre les circonvolutions verbales de son interlocuteur.

— Très bien, monsieur, vous pouvez essayer. Si vos suppositions sont correctes, je promets de vous le dire.

Il sourit, et son visage blafard devint aussitôt plus intéressant.

118

— Je vous ai vue bâiller il y a un moment, j'en déduis donc que vous êtes fatiguée et que vous avez envie de rentrer chez vous.

— C'est trop facile, monsieur. Moi qui vous prenais pour quelqu'un capable de résoudre de véritables énigmes !

Wakely leva un doigt devant lui.

— Ah, mais je n'en suis pas encore arrivé à la conclusion. Pour le moment, je me contente de penser tout haut.

Maddy arqua un sourcil sans mot dire. Cette expression du visage l'avantageait, car le geste gommait les cernes de fatigue. Bien qu'elle n'ait pas encore de rides, elle n'était plus dans sa toute première jeunesse, et cet air de surprise affectée attirait l'attention sur ses yeux, faisant oublier les imperfections de son teint.

— Je vois que vous n'êtes pas convaincue, mais en bon limier je dois persévérer jusqu'à ce que j'aie débusqué la vérité. J'imagine que pendant que lady Rose dormait d'un sommeil bienheureux et innocent, vous étiez tenue éveillée par le travail supplémentaire que doit causer la présence de deux invités inattendus, dont l'un est vraisemblablement fou.

— Je vous assure qu'aucun de nos invités n'est fou.

— Non, mais ils ne sont pas non plus tout à fait communs. Le seraient-ils qu'il y aurait tout de même des draps à changer, des bains à préparer et deux bouches à nourrir. Sans compter que ces personnes ont sans doute l'estomac délicat.

Il jeta un coup d'œil à Rose, qui venait de laisser fuser un rire aigu, à l'autre bout de la salle.

— Lady Rose est une jeune fille adorable, mais vous ne me ferez pas croire qu'elle peut vous aider dans ces corvées.

— Je ne vous dirai rien du tout ; les problèmes domestiques ne sont pas un sujet de conversation convenable.

La réponse était un peu acerbe, mais l'allusion au bain lui avait mis les nerfs à vif. De plus, M. Wakely avait un esprit étonnamment aiguisé et ses suppositions tombaient juste.

— Naturellement, répondit-il sans se formaliser. Vous êtes bien trop circonspecte pour parler de ces choses-là. C'est d'ailleurs une qualité qui me plaît chez vous.

Maddy ne sut quoi répondre. Les yeux fixés sur les pupilles brunes de M. Wakely, elle éprouva une inexplicable envie de pleurer. Que lui arrivait-il ? Cela faisait trois fois, en l'espace de vingt-quatre heures, qu'elle se trouvait au bord des larmes. C'était ridicule ! Cependant, elle ne pouvait nier qu'elle ressentait une immense reconnaissance à l'idée que quelqu'un avait remarqué un trait de son caractère. Elle déglutit et se détourna.

— Même si ce que vous dites est vrai, monsieur, pourquoi serais-je amère ?

— Ah, mais vous ne voyez pas ? Pour lady Rose il n'est pas tard du tout, mais vous devez vous lever tôt pour accomplir toutes ces tâches pénibles.

— Ne soyez pas absurde. Nos invités sont partis et je n'ai plus de corvée supplémentaire. Personne à entretenir ni à nourrir.

— Ne serait-ce pas là justement la raison de votre amertume ? fit doucement remarquer M. Wakely. Le fait que ces hommes intéressants aient quitté votre toit ?

Elle leva la tête, surprise. Il se trompait. Ses pensées étaient occupées par son avenir, et non par les allées et venues de M. Frazier. Néanmoins, il y avait un fond de vérité dans ses paroles.

— Vous m'avez promis de me dire si j'avais deviné juste, reprit-il, comme elle gardait le silence.

— En effet, mais je crains de ne pouvoir contenter votre curiosité. Comme je ne me souviens pas avoir eu l'air amère, je ne peux vous dire exactement à quoi je pensais.

— Je proteste, mademoiselle Wilson ! répliqua Wakely, déçu. Je n'aurais pas cru que vous vous abaissiez à mentir.

Maddy secoua la tête, s'efforçant d'être à la fois honnête et détachée.

— Ce n'est pas un mensonge, monsieur Wakely. Parfois nos pensées sont si douloureuses que l'on n'a pas envie de les ressasser.

— Dans ce cas, votre expression a une cause plus profonde que du travail supplémentaire et le départ de vos invités.

Elle sourit doucement.

— Je pense que le moment de se retirer est venu, monsieur Wakely. Les musiciens ont terminé, et je crains que notre hôtesse ne nous pousse à finir ces tartelettes.

Alarmé, il jeta un regard au buffet. Il n'y avait là qu'un valet qui s'ennuyait ferme. Le regard de Wakely revint se poser sur Maddy.

— Mademoiselle Wilson, vous venez de proférer un mensonge.

— Pas du tout, répondit-elle en se levant. Regardez derrière vous.

De fait, Mme Hugues se tenait là, avec un plateau chargé des exécrables tartelettes au citron de son chef cuisinier.

Pendant que M. Wakely se retournait, Maddy en profita pour lancer à Rose un regard sévère. Par chance, sa cousine n'aimait pas non plus les tartelettes et elle commença à prendre congé. Quand M. Wakely revint vers elle, une grande partie des invités était sur le point de partir.

Quelques minutes plus tard, les deux jeunes femmes étaient installées dans leur voiture. Maddy reprit le cours de ses réflexions. Quelles étaient les intentions de M. Wakely, et que lui inspiraient-elles ?

Le trajet fut court et Maddy ne put s'attarder sur la question. À peine furent-elles entrées qu'elle se dirigea vers sa chambre en bâillant ostensiblement. Puis elle se changea et revêtit un informe manteau marron, une version féminine de la tenue de M. Wakely.

Cette pensée la fit sourire, alors qu'elle empochait les dernières pièces de la caisse du ménage. Quelques minutes plus tard, elle se faufila dans l'escalier de service, traversa la cuisine et sortit.

7

Maddy descendit du fiacre en fronçant le nez.
Le théâtre de la Taverne se trouvait dans un
quartier assez nauséabond. Le vent soufflait des
quais, apportant dans son sillage des odeurs de
poisson et des relents de bière. Elle devait tenir
bon, elle avait une mission à accomplir.

Par chance l'air était doux pour un début de
printemps. Les vitres du bâtiment étaient
entrouvertes pour laisser entrer la brise, ce qui
lui permit, ainsi qu'à quelques garçons des rues,
de jeter un coup d'œil à l'intérieur.

La porte principale donnait directement dans
la salle de la Taverne, où des hommes s'étaient
rassemblés pour boire tout en regardant le spectacle. La scène se trouvait au fond de la salle.
Maddy entendait un homme chanter, mais elle
n'apercevait que les danseuses, légèrement
vêtues.

Lady Blackstone ne pouvait se trouver parmi
elles. Or elle voulait voir cette dame en personne,
ou bien quelqu'un susceptible de lui transmettre

un message. Elle fit le tour du bâtiment, contournant avec précaution une prostituée qui dormait sur une pile d'ordures.

La chance était avec elle. Une porte était ouverte à l'arrière pour laisser entrer l'air frais de la nuit. Un homme se trouvait assis là, l'air calme. Impossible de se faufiler à l'intérieur sans qu'il la voie. Elle resta donc là, tandis qu'il surveillait les garçons à l'arrière de la scène. Puis il se tourna dans sa direction et la contempla d'un air sévère.

Maddy hasarda un sourire qu'elle réprima aussitôt.

— Excusez-moi. Il faut que je voie lady Blackstone.

Elle repoussa son capuchon, et son visage apparut dans la lumière laiteuse de la pleine lune. Elle espéra que son apparence soignée et son accent distingué lui donneraient quelque crédibilité.

En effet. L'homme la dévisagea, intrigué. Puis il croisa les bras et garda le silence.

— Je voudrais simplement lui parler. Je ne veux pas lui demander d'argent ni de faveur. Juste quelques mots…

— Mon ange ! Que faites-vous ici ?

Maddy tressaillit et recula dans l'ombre. Elle ne désirait pas être vue, fût-ce par le seul homme au monde qui l'appelait « mon ange » ! Surtout par lui, en fait. Cependant, il se tenait devant le colosse qui gardait l'entrée, et il avait l'air beaucoup plus en forme que le matin même.

— Entrez, dit-il. C'est bon, Seth, cette dame est une amie.

124

Le gardien hocha la tête, et Maddy constata avec surprise que son regard était doux. Un voile de tristesse passa dans ses yeux et il se détendit, comme si les deux hommes avaient partagé de dures épreuves.

— Entrez, mon ange, reprit M. Frazier.

— Merci, monsieur, dit-elle en passant devant le gardien.

— Je vous présente Seth. Il est muet, mais tout le monde arrive à le comprendre. Et Dieu sait qu'il nous comprend aussi !

Maddy n'eut pas le temps de répondre, car M. Frazier l'entraîna derrière la scène.

— Vous n'avez pas froid ? s'enquit-il en lui frottant les bras.

C'était un geste trop familier, mais elle ne fit pas d'objection. L'épaisseur de son manteau les séparait, il n'y avait là rien d'inconvenant. Mais alors, s'arrogeant trop de liberté, il la serra contre lui.

— J'avais oublié le froid, expliqua-t-il. À une certaine époque, j'ai cru que je ne connaîtrais plus jamais cette sensation.

Maddy ne sut que répondre. Comme elle ne voulait pas faire ressurgir chez lui de mauvais souvenirs, elle fit une remarque sur sa nouvelle apparence.

— Vous avez acheté des vêtements. Ils sont très jolis.

Oncle Frank aurait trouvé ces habits trop modestes, mais ils allaient parfaitement à M. Frazier. Leur coupe simple mettait son physique en valeur. En le voyant aussi élégant, elle ne put s'empêcher de penser aux cicatrices qui lui barraient le torse. Et elle le trouva plus beau encore.

Il tira sur sa cravate, ce qui acheva le tableau.

— L'argent que je possédais avant mon départ s'est envolé. Moi qui croyais retrouver sept ans d'économie à mon retour !

— Mais vous avez été déclaré mort.

— Oui, ils m'ont fait passer pour mort, répéta-t-il d'une voix creuse. L'argent est allé à mes frères, qui l'ont sans aucun doute dépensé.

— Ils vous le rendront, quand ils sauront que vous êtes vivant.

Kit haussa les épaules.

— Il n'y avait pas grand-chose. Je leur en fais cadeau.

Ils écoutèrent un instant la voix du chanteur et le piétinement des danseuses sur la scène. Les spectateurs criaient et sifflaient, tandis qu'une agréable sensation de tranquillité régnait dans les coulisses.

— Vous ne leur avez rien dit, n'est-ce pas ? Vous n'avez pas écrit à votre famille pour les informer que vous étiez en vie ?

Il lui lança un bref coup d'œil.

— J'ai expédié une missive à mon frère aîné. J'ignore où se trouvent Lucas et Paul.

Maddy fit un pas de côté, cherchant son regard.

— Il faut que vous les contactiez. Ne les laissez pas apprendre la nouvelle par quelqu'un d'autre.

Il pâlit. Il savait qu'elle avait raison, mais il se refusa à prononcer un mot.

— Monsieur Frazier, c'est votre famille.

126

— Comme Michael et Lily, qui m'ont laissé tomber.

Elle vit un éclair de fureur traverser ses yeux, l'espace d'un instant toute sa personne irradia de haine. Elle lui prit le bras et sentit ses muscles tendus sous le tissu.

— Si vous voulez mon avis, je pense que le comte et son épouse ont agi seuls. Vos frères ne savaient pas que vous étiez vivant.

Il pinça les lèvres et fit mine de reculer, mais elle se maintint dans son champ de vision.

— Monsieur Frazier ? Vos frères savaient-ils que vous n'étiez pas mort ?

— Je n'en sais rien.

— Et vous ne voulez pas le savoir, n'est-ce pas ?

Elle imagina ce qu'il devait éprouver en pensant que le comte et la comtesse de Thorndale l'avaient trahi. Ce serait encore plus terrible de savoir que ses frères en avaient fait autant.

— Ils ne savaient rien, affirma-t-elle d'une voix claire. Ils ne pouvaient pas savoir.

Elle vit qu'il se livrait à une lutte intérieure. Il voulait désespérément croire ce qu'elle disait, mais il s'était senti tellement trahi qu'il ne pouvait plus avoir confiance.

Maddy eut le cœur serré, mais les convenances lui interdisaient d'en faire plus pour lui. Elle ne pouvait le prendre dans ses bras, ni même le toucher comme elle le faisait.

— Ils ne savaient pas, répéta-t-elle. Et ils seront si contents de vous revoir que vous ne pouvez imaginer le bonheur qui s'ensuivra.

À cet instant la musique s'arrêta. Le spectacle était terminé et des gens commencèrent à passer derrière la scène.

— Venez, dit-il en lui prenant le bras. Nous pouvons aller dans le foyer à présent.

— Mais...

— Chut ! Nous parlerons dans le foyer. Cachez votre visage.

Sans attendre qu'elle obéisse, il lui remonta son capuchon sur la tête. Puis ils traversèrent la partie de la scène qui n'était pas éclairée. Les gens pouvaient la voir puisqu'il n'y avait pas de rideau. Elle se courba en entendant des hommes crier à sa vue, mais nul ne pouvait la reconnaître sous son manteau informe. Puis, ils s'engagèrent dans un corridor sombre.

— Faites place, patron ! lança un garçon qui transportait une petite table sur la scène.

— Attention la tête ! dit un autre qui se déplaçait dans les cintres, au-dessus d'eux, avec un grand seau.

M. Frazier la fit entrer dans un espace exigu et sombre, entre un mur et un portant chargé de costumes. Il tournait le dos au chaos de la salle et son corps formait une barrière protectrice. À vrai dire le danger ne venait pas du théâtre, mais plutôt des pensées qui l'envahissaient alors que M. Frazier se pressait contre elle.

Ses mains larges et possessives lui encerclèrent la taille. Son torse se pressa contre sa poitrine, et elle sentit ses tétons se dresser. Et puis il y avait son visage plaqué contre le sien, son menton pressé sur sa tempe... Elle perçut son souffle

128

accéléré, les doigts qui se crispaient sur ses hanches.

Il se dégageait de son corps une telle chaleur qu'il semblait être en proie à la fièvre.

— Monsieur Frazier, chuchota-t-elle, le souffle court. Je pense que le danger est passé.

Il baissa les yeux vers elle, puis dirigea son regard vers le gamin qui portait le seau. Le garçon les observait en riant et mima un baiser. Maddy sentit ses joues s'embraser ; M. Frazier, lui, ne sembla pas gêné le moins du monde.

— Eh bien, quel dilemme ! dit-il en haussant les sourcils.

— Reculez !

— Je ne peux pas, Grit nous a vus. Je crains que ma réputation ne soit détruite.

— Je me moque de votre réputation, monsieur Frazier. En revanche, la mienne est...

— Personne ici ne sait qui vous êtes. Je vous ai appelée « mon ange ».

— Ce que vous ne devriez pas...

— Oui, mais je l'ai fait.

L'une de ses mains quitta sa taille et vint se poser sur sa joue. Le pirate la caressa délicatement, et elle frissonna.

— Je l'ai fait, mon ange. Et je rêve de vous embrasser depuis toujours.

Dans cet océan sombre et profond qui la fixait, elle crut déceler un éclair de malice.

— Nous ne nous connaissons que depuis hier, et vous m'avez déjà embrassée une fois.

La pression de ses doigts se fit plus forte et il l'attira vers lui. Elle sentit son souffle lui effleurer les joues, puis les lèvres.

— C'était il y a une éternité.

— Monsieur...

La protestation vint trop tard.

À vrai dire, elle aussi mourait d'envie de l'embrasser. Ses fantasmes resurgirent, et elle se dit que cette caresse sur ses lèvres était peut-être le souvenir d'un rêve ancien.

Pourtant le baiser était bien réel ; le corps de M. Frazier, chaud et puissant. Il avait fait glisser sa main sur sa nuque et posé les lèvres sur les siennes. Elles étaient à la fois fermes et douces. Il la taquina du bout de la langue et elle s'offrit malgré elle.

Il prit possession de sa bouche avec passion, et elle s'abandonna en laissant échapper un soupir imperceptible. Frazier resserra les doigts et se pressa si fort contre elle qu'elle sentit son sexe dressé se frotter contre son ventre.

Tremblante, étourdie, elle noua les bras autour de son cou. Elle ne voulait pas lui rendre ses caresses audacieuses, mais son corps semblait agir indépendamment de son esprit. Cela allait bien au-delà de tout ce qu'elle avait imaginé.

Il abandonna ses lèvres pour déposer une série de baisers dans son cou et ramena une main sur sa poitrine pour lui caresser un sein. Elle poussa un cri, étouffé par la clameur qui montait de la salle. La pièce venait de commencer. Une pensée surgit du fond de son esprit : ce qu'ils faisaient n'était pas convenable. C'était dangereux !

— Oh, non ! protesta-t-elle d'une voix étouffée. Non !

Il était en train de faire remonter sa jupe, en insinuant un genou entre ses jambes.

— Monsieur Frazier ! Arrêtez !

Elle tenta de le repousser mais, dans ses bras, elle n'avait aucune force. Il s'élevait devant elle, solide comme un roc, et lui agrippa la cuisse.

Elle ne pouvait pas faire cela, c'était impossible ! Sans réfléchir une seconde, elle serra le poing comme le lui avaient appris les romanichels et cogna, visant l'entrejambe. Mais avant que l'homme ait eu le réflexe de reculer, un objet lourd s'abattit sur sa tête. Grit, le jeune garçon, balançait son seau à bout de bras, prêt à frapper de nouveau.

— Elle a dit non, m'sieur !

M. Frazier poussa un rugissement et se prit la tête à deux mains. Son cri se perdit dans le bruit qui provenait de la salle. Il recula en titubant, grimaçant de douleur. Fascinée, Maddy reconnut l'expression de fureur aveugle qu'elle avait vue à Alex quand il avait battu le comte de Thorndale.

— Monsieur Frazier ! cria-t-elle. Monsieur Frazier !

Il ne semblait pas l'entendre. Et soudain, ce fut pire encore. Une explosion résonna sur scène, un bruit énorme accompagné de cris de femmes, ce qui devait faire partie du spectacle. Un grondement d'approbation parcourut l'auditoire.

M. Frazier se baissa, tomba à quatre pattes, touchant presque le sol de son front. Il y eut une autre explosion, suivie par les cris des spectateurs déchaînés. La foule était importante, le bruit assourdissant. Recroquevillé, M. Frazier regarda à droite et à gauche. L'air était enfumé, et lui-même se rendait aveugle en soulevant la poussière du sol.

— Monsieur Frazier, répéta-t-elle en lui prenant les épaules.

Il tressaillit comme un chien apeuré et lui lança un regard noir. Maddy ne recula pas. Elle s'était déjà trouvée face à des bêtes enragées et, à cet instant précis, M. Frazier n'était guère différent de ces animaux.

— Ce n'est rien, c'est seulement la pièce.

Elle lui caressa la joue du bout des doigts. Son front était trempé de sueur, ses yeux hagards. Peu à peu, elle le vit reprendre ses esprits.

Puis il y eut un roulement de tambour, comme un bruit de tonnerre dans le ciel. Avant qu'elle ait pu l'en empêcher, il se jeta sur elle, lui agrippa la taille et la jeta sur son épaule. Sans effort apparent, il se mit à courir dans le hall avec son fardeau et s'enfonça dans les profondeurs du théâtre.

8

Moisissure. Humidité. Cris. Froid.
Bataille.
Peux pas respirer. Cœur qui bat, boum, boum,
boum, dans mes oreilles.
Ils viennent ?
Qui est-ce ?
Mon Dieu, que se passe-t-il ?
— Monsieur Frazier. Monsieur Frazier !
— Non, Jeremy, ne pleure pas. Je te protégerai.

Rassemblant toutes ses forces il poussa sur le côté un baril plein... plein de quoi ? De pommes de terre ? Il fit un peu d'espace pour le garçon et le cala là, à côté de lui. L'enfant pourrait rester caché pendant des jours, derrière l'escalier et le baril.

— Qui est Jeremy, monsieur Frazier ? Je suis Maddy. Madeline Wilson, votre ange.

— Reste caché, Jeremy. Il faut que je remonte me battre.

Le bruit des voix devenait de plus en plus fort. La bataille était-elle terminée ? Étaient-ils en sécurité ?

Non, non ! Ne remontez pas là-haut !

Kit s'assombrit, son esprit sembla se dédoubler. Une partie de lui nourrissait un espoir aveugle. L'équipage du *Fortune* était victorieux. La bataille était finie, les pirates avaient été jetés par-dessus bord. Une autre partie de lui criait, en vain.

Ce n'est pas fini ! Ne laisse pas le garçon tout seul, il n'est pas en sécurité !

Mais son esprit était prisonnier de la nuit, perdu derrière un mur impénétrable de poix et de sang.

Que lui arrivait-il ? Pourquoi ne parvenait-il pas à réfléchir ?

— Monsieur Frazier. Nous n'avons rien à craindre. Nous sommes au théâtre de la Taverne, dans la cave. Il n'y a personne qui s'appelle Jeremy, ici.

Des pas ! Vite, se cacher !

— Je vais monter voir ce qui se passe, dit-il au garçon. Si je ne reviens pas, reste là. Tu sais bien te cacher, personne ne te trouvera. Tu seras en sécurité.

Non ! Emmène-le avec toi. Sur le pont.

La porte de la cale s'ouvrit et il fut ébloui par la lumière d'une lanterne. Il s'accroupit près de Jeremy, puis se pencha doucement pour mieux voir. Était-ce le capitaine ? L'équipage ? Si c'étaient des pirates, il se battrait. Il protégerait le garçon.

Où était son poignard ? Pourquoi n'avait-il pas de poignard ?

— Regardez, monsieur Frazier, c'est votre ami. Vous vous rappelez ? Il m'a empêchée

134

d'entrer dans le théâtre, mais vous lui avez dit que j'étais votre amie.

— Jeremy ! Tais-toi !

Il sentit les doigts du garçon sur son bras, ils étaient doux et chauds, trop grands pour des doigts d'enfant. Il les repoussa. Il ne pouvait se battre avec un gamin accroché à son bras. Il se concentra, prêt à bondir sur l'homme qui descendait l'escalier. Il était colossal. Son visage était trop pâle pour être celui d'un pirate. Il ne portait pas de barbe, il avait des vêtements anglais.

Un des marins ! Il était accompagné d'un garçon. Un autre garçon de cabine ? Il croyait que Jeremy était le seul à bord. Peu importe. Ils étaient anglais, et donc se trouvaient aussi en danger. Il fit un pas dans la lumière.

— Dépêchez-vous ! Venez vous cacher avec Jeremy. Seth, nous les protégerons. Tu as un poignard ?

Seth ralentit le pas, les contemplant d'un air bizarre, Jeremy et lui.

— Il croit que je m'appelle Jeremy, dit une voix.

Une voix de femme. Il y avait donc une femme à bord ?

— Viens, mon garçon, pressa-t-il en faisant signe à l'adolescent dans l'escalier. Vite !

Le gamin lança un coup d'œil à Seth, qui hocha la tête. Le petit rampa jusqu'à Jeremy. Kit ferma les yeux, essayant de démêler les émotions qui déferlaient en lui.

La peur !

La peur était bien réelle.

— Kit, vous n'avez plus rien à craindre, la bataille est finie, dit la voix de femme.

Il fit un signe de tête, le sang martelait ses tempes.

— Je sais, je sais. La bataille est finie. Le *Fortune* est perdu.

— C'était horrible, n'est-ce pas ? Mais c'est fini maintenant. Vous êtes revenu en Angleterre.

— Non, non. Ce n'est pas fini. Tu es encore vivant. Reste avec moi. Tu ne dois pas me quitter d'une semelle, tu m'entends ? Jamais !

— Bien sûr. Ne vous inquiétez pas, je resterai avec vous.

Des frissons secouèrent son corps. Il avait tellement froid. Pourquoi ? Ce n'était pas normal. Il faisait une chaleur torride, le soleil lui brûlait la peau. Il se rappelait très bien la morsure du soleil. La chaleur. Le bateau était en feu !

— Jeremy ! hurla-t-il, en regardant autour de lui.

Il vit Seth avec un garçon, et son ange. Tous trois le fixaient, mal à l'aise et inquiets. Il se tourna dans tous les sens pour trouver Jeremy.

— Où est-il ? Où est Jeremy ?

— Jeremy n'est pas là, assura son ange avec douceur. Savez-vous où vous êtes ?

Il cligna des paupières, mais sa vision restait brouillée. Des souvenirs défilèrent dans son esprit, l'étouffèrent, le poignardèrent. Ses genoux se dérobèrent et il s'affala sur le sol.

Alors, il sentit ses mains sur son visage. Elle n'aurait pas dû le toucher. Il voulut s'écarter, mais elle le tint solidement, l'enveloppant de son parfum. Elle sentait la lavande et les épices. Elle repoussa ses cheveux en arrière et lui caressa la joue, comme le faisait sa mère autrefois. Il aimait son parfum et le son de sa voix.

— Monsieur Frazier. Kit, regardez-moi.

Il ne pouvait pas refuser. Son esprit était encore accablé par les souvenirs, mais il y avait cette voix, ce visage. Il pouvait la regarder, l'écouter. Et laisser tout le reste sombrer dans le silence de l'oubli. Elle passa son pouce sur sa joue, et il sourit.

— Savez-vous qui je suis ?

— Mon ange, bredouilla-t-il avec peine.

— Savez-vous où vous êtes ?

Il grimaça. Tout était confus et douloureux. Il se crispa.

— Cela ne fait rien, dit-elle. Moi, je le sais.

Il se laissa aller de nouveau. Son ange lança un coup d'œil à Seth qui attendait en retrait, l'air sombre.

— Je crois qu'il lui faut un peu de temps. Pouvez-vous laisser la lanterne ?

Du coin de l'œil, Kit vit Seth secouer la tête, poser la lanterne et croiser les bras. Il fit un signe à Grit, et le gamin grimpa sur un tonneau avant de disparaître.

— Ce n'est pas très confortable de rester debout, dit son ange. J'aimerais m'asseoir. Vous voulez bien, Kit ?

Naturellement. Mais il grommela, mécontent, quand elle cessa de lui caresser le visage. À peine se fut-elle éloignée de lui que les souvenirs l'assaillirent.

— Voilà, c'est mieux, dit-elle en s'asseyant sur le sol, les jambes devant elle.

Sa jupe remonta, et il aperçut ses chevilles fines.

— Venez. Redressez-vous. Venez vous asseoir près de moi.

Kit fronça les sourcils. Maintenant qu'elle lui demandait, il sentait qu'il ne pourrait faire un pas ; la douleur dans ses jambes était insupportable. Il secoua la tête et bascula en avant. Elle le rattrapa comme il tombait sur elle et l'aida à poser la tête sur ses genoux. C'était une position délicieuse, qui lui permettait de contempler ses chevilles et de s'imprégner du parfum de lavande. Un parfum typiquement anglais.

Il ferma les yeux et imagina qu'il se trouvait à bord du bateau. Ou bien chez lui, en Angleterre. N'importe où, tant qu'elle continuait de lui caresser le visage.

Il s'endormit.

Maddy appuya sa tête contre le porte-bouteilles derrière elle. Kit dormait, à présent.

Non, pas Kit ! M. Frazier !

Malheureusement, après ce qui venait de se passer, elle ne pouvait plus garder ses distances.

Physiquement il avait guéri, mais ses blessures intérieures étaient encore profondes. Elle avait vu assez de patients de son père pour reconnaître un homme en proie à une immense souffrance. Qui était Jeremy ? Probablement un garçon que Kit n'avait pas réussi à protéger. Les bruits du théâtre lui avaient sans doute fait revivre la bataille qui s'était livrée lors de sa capture.

Elle ne pouvait rien faire d'autre que le laisser dormir ainsi. Son père disait souvent que le sommeil était le meilleur remède contre ce genre de souffrance. Aussi se promit-elle de ne pas le déranger, quelles que puissent être les conséquences pour sa propre réputation.

Elle posa les yeux sur Seth. Le colosse n'avait pas bougé et se contentait de chasser d'un regard terrible les gamins qui s'aventuraient jusqu'à la porte de la cave. Son silence était à la fois déconcertant et rassurant. Il formait un rempart contre le monde extérieur.

Maddy resta assise sur le sol pendant des heures. Le spectacle se termina, elle entendit les rires des hommes et les gloussements des actrices. Elle finit par s'endormir.

— Mon Dieu, c'est donc vrai !

Maddy ouvrit les yeux. Un homme grand, aux yeux sombres, descendait l'escalier. Il s'immobilisa quand elle poussa un cri de frayeur.

— Je suis désolé. Depuis combien de temps est-il là ?

Maddy n'en avait aucune idée, mais Seth leva trois doigts.

— Trois heures ! dit l'homme en s'approchant de Maddy. Et vous avez attendu patiemment, tout ce temps ? Mais comment est-ce possible ? Michael disait qu'il était mort.

Il s'accroupit et tendit la main, mais interrompit son geste avant de toucher le visage de Kit. Maddy prit une profonde inspiration pour chasser le sommeil, et Kit s'éveilla alors, en proie à une grande agitation.

Il agrippa le poignet du nouveau venu et le repoussa brutalement. Puis, roulant sur lui-même, il s'accroupit devant Maddy pour la protéger et tourna vers l'homme un regard hargneux. Maddy lui posa une main sur le dos pour le rassurer.

— Non, non, il ne vous veut pas de mal.

Kit garda les yeux fixés sur l'homme, tous les muscles tendus.

— Kit, dit l'inconnu avec douceur. Tu te souviens de moi ?

— Brandon, grommela Kit entre ses dents. Voleur.

L'homme recula, comme sous l'effet d'une gifle.

— Nous te croyions mort. Pour l'amour du ciel, nous sommes même allés à ton enterrement. Oh, Kit, que s'est-il passé ?

Maddy élargit les yeux au fur et à mesure que les morceaux du puzzle se mettaient en place. Cet homme était Brandon Cates, vicomte de Blackstone. Celui-là même qui avait épousé la fiancée de Kit.

— Ah, fit-elle sur le ton de la conversation. C'est assez dur, n'est-ce pas ? D'être tiré du sommeil pour se retrouver dans une telle situation. Je meurs de soif, pas vous, Kit ? Une tasse de thé serait la bienvenue. Qu'en pensez-vous, monsieur ? N'est-ce pas une idée formidable ?

Mon Dieu, elle jacassait comme une idiote. Le vicomte la dévisagea en se demandant si elle avait perdu l'esprit. Puis il se ressaisit et hocha la tête.

— Rien de tel qu'une bonne tasse de thé, mademoiselle...

— Madeline Wilson, monsieur. Enchantée de faire votre connaissance.

140

— Ah, oui. L'intrépide Mlle Wilson. Vous devez avoir froid, assise sur le sol. Je vais vous aider à vous relever.

Il se pencha en tendant la main, mais Kit bondit devant lui. De toute évidence, ce dernier ne laisserait pas le vicomte s'approcher de la jeune femme.

— Kit, si vous ne permettez pas à monsieur le comte de m'aider, il faudra le faire vous-même. Je suis un peu ankylosée, ajouta-t-elle en faisant tourner ses chevilles.

Kit n'avait toujours pas prononcé un mot, sauf pour traiter le comte de voleur. Maddy n'aurait pu dire s'il savait où il se trouvait. Mais il n'était pas dément. Simplement, il oubliait parfois les règles de la politesse. Le meilleur moyen de les lui remettre en mémoire était de se montrer poli envers lui.

Elle fit glisser les doigts sur son bras et lui prit la main. Il la regarda faire, tendu, mais ne broncha pas. Puis il serra les doigts qu'elle avait glissés entre les siens.

Maddy déplia les jambes, et le sang se remit à circuler dans ses veines. Elle voulut prendre appui sur sa main libre, mais Kit la devança, passant un bras autour de sa taille pour l'aider à se dresser. Elle fut stupéfaite de constater avec quelle aisance il la souleva et la remit sur ses pieds.

Ils se trouvèrent face à face, et elle sentit de nouveau la chaleur de son corps. Mais ce qui la frappa, ce fut la souffrance qu'elle décela dans ses yeux. Il semblait avoir recouvré ses esprits. Il savait qu'il avait dormi sur les genoux d'une

141

femme, après un bref épisode de folie, et que l'homme qui l'avait découvert n'était autre que son cousin. Le vicomte qui avait épousé sa fiancée.

— Oh, Kit, murmura-t-elle. Nous allons régler tout cela, je vous le promets.

Le regard du pirate se posa sur les lèvres de la jeune femme. Elle aurait juré qu'il avait envie de l'embrasser. À moins qu'elle ne prît ses propres désirs pour la réalité. Elle passa sa langue sur ses lèvres. Elle aurait voulu plus que tout au monde revivre ces quelques instants, juste avant qu'il ne perde la tête. S'abandonner de nouveau dans ses bras. Cette fois, peut-être ne l'empêcherait-elle pas de continuer. Après tout, le matin serait bientôt là, et on n'allait pas tarder à découvrir qu'elle n'avait pas dormi dans son lit. Puisque sa réputation était perdue, autant que ce soit pour quelque chose.

— Seth a mis la bouilloire sur le feu, annonça le vicomte, interrompant le fil de ses réflexions. Je lui ai dit de faire le thé bien fort. Tu sais qu'ils rajoutent de l'eau partout, ici, n'est-ce pas, Kit ?

Kit posa sur son cousin un regard sombre.

— Je m'en souviens. Ainsi l'on économise le thé et l'on encourage la vente d'alcool.

— Exactement, répliqua le vicomte avec un sourire d'encouragement. Nous devrions aller le boire tant qu'il est chaud. Ensuite, j'imagine qu'il faudra raccompagner Mlle Wilson chez elle. Nous avons encore deux heures avant que l'aube n'apparaisse. Cela vous laisse amplement le temps de vous mettre au lit, avant le lever du jour.

142

C'est-à-dire, avant que quelqu'un ne découvre où elle avait passé la nuit. Il y avait donc un espoir de sauver sa réputation.

— Merci. Ce serait merveilleux.

— Je la ramènerai chez elle, déclara Kit d'un ton ferme.

Le vicomte inclina la tête, l'air troublé. Maddy était toujours dans les bras de Kit. Elle aurait pu se libérer de son étreinte, mais l'idée lui répugnait.

— Bien, reprit le vicomte. Quoi qu'il en soit, une tasse de thé avant tout. Kit, viens m'aider pendant que Mlle Wilson reprend ses esprits.

Mais Kit ne broncha pas. Tout en tenant fermement la jeune femme, il la dévisagea. Maddy sourit au vicomte.

— Allez-y, monsieur. Nous vous suivons.

— Très bien. Mais je... je me tiendrai juste devant. Au cas où vous auriez besoin de quelque chose.

Kit ne bougea pas jusqu'à ce qu'il ait disparu. Puis il relâcha lentement son étreinte et fit un pas en arrière avec une expression indéchiffrable. Maddy comprit qu'il contenait toute sa souffrance pour la cacher aux autres, mais aussi à lui-même.

— Je vous ai terriblement maltraitée ce soir, dit-il d'une voix sourde. Je suis impardonnable.

— Je vous en prie. Je comprends que les désirs l'emportent quelquefois.

Il ne dit rien, mais ses yeux exprimaient son accablement. Il ne croyait pas qu'elle le comprenait, ou qu'elle comprenait le besoin qu'il avait de crier, comme un loup hurlant à la lune.

— Il y a un cabinet de toilette près du foyer, dit-il brusquement. Venez, je vais vous montrer où c'est.

Il s'était ressaisi. Elle n'apprendrait plus rien sur son passé maintenant et elle n'osa pas le questionner. Mais elle se promit de tout découvrir un jour. Non pas pour satisfaire sa curiosité, mais pour Kit. Car elle craignait que les fantômes ne le poursuivent pendant très longtemps encore.

En attendant, il fallait qu'elle remette de l'ordre dans sa toilette. Elle allait prendre le thé avec l'homme qui avait volé sa fiancée à Kit. Et il fallait qu'elle le fasse, comme si Kit n'était rien pour elle. Rien de plus qu'un homme qu'elle connaissait depuis à peine deux jours.

9

— Que s'est-il passé, Kit ? Comment...
comment tout cela a-t-il pu arriver ?

Kit but son thé sans lui trouver la moindre
saveur. Il avait pris place dans le foyer avec son
cousin Brandon, pendant que son ange arran-
geait sa toilette dans le vestiaire des dames. Il ne
répondit pas, il ne savait pas quoi dire. En fait,
sans la présence de Maddy, il se sentait basculer
de nouveau dans les années froides et morbides
de son esclavage.

— Tu sais, reprit son cousin, à mon retour
des Indes j'ai vécu pendant des mois comme
un monstre solitaire. J'avais abandonné
mes amis, je fréquentais les bordels et je
buvais pour faire taire les hurlements dans ma
tête.

Kit leva les yeux. Son cousin n'avait plus le
visage blafard dont il avait gardé le souvenir.
Son teint était coloré et sain, son corps moins
anguleux.

— Tu as pris du poids, dit-il, étonné lui-même de pouvoir lui adresser la parole avec autant de facilité.

Brandon sourit et passa une main sur son ventre ferme.

— C'est l'effet d'une vie confortable.

— Elle est heureuse ?

Il n'avait pas besoin de prononcer le nom de Schéhérazade. La femme que Kit avait aimée et que Brandon avait épousée.

— Je le crois. Je remercie le ciel chaque jour de me l'avoir envoyée. Je ferai tout pour assurer son bonheur. Kit, je suis désolé pour tout ce qui est arrivé, mais il faut que tu le saches. Je ne renoncerai jamais à elle.

Kit se hérissa. Il n'avait aucun droit sur Schéhérazade. Il avait cessé de penser à elle depuis longtemps, et elle n'était plus pour lui qu'un souvenir entretenu par la nostalgie. Mais des années auparavant, il avait voulu faire de Scher son épouse, et à présent elle appartenait à Brandon. Sa réaction fut celle d'une bête sauvage. Non parce qu'il voulait la reprendre, mais parce que quelqu'un le mettait au défi de le faire.

— Merci, monsieur, dit la voix angélique, derrière lui. Vous êtes très aimable. Vous joindrez-vous à nous pour le thé ?

Ils se tournèrent et virent Maddy entrer, accompagnée de Seth. Le colosse s'inclina et refusa son offre d'un signe de tête.

— Il doit se lever tôt avec les machinistes, expliqua Brandon.

— Je comprends parfaitement, répondit Maddy. Je crains que nous n'ayons pas été

146

correctement présentés. Mon nom est Madeline Wilson.

Elle tendit la main à Seth, qui la prit avec respect.

— Son nom est Seth Mills, dit Brandon. Et il est très honoré de faire votre connaissance.

— Tout l'honneur est pour moi, répondit Maddy avec un grand sourire. Vous m'avez été d'une aide précieuse dans la cave.

Il se passa alors une chose que Kit n'avait jamais vue. Seth devint écarlate. Il s'inclina de nouveau et sortit prestement.

Brandon avait suivi la scène, éberlué. Kit était partagé entre la stupéfaction et l'admiration : Maddy répandait le bien-être autour d'elle. Elle s'approcha de la table, s'empara de la théière et remplit les tasses. En somme, elle était une dame beaucoup trop raffinée pour s'asseoir au fond d'une cave avec lui.

— Je ne l'avais jamais vu rougir, assura Brandon, amusé. Vous êtes une femme surprenante, mademoiselle Wilson.

— Je ne saurais dire, monsieur. D'après mon père, je suis une femme qui se retrouve dans des situations surprenantes... et parfois peu convenables.

— J'aimerais connaître votre père.

— Ce n'est pas possible, déclara Kit d'une voix à la fois étranglée et boudeuse. Il est mort.

Brandon le considéra avec stupeur. Maddy sourit tristement.

— Oui, il est parti il y a quelque temps déjà. Je vis chez mon oncle Frank, le comte de Millsford.

— Ah, oui. Je le connais.

À en juger par le ton de sa voix, Brandon n'appréciait pas oncle Frank. Kit non plus. Maddy et Brandon continuèrent de parler de leur famille et de leurs connaissances communes. La conversation se déroulait comme dans n'importe quel salon de la bonne société. Autrefois, Kit avait excellé à mener ce genre de discussions mondaines. Aujourd'hui il était incapable d'articuler un mot, tandis que son cousin charmait son ange.

Il sentit sa colère enfler. Il était furieux contre lui-même, contre son cousin. Il en voulait même à Maddy, qui riait et servait le thé, comme une dame de la plus haute noblesse. Elle n'était pas une lady. Son seul espoir d'avoir un titre, c'était de devenir la maîtresse de son oncle. Elle n'était pas de meilleure naissance que Kit, et pourtant, lorsqu'il la regardait, il savait qu'elle était destinée à faire un brillant mariage. Elle pouvait épouser un comte, voire même un duc. Elle était une dame, alors qu'il n'était qu'un esclave.

Kit se leva brusquement, repoussant bruyamment son fauteuil. Maddy poussa un petit cri de surprise, et Kit se maudit intérieurement pour ses manières de goujat.

— Il est tard, dit-il en faisant un effort surhumain pour s'exprimer avec douceur. Vous devez rentrer.

Maddy se ressaisit dans l'instant.

— Vous avez raison. Mais j'aurais une requête impertinente, monsieur le comte.

Kit n'aimait pas la façon dont elle regardait Brandon, mais il ne pouvait rien faire pour l'en empêcher. Il souffrit en silence.

— Je suis venue ici dans l'espoir de m'entretenir avec votre épouse, expliqua-t-elle.

Brandon fronça les sourcils, tout en se glissant souplement derrière elle pour tirer son fauteuil. Enfer et damnation ! Comment avait-il pu l'oublier ? Les gentlemen aidaient toujours les dames à se lever.

— Pour quelle raison voulez-vous voir Scher ?

Les joues de Maddy se colorèrent.

— C'est pour Rose. Ma cousine, lady Rose, veut organiser une réception à laquelle assisteront Kit... c'est-à-dire... M. Frazier, et votre épouse.

— Ah, fit Brandon.

La syllabe contenait tout un monde de sous-entendus. Le vicomte savait exactement quelles étaient les motivations de Rose. L'hôtesse qui parviendrait à réunir Kit et Schéhérazade aurait créé l'événement de la saison.

— Je sais que c'est abuser de la bonté de madame votre femme.

— Mon épouse porte notre enfant.

— Oui, et je ne voudrais surtout pas mettre sa santé en danger.

Brandon laissa échapper un rire bref. Kit fut surpris. Il ne se rappelait pas avoir déjà entendu son cousin rire avec autant de légèreté.

— N'ayez aucune crainte à ce sujet. Scher est infatigable. Elle n'a jamais eu la moindre nausée matinale.

— Dans ce cas, votre objection porte sur les circonstances. Je vous comprends, mais j'avais promis à Rose de vous transmettre l'invitation. Merci de m'avoir écoutée, monsieur.

Brandon hocha la tête, pensif, et porta son regard sur Kit.

— Souhaites-tu assister à cette réception ?

Kit ne sut que répondre. Non, le thé de Rose ne l'intéressait nullement. Chacun de ses gestes serait épié et alimenterait les conversations pendant des semaines.

— J'ai besoin de voir Scher, Brandon, dit-il doucement. Après ma capture, je rêvais d'elle. Je rêvais que j'étais de retour chez moi et que nous allions nous marier. Le fait de penser à elle m'a aidé à ne pas sombrer dans la folie. Mais il y avait aussi des cauchemars. Elle était blessée, ou mourante, et je n'arrivais pas à l'atteindre pour l'aider.

Comme dans le cauchemar qu'il avait dans la nuit, au sujet de Maddy.

— J'ai besoin de la voir, Brandon. Juste… de la voir. Si ce n'est pas chez lady Rose, ce sera à un autre moment, dans un autre lieu. Bientôt.

Maddy tendit la main vers lui à cet instant. Il mêla ses doigts aux siens et trouva la force de rester immobile, tandis qu'elle lui communiquait sa chaleur.

— Mais pourquoi voulez-vous que la rencontre ait lieu en public ? murmura-t-elle.

Il ne put soutenir son regard. Lui expliquer qu'il avait besoin de constater que Scher était vivante et bien portante. Il aurait sans doute dû le faire quatre ans plus tôt, quand il avait racheté sa liberté. Mais il n'avait alors pas d'argent pour le voyage et il était encore plus proche de l'animal que de l'humain. Il lui avait fallu tout ce temps pour s'assurer qu'il était prêt à retrouver la civilisation. De toute évidence, il s'était trompé. Mais son besoin de voir Scher demeurait.

Par chance, Brandon le comprit.

— Peu lui importe dans quelles circonstances il voit Scher. Il a juste besoin de savoir.

Kit acquiesça d'un mouvement de tête.

— Je vais en parler à Scher, enchaîna Brandon. Nous ferons ce qu'elle veut. Cela te va ?

— J'ai attendu sept ans, j'attendrai bien un jour de plus.

— Kit, protesta Maddy avec douceur. Ce sera un choc pour elle.

— Juste une rencontre, reprit Brandon. J'enverrai la réponse chez le comte.

— Mais... balbutia Maddy, qui voulait sans doute expliquer qu'il ne résidait plus dans cette maison.

— Ce sera parfait, déclara Kit en lui serrant la main. Il faut partir à présent. Le soleil ne va pas tarder à se lever.

— Vraiment ? Comment le savez-vous ?

Il ne pouvait pas le savoir. Pas à Londres où les bâtiments étaient collés les uns contre les autres, et où la fumée obscurcissait tout. Mais il haussa les épaules et n'hésita pas à mentir :

— Il y a un temps pour tout. Et l'heure de rentrer approche.

Il croyait mentir, mais réalisa qu'il disait vrai : il y avait un rythme de vie, à Londres. Autrefois il l'avait très bien connu, et s'il n'avait pas encore renoué avec la vie trépidante de la capitale, il sentait ses vieilles habitudes resurgir. Son instinct lui soufflait que la ville s'éveillait.

151

— Kit a toujours su quelle heure il était, remarqua Brandon. Même quand il était petit et ne savait pas encore lire, il pouvait dire à quel moment de la journée nous étions.

— Dans ce cas, je dois vous écouter et rentrer chez moi.

— Prenez ma voiture, proposa Brandon. Le cocher est discret. Il reviendra me chercher ensuite.

— Vous êtes très aimable.

Maddy le gratifia de son plus beau sourire, et Kit eut la furieuse envie de l'entraîner loin de son charmant cousin.

— Allons-y.

— Bonne nuit, monsieur le vicomte.

— Bonne nuit, mademoiselle Wilson. Kit.

Sans répondre, Kit entraîna Maddy vers la porte. La voiture les attendait et s'ébranla dès qu'ils furent montés. Mais alors un silence pesant s'abattit sur eux. Kit chercha désespérément un moyen de le rompre, mais tout ce qui lui venait à l'esprit lui semblait impertinent ou ridicule. Il finit par dire simplement la vérité.

— Je viendrai prendre le thé, quoi qu'il advienne. Donnez-moi simplement la date et l'heure de la réception.

— Vous n'êtes obligé à rien. Ce sera très embarrassant pour vous.

— J'ai dit que je serai là !

Du coin de l'œil, il vit Maddy pincer les lèvres. Elle essayait de l'aider et, en remerciement, il l'agressait ! Il n'avait pas oublié ce qui s'était passé juste avant son accès de folie. Il pouvait encore sentir son corps, ses cuisses, la chaleur de son baiser. Son désir resurgit dans l'obscurité de l'habitacle. La voix douce et mélodieuse de la jeune femme résonna soudain, le tirant de ses réflexions.

— Vous comptez vraiment passer la nuit chez mon oncle ?

— Quoi ? Non, non. J'ai loué un appartement.

— Oh, très bien. Le prix est-il élevé ? Avez-vous les moyens de payer ?

— Non. Je veux dire, oui, j'ai les moyens. Mes goûts sont assez simples.

Il faisait sombre et il ne pouvait distinguer ses traits. Mais sa voix était si douce qu'il imaginait qu'elle devait sourire en parlant.

— Vous me rappelez mon père. Notre maison à Derby était tout ce qu'il y a de plus simple.

— Et votre mère ? Se contentait-elle d'un intérieur modeste ? La mienne n'était pas satisfaite si elle ne disposait pas au moins d'une dizaine de domestiques.

— Dix ! Imaginez tout ce personnel à gérer ! Non, d'après ce que racontait mon père, ma mère était comme lui. Elle est morte à ma naissance et je ne l'ai pas connue.

— Je suis désolé. Ce doit être dur de grandir sans une présence maternelle.

— Oui, parfois. Mais j'étais heureuse avec mon père.

Un silence, qui n'avait rien d'inconfortable, suivit ces paroles. Puis elle chuchota de nouveau :

— Pourriez-vous… me communiquer votre adresse ? Nous aimerions vous envoyer une invitation pour le thé.

— Je ferai tout ce qu'il vous plaira, mademoiselle Wilson. Vous m'avez aidé ces deux derniers jours, et je vous dois beaucoup.

— Kit… Monsieur Frazier… je vous en prie. C'est moi qui devrais vous remercier d'avoir égayé mes journées. Vous ne pouvez pas savoir comme mon quotidien est ennuyeux.

— Ne vous plaignez pas. Autrefois je rêvais de voyages, moi aussi. Je voulais changer de vie, faire fortune. Mon souhait a été exaucé, mais pas de la façon dont je l'espérais.

La jeune femme garda le silence, réfléchissant sans doute à ce qu'il venait de dire. Quels étaient ses rêves ? Pouvait-il exaucer certains de ses désirs ?

— J'ai un cadeau pour vous, dit-il en prenant un objet dans sa poche. Pour vous remercier.

C'était une broche en or, ornée de pierres précieuses. Il l'avait prise autrefois sur l'une des victimes de Venboer, sans que personne ne le voie. Il avait eu l'intention de la vendre à un joaillier, mais n'avait jamais pu s'y résoudre. Aujourd'hui, il avait envie de l'offrir à Maddy.

— Mon Dieu ! s'exclama-t-elle en la prenant. Comme elle est lourde !

— Oui, c'est de l'or. Je pense qu'elle est très ancienne.

Elle se pencha vers la fenêtre pour observer son présent à la lueur de la lune.

— Je ne peux accepter ce bijou ! Il a beaucoup trop de valeur.

— Je vous en prie. Cachez-la et ne le dites à personne. Un jour peut-être aurez-vous besoin de la vendre.

154

Elle retourna la broche entre ses doigts, l'examinant sous tous les angles.

— Je n'arrive pas à voir ce qu'elle représente.

— Un paon, je crois.

— Un paon ? Oh, oui, je vois. Ce n'est pas évident.

Non, cela ne l'était pas. À vrai dire, ce bijou ne convenait pas à une femme comme elle. Maddy était faite pour porter des objets simples et délicats.

— Je préférerais vous offrir quelque chose de plus beau. J'ai étudié les pierres précieuses quand... j'étais loin.

Il ne put se résoudre à articuler « quand j'étais esclave ».

— Je pourrais vous dessiner un objet plus joli, je crois.

— Non ! protesta-t-elle en posant le bijou entre eux, sur la banquette. Je ne peux l'accepter. Vous le savez bien.

La gorge de Kit se serra douloureusement. Ne comprenait-elle pas la valeur qu'il accordait à cette broche ? Ce qu'elle avait coûté en souffrance humaine, en sang versé ? Trop affecté pour parler, il laissa son regard errer par la fenêtre.

— Kit... reprit-elle avec douceur. Si les gens voyaient cela, ils me prendraient pour une courtisane.

— Personne n'a besoin de la voir !

Parmi tous les objets de valeur qu'il avait possédés, tout le butin qu'il avait amassé pour racheter sa liberté, cet objet était le seul qu'il avait voulu conserver sur lui. Cette broche faisait

155

partie du trésor qu'il avait ramené en Angleterre. Et il voulait la lui donner.

La voiture s'arrêta devant chez elle. Elle poussa un long soupir.

— Portez-vous bien, monsieur Frazier, dit-elle en poussant la portière.

Il la retint. Attrapant la broche d'une main, de l'autre il lui agrippa le poignet et lui déplia les doigts.

— Je n'ai rien d'autre à vous offrir. Je n'ai pas encore de livres sterling pour vous acheter un cadeau plus approprié, expliqua-t-il en pressant le bijou au creux de sa main.

Maddy ne répondit pas. Le cocher s'avançait déjà pour aider la jeune femme, mais Kit la retint à l'intérieur.

— Cachez-la s'il le faut, dit-il à voix basse. Quand je serai mieux installé, je vous apporterai un autre cadeau et vous pourrez me la rendre.

— Alors, pourquoi devrais-je la prendre ? Vous n'aurez qu'à m'offrir un bouquet dans quelques jours.

Kit secoua la tête. Il ne savait pas ce qui allait se passer, ni ce qu'il deviendrait une fois qu'il aurait remis Alex à sa famille. Il resterait à Londres le temps de rencontrer Sher. Ensuite il devrait trouver des fonds pour équiper son navire. Cela pouvait le mener n'importe où.

— Mettez-la en lieu sûr pour moi. Ainsi vous aurez la certitude que je reviendrai la chercher.

— Kit... balbutia-t-elle en soupirant.

Mais il ne la laissa pas aller plus loin.

— S'il vous plaît, mon ange. Gardez-la précieusement.

Sa demande n'avait aucun sens, même pour lui. Il savait simplement qu'il accordait une grande valeur à cet objet, et qu'il était important à ses yeux qu'elle le garde.

Il perçut le repli des doigts fins sur l'objet et comprit qu'elle acceptait. Ensuite, le cocher ouvrit plus grand la porte, et ils n'en dirent pas davantage.

10

Le fiacre s'arrêta devant une maison d'allure modeste, dans un quartier recherché. Le heurtoir était fixé à la porte et Kit aperçut du mouvement derrière les vitres. La famille d'Alex était chez elle.

Kit coula un regard à son compagnon et vit la peur crisper les traits du garçon. Comment faisait-on pour retrouver sa famille, sa maison, une vie normale, quand tout en vous avait changé ? Kit n'avait toujours pas la réponse. Ses retrouvailles avec Michael s'étaient déroulées de façon désastreuse. La rencontre avec Brandon avait été difficile. Il n'avait pas le courage de renouveler l'essai avec ses frères. S'il découvrait que Lucas était au courant de son enlèvement par les Barbaresques et qu'il n'avait rien fait pour le secourir, Kit en mourrait de chagrin.

De sorte qu'il restait à l'écart de sa famille. Mais il ne voulait pas que cette peur éloigne Alex de la sienne. Il prit son ami par le bras.

— Ce sont tes parents, tes frères, ta sœur. Ils t'aiment.

— Je suis quelqu'un de différent à présent, riposta Alex en secouant la tête. Tout a changé.

— Bien sûr, tu es devenu un homme. Quoi de plus naturel.

— Je fais encore des cauchemars, chuchota Alex.

— Ta mère te consolait quand tu étais petit. Je suis sûr qu'elle rêve de le faire encore maintenant.

Alex lui lança un regard perdu, où perçait une pointe de nostalgie. Son expression était si comique que Kit laissa échapper un grand rire. L'atmosphère se détendit, Alex sourit. Le cocher tapa sur le toit de la voiture.

— Hé ! Descendez, gentlemen !

Alex redressa les épaules, poussa la portière et sauta sur la chaussée. Kit le suivit, la gorge nouée. Dieu fasse que la réunion familiale se déroule sans encombre. Pour le garçon. Il voulait que son jeune ami guérisse de ses blessures.

À peine furent-ils engagés dans l'allée qu'ils entendirent fuser un cri de joie dans la maison. Kit entrevit derrière la fenêtre le visage d'une petite fille, qui disparut aussitôt. Puis la porte s'ouvrit à la volée et une enfant d'environ treize ans dévala les marches en poussant des cris aigus. Kit remercia le ciel. Elle avait remonté ses jupes jusqu'aux genoux et ses cheveux volaient en tous sens. Elle fit un bond impressionnant et sauta au cou de son frère, qui l'attrapa en poussant un grognement de surprise.

— Parbleu, tu es devenue lourde ! grommela-t-il, blottissant le visage au creux de son cou.

— Et toi, tu es devenu fort !

Puis Kit n'entendit plus rien, car leurs paroles furent couvertes par un concert d'exclamations et de rugissements de joie. La mère, le père et les deux frères sortirent de la maison en courant. Le majordome, un valet et deux soubrettes demeurèrent sur le seuil. La maisonnée n'était pas aussi modeste qu'il l'avait cru, songea Kit.

Il se tint à l'écart et réussit à contenir son émotion. La mère d'Alex sanglotait en serrant son fils contre son cœur. Son père pleurait aussi, mais plus discrètement. Il passa la main sur la joue d'Alex, avant que ses deux plus jeunes fils le bousculent pour embrasser leur aîné.

Ce fut la fillette qui remarqua Kit. Elle se tourna vers lui, les yeux brillants de curiosité.

— C'est vous, alors ? C'est vous qui avez sauvé mon frère ?

— J'ai essayé, admit-il, la gorge nouée par l'émotion. Je n'y suis arrivé qu'à moitié. Ensuite, c'est lui qui m'a tiré d'affaire, expliqua-t-il en faisant un pas de côté pour accentuer sa claudication.

L'enfant l'observa avec un grand sérieux. Son regard était perçant pour son âge.

— Je crois qu'Alex a eu beaucoup de chance, finit-elle par déclarer avec gravité. Et que vous êtes un homme qui porte chance.

Avant que Kit ait pu se remettre du choc provoqué par cette déclaration, elle se retourna dans un tournoiement de tresses et courut dans les bras de son père.

— Papa ! Papa !

Celui-ci parvint à imposer un peu de calme.

— Papa, dit la fillette. Nous devons inviter ce monsieur à dîner.

Maddy serra les doigts sur la broche cachée au fond de sa poche, tout en reprenant la conversation avec lassitude. Rose et oncle Frank la regardaient d'un air suspicieux et agacé. Ils venaient de dîner et s'apprêtaient à sortir. Pourquoi était-il si difficile d'obtenir une soirée de répit ?

— Ce n'est rien, répéta-t-elle pour la centième fois. Je me suis épuisée à organiser ta soirée de réception, Rose. Et nos deux invités surprises ont occasionné du travail supplémentaire à la maison. C'est tout.

— Tu es sûre que tu n'es pas malade ?

— J'ai juste mal à la tête, ma chérie. Tu t'amuseras beaucoup mieux sans moi ce soir, je t'assure.

— Mais ce n'est qu'une soirée entre amis. Papa va s'ennuyer à mourir s'il doit me servir de chaperon. Après, il sera de mauvaise humeur. Tu es sûre de ne pas pouvoir m'accompagner ?

— Je pourrais peut-être t'emmener là-bas, Rose, et demander à l'une des dames de te chaperonner, suggéra oncle Frank. Ensuite, je reviendrai m'occuper de Maddy.

Il fallut quelques minutes à Maddy pour comprendre le sens de ces dernières paroles. Parlait-il sérieusement ? Rose de son côté semblait enchantée.

— Oh, oui, papa ! C'est une excellente idée.

— Non, certainement pas, répliqua Maddy d'un ton glacial.

L'incompréhension se lut sur le visage de Rose. Elle n'avait jamais entendu Maddy s'exprimer avec une telle fermeté. La jeune femme gardait les yeux rivés sur son oncle. Il fallait qu'il comprenne qu'elle ne voulait sous aucun prétexte d'une liaison avec lui. Ni ce soir ni jamais.

— Vous êtes mon oncle, énonça-t-elle fermement. Et rien d'autre.

Le comte saisit le message et se renfrogna. Rose, qui était loin de comprendre ce qui se tramait, fronça les sourcils.

— Naturellement, papa est ton oncle. Que pourrait-il être d'autre ?

— Ma nourrice, ma chérie, répondit Maddy avec un doux sourire. Il se proposait de me servir de nourrice.

— Tu devrais reconsidérer l'offre de ma fille dans ces cas-là, déclara son oncle en détachant sèchement les syllabes. Tu n'as qu'une saison pour te trouver un mari. Es-tu sûre de vouloir manquer une soirée ?

Le sous-entendu était clair. Passée cette saison, elle serait chassée de cette maison. Elle devrait soit se marier soit devenir sa maîtresse. Elle se mordit les lèvres en adressant une prière au ciel. Pourvu qu'un homme la trouve à son goût et demande sa main !

— Je tiens absolument à rester à la maison ce soir. Dans l'obscurité, une compresse sur le front. Seule !

— Très bien, rétorqua Rose avec un petit reniflement. Inutile de devenir désagréable. Je ne m'étais jamais rendu compte que nous te dérangions autant.

Maddy soupira. Elle n'avait aucune envie de palabrer avec Rose. Ce qui la tourmentait, c'était l'attitude de son oncle. Son visage était vide d'expression, dénué de toute chaleur. Il prit sa fille par le bras et l'entraîna vers la porte.

— Viens, Rose. Tu brilleras davantage sans elle. De plus, ajouta-t-il en lui tapotant la main, elle a toutes sortes de tâches domestiques qui l'occuperont.

Maddy les regarda sortir le cœur serré. Jusqu'à présent, son oncle n'avait jamais cherché à l'humilier. Elle avait pris la responsabilité du ménage car il fallait bien que quelqu'un le fasse. Elle s'était chargée de canaliser les élans fantasques de Rose parce qu'elle était plus âgée qu'elle et capable de veiller à son éducation. Alors que Rose répétait sans cesse à leurs connaissances qu'ils avaient recueilli Maddy par charité, oncle Frank avait toujours laissé entendre qu'elle était la bienvenue. Il la nourrissait, la logeait et l'autorisait à sortir pendant la saison pour trouver un mari. Il n'avait encore jamais insinué qu'elle était une domestique.

Visiblement, ce temps-là était révolu. Elle l'avait offensé en repoussant ses avances. Toutes les femmes savaient que la fierté d'un homme était délicate et qu'un comte était plus susceptible encore que le commun des mortels. Néanmoins, le coup était rude pour Maddy. Rose et oncle Frank constituaient sa seule famille, et elle constatait que son oncle ne l'aimait pas vraiment. Elle courut se réfugier dans sa chambre en étouffant un sanglot.

D'ordinaire, elle ne pleurait pas. Elle pensait avoir épuisé toutes ses larmes à la mort de son père. Serrant un oreiller dans ses bras, elle enfouit le visage sous les draps. Un jour, elle plairait à un homme, se répéta-t-elle. Un homme viendrait et l'épouserait. Elle serait aimée de nouveau.

— Mon ange, mon ange, ne pleurez pas.

Maddy s'éveilla en sursaut en sentant une main sur son épaule. La chandelle était toujours allumée, et elle put voir nettement l'homme accroupi près de son lit.

— C'est moi, mon ange.

Kit ? Dans sa chambre ? Elle battit des paupières et se passa la main sur le visage. Sa peau était humide de larmes.

— Que faites-vous ici ? articula-t-elle, la voix rauque.

— Je suis venu vous voir.

Elle se redressa en se demandant si elle ne rêvait pas. C'était bien Kit, pieds nus et en manches de chemise.

Pieds nus ? Non, ce devait être un rêve. Elle recula et sentit le tissu de sa robe sur ses épaules. S'était-elle endormie tout habillée ? Oui, naturellement. Elle était montée en courant dans sa chambre et s'était jetée sur le lit sans prendre la peine d'ôter ses vêtements. Puis elle s'était endormie. Tout cela était parfaitement logique. Rassurée, elle rajusta son corsage. Son lit se trouvait contre un mur et elle s'y adossa, le temps de reprendre ses esprits. Kit avait l'air grave, son visage était sombre.

— Ce n'est pas vrai, se dit-elle. C'est un rêve.

Elle prononça les mots à haute voix, dans l'espoir de se réveiller, mais Kit secoua la tête.

— Je suis bien réel, mon ange. Je vous ai entendue pleurer.

— Je ne pleure jamais. Je n'ai plus pleuré depuis des années, affirma-t-elle.

Il fallait qu'elle se donne à elle-même l'impression d'être forte.

— J'ai souvent vu cela, sur le bateau. Des gens qui pleuraient dans leur sommeil.

Il s'assit sur le lit à côté d'elle. De si près, elle vit que le col de sa chemise était défait et laissait apercevoir sa peau bronzée.

— Est-ce que Jeremy pleurait dans son sommeil ?

Elle était très audacieuse et posait trop de questions, mais elle se rassura en se disant qu'elle devait profiter de ce rêve pour obtenir des réponses.

— Jeremy est mort à bord du *Fortune*. Je lui avais ordonné de se cacher, je ne savais pas que les pirates allaient couler le navire.

Maddy cligna des yeux, et les derniers vestiges du sommeil s'évaporèrent.

— Ils ont coulé le bateau ? Et Jeremy était à bord ?

— J'ai été capturé au moment où je suis remonté sur le pont. Je n'avais jamais vu la mort d'aussi près. Il y avait des hommes éventrés, qui saignaient encore. Je n'avais pas d'arme, je n'étais pas préparé au combat. D'un autre côté, toute tentative de résistance vous menait droit à la mort. Les pirates étaient sans pitié.

— Mon Dieu...

— Je ne leur ai pas parlé de Jeremy. Avec le recul, je comprends que c'était ridicule, mais je pensais qu'un garçon de son âge ne devait pas assister à un tel spectacle. Alors, j'ai tenu ma langue.

— C'est normal.

Elle aurait voulu le toucher pour le réconforter. Mais ce serait aller trop loin. Il faudrait alors qu'elle admette que la scène était réelle, que Kit était bien dans sa chambre et qu'il était pieds nus. Ce détail lui semblait bizarre.

— Je me suis tu. J'ai alors été transféré sur le bateau pirate. J'ignorais ce qui se passait, je n'y comprenais rien. Jusqu'à ce qu'ils tirent au canon sur le navire marchand.

— Mais pourquoi couler un bateau en bon état ?

— Venboer ne disposait pas de beaucoup d'hommes. C'est à peine s'il pouvait contrôler les esclaves. Il ne pouvait pas envoyer un équipage sur un autre bateau.

— Donc, le navire fut coulé, avec Jeremy ? Eh bien !

Elle se rendit compte après coup de ce que sa remarque avait de stupide. Kit avait été enlevé par les pirates, un garçon était mort, le capitaine et son équipage aussi. Elle soupira et se passa une main sur le visage.

— Je vous demande pardon, je suis ridicule.

Kit esquissa un bref sourire.

— Tout cela me paraît si loin. Je n'ai plus pensé à Jeremy depuis des années. Je ne sais pas pourquoi j'ai revécu ces événements la nuit dernière. Vous avez dû me prendre pour un fou.

Maddy haussa les épaules et appuya sa tête contre le mur.

— Cela n'a rien d'étonnant. Je suppose que votre esprit revit sans cesse ce jour-là pour chercher une autre fin à cette histoire.

— Le navire marchand a été attaqué par les pirates. Quand c'est arrivé, j'étais en bas en train de me plaindre de la nourriture. Je n'aurais rien pu faire pour changer le cours des choses.

— Je sais. Et moi, je ne pouvais pas empêcher mon père de mourir. Je ne pouvais faire autrement que de venir vivre ici. Pourtant, je me pose toujours des questions.

Kit secoua la tête.

— J'ai cessé de m'en poser il y a des années. Vouloir modifier le passé est une perte de temps et d'énergie. Le présent nous offre bien trop d'épreuves à surmonter.

Tout en réfléchissant, Maddy se mordillait les lèvres. Il avait raison, bien entendu. Mais il y avait encore des moments où elle s'imaginait au bras de son père, à l'époque où il était encore fort et en bonne santé.

— Dites-moi pourquoi vous pleuriez.

— Dites-moi plutôt ce que vous faites pieds nus dans ma chambre.

Kit arqua les sourcils, désarçonné.

— Il est plus difficile d'escalader un mur avec des chaussures, expliqua-t-il en désignant la fenêtre, dont la vitre inférieure était relevée. J'ai dû enlever aussi ma veste et ma cravate.

— Mais pourquoi prendre un tel risque ? Vous auriez pu vous rompre le cou !

168

— J'ai vécu pendant sept ans sur les bateaux. J'ai grimpé au mât pendant les orages, manœuvré dans l'obscurité, je me suis même faufilé d'un bateau à l'autre pendant les batailles. Même avec ma blessure à la jambe, ce mur ne présente aucun risque pour moi.

— Mais pourquoi ? répéta-t-elle.

Kit haussa une épaule avec désinvolture.

— Il fallait que je vous voie.

— J'étais censée sortir ce soir. C'est le début de la saison. Je ne serai plus à la maison, les nuits prochaines.

Il inclina la tête pour indiquer qu'il le savait.

— Aviez-vous l'intention de m'attendre ? Je ne serais pas rentrée avant des heures.

Un nouveau signe de tête.

— Et si quelqu'un vous avait vu ? Ma réputation serait détruite !

— Personne ne m'a vu, affirma-t-il.

Elle fut tentée de le croire. Ce qui était ridicule, car elle ne pouvait recevoir un homme dans sa chambre sans que quelqu'un le remarque ! Pourtant il était là, assis sur le lit, et parlait avec elle comme si c'était la chose la plus naturelle au monde.

— Monsieur Frazier...

— Kit, corrigea-t-il. Je vous en prie, appelez-moi Kit.

— Certainement pas ! protesta-t-elle, bien qu'elle le nommât déjà ainsi en pensée.

— Je vous en prie. Cela m'aide à me rappeler où je suis. Qui je suis. À bord du navire de Venboer, mon nom était « Esclave ».

— Mais n'étiez-vous pas nombreux à être asservis ?

— C'était un jeu pour le capitaine. Une façon de nous signifier que nous n'étions plus des individus, mais une masse indistincte.

Maddy commençait à entrevoir ce qu'il avait dû endurer. Après des années d'esclavage, le retour à Londres devait ressembler à un rêve.

— Vous êtes en sécurité, à présent. Vous êtes à Londres, et libre.

Son regard passa de la jeune femme à la chandelle qui brûlait sur la table de chevet.

— Nous n'avions pas droit de nous éclairer à bord. Pas de chandelle, pas de lumière, car c'était trop dangereux. La plupart des esclaves auraient préféré mourir brûlés plutôt que de continuer à vivre ainsi.

Il tendit les doigts vers la flamme qui vacilla.

— Cette lumière m'aide à me souvenir de mon ancienne vie. Mes nouveaux vêtements aussi. Vous. Vous m'aidez à me rappeler, ajouta-t-il en se penchant vers elle.

— Je ne crois pas vous avoir aidé la nuit dernière, fit-elle remarquer avec un sourire triste.

— Ne dites pas cela ! Sans vous, je n'aurais pas eu le courage de revenir à moi !

Il se passa les mains sur le visage. Il semblait perdu.

— Cela fait déjà quatre ans que j'ai racheté ma liberté. Pourtant, certaines nuits, j'ai encore peur de m'endormir. J'ai peur de me réveiller le matin...

— Et de vous apercevoir que votre liberté n'était qu'un rêve ?

Il hocha la tête et une immense vulnérabilité se lut dans son regard.

— Kit... chuchota-t-elle, le cœur serré.

Le bout de cire qui restait dans le bougeoir finissait de se consumer. La flamme vacilla et s'éteignit. Maddy poussa un petit cri de surprise, mais la réaction de Kit fut beaucoup plus spectaculaire. Il grimpa sur le lit et s'accroupit en lui tournant le dos pour scruter la chambre. Voulait-il la protéger ? Elle lui posa une main sur l'épaule et sentit ses muscles durs et tendus.

— Kit... Kit ! Ce n'est rien. Juste la chandelle qui s'est éteinte.

Il ne répondit pas tout de suite. Puis elle l'entendit respirer profondément.

— Je sais, finit-il par marmonner. Dans ma tête, je le sais. Et pourtant...

Il n'eut pas besoin de finir sa phrase, elle savait ce qu'il pensait. C'était plus fort que lui, il ne pouvait se débarrasser de cette peur viscérale. Une réaction instinctive, que des années passées en mer avaient entretenue.

— Il y a une bougie neuve dans le tiroir de ma coiffeuse, dit-elle doucement.

Elle n'esquissa pas de mouvement avant de l'avoir vu faire un signe de tête. Puis elle laissa glisser sa main sur son dos et le long de sa jambe pour ne pas le surprendre en bougeant. Il lui fallut un moment pour trouver la pierre à briquet et faire de la lumière. Quand ce fut fait, elle se retourna et poussa un soupir de soulagement : Kit, malgré ses joues encore rouges, s'était détendu.

— Je pensais que ce serait plus facile, dit-il doucement. Que je pourrais revenir à Londres et me comporter comme n'importe quel homme.

Fermant les yeux, il s'appuya contre le mur.

— Je suis venu vous demander pardon et vous remercier, mon ange. Je suis désolé de vous avoir effrayée.

— Vous ne me faites pas peur, répondit-elle avec franchise. Tout changement est difficile. Notre esprit a besoin de temps pour s'adapter.

Il la considéra avec gratitude et se redressa.

— Voulez-vous que j'allume une autre bougie ? proposa-t-elle.

— Une seule suffit. Je devrais remplacer ces draps, ajouta-t-il en regardant les traces noires que ses pieds avaient laissées sur le lin blanc.

Maddy se mit à rire.

— J'ai dormi sur des couches plus sales, rassurez-vous ! Vous voyez ? fit-elle en rabattant le drap dans l'autre sens. Personne ne verra qu'ils sont tachés.

— Vous êtes merveilleuse. Mais... pourquoi pleuriez-vous ?

Maddy tourna la tête et répéta d'une voix ferme :

— Je ne pleure jamais.

— C'est à cause de votre oncle ? Il vous a fait du mal ?

Il se pencha en avant, les yeux brillants.

— Je le tuerai si vous voulez. Quand il sera mort, Rose héritera. Vous pourrez la convaincre de vous garder comme dame de compagnie et vous vivrez ensemble, toutes les deux. Vous n'aurez plus jamais besoin de penser à lui.

Maddy le fixait avec stupeur.

— Vous ne parlez pas sérieusement ? Ce n'est pas possible.

Kit serra les mâchoires, puis se cala de nouveau contre le mur.

— Non. Non, ce n'est pas sérieux. Mais c'est merveilleux à imaginer, vous ne trouvez pas ? J'ai passé des heures à me demander de quelle façon j'allais tuer Venboer.

— Non ! protesta-t-elle, bien qu'une infime partie d'elle-même se laissât aller à rêver d'une vie sans oncle Frank et ses constantes récriminations concernant les dépenses du ménage.

Pouvoir acheter une robe sans avoir à rendre des comptes. Ne pas se demander à quoi il pensait, quand il la guettait du coin de l'œil dans la bibliothèque. L'idée de vivre sans lui était enivrante. Et effrayante.

— Non, je ne veux pas qu'il meure. Je veux juste…

— Quoi ? Que voulez-vous, mon ange ?

Un mari. Une maison. La vie qu'elle n'aurait jamais.

— Je ne sais pas, dit-elle à haute voix. J'aimerais que les choses soient différentes.

— Comme lorsque votre père était là ?

— Oui.

Kit soupira.

— Les rêves sont pour les imbéciles. Vous le savez ?

— Oui. Alors, je suppose que je suis une imbécile.

— Et moi aussi.

Il lui prit la main, l'attira doucement à lui. Elle le laissa faire, mais ne se serra pas contre lui comme il le voulait. Elle aimait sa main large et rude, le contact des callosités contre sa paume.

— J'ai accompagné Alex chez lui, aujourd'hui.

Elle leva les yeux. Kit avait prononcé ces mots d'un ton si neutre qu'elle devinait l'importance de ce qu'ils contenaient. Les hommes ne laissaient jamais libre cours à leurs émotions.

— Est-ce que cela s'est mal passé ? chuchota-t-elle en pensant au garçon si jeune, si...

— C'était une merveilleuse réunion de famille. Avec des larmes, des baisers, encore des larmes. Je n'avais jamais rien vu d'aussi touchant. Ils aiment leur fils, ils étaient transportés de bonheur de le revoir.

— Oh. Je suis contente pour lui, murmura-t-elle.

— Oui.

— Mais c'est très dur, n'est-ce pas ? De voir un tel bonheur et de savoir que vous n'en êtes pas l'objet.

— Je suis heureux pour Alex.

Son regard s'adoucit, un sourire attendri se forma sur ses lèvres.

— Sa mère n'arrêtait pas de pleurer.

— Racontez-moi. Tout. Chaque instant de ces retrouvailles.

Elle vit qu'il comprenait. Elle avait besoin de partager cette joie avec lui. Ainsi ils vivraient ensemble un moment de bonheur, même si ce n'était pas le leur.

Il se mit à raconter lentement, en prenant son temps. Il était un bon conteur, sa voix grave emplissait la pièce. Par lui, elle fit la connaissance de chaque membre de la famille d'Alex. Quand il eut terminé, le souvenir des rires et du bon repas flotta quelques minutes dans la chambre.

Elle sentit le bras de Kit se refermer sur elle. Quelque part, elle savait depuis le début qu'il aurait ce geste. Le baiser était devenu inévitable, dès l'instant où il avait surgi à côté de son lit.

Elle aurait dû s'écarter. Le repousser et lui ordonner de sortir, de ne jamais revenir. C'était ce qu'elle aurait dû faire. Mais au lieu de cela, elle leva les yeux vers lui. Il lui effleura la joue du bout des doigts. Elle le laissa faire et le vit s'en étonner.

Maddy ne prononça pas un mot, elle n'en avait pas la force. Elle savait seulement qu'elle voulait que cela arrive. Ne pas réfléchir. Quand ses lèvres charnues touchèrent les siennes, elle poussa un soupir qui balaya toutes ses pensées, ses craintes et ses scrupules. Après tout, ce n'était qu'un simple baiser.

Pour l'instant.

11

Sa main glissa sur sa joue et ses doigts s'égarèrent dans ses cheveux. Elle savait que cette douceur n'était qu'une ruse. Quelques secondes plus tard, il lui maintint la tête pour prendre possession de sa bouche. Et elle s'abandonna au délice de cette étreinte.

Il ne lui mordilla pas les lèvres, n'essaya pas de la taquiner comme la fois précédente. Sa bouche se pressa contre la sienne, comme assoiffée, et il la pénétra de sa langue avec un grognement sourd. De sa main libre, il la poussa sur le lit sans perdre le contact de ses lèvres, faisant peser sur elle son corps dur et lourd.

Ils étaient tout habillés, mais elle n'avait jamais été en contact aussi intime avec un homme. Partagée entre la stupeur et l'excitation, elle savait qu'elle ne pouvait rien désirer de plus en cet instant.

Elle lui caressa le visage, passa les doigts dans ses cheveux, comme dans un rêve. Son sexe, dur et imposant, se pressait contre le sien.

Elle n'aurait pas dû connaître ces choses-là. Mais elle était fille de médecin et avait été élevée à la campagne. Elle savait exactement comment était constitué un homme, mais elle n'avait jamais été si proche de l'un d'eux. Il se pressait contre elle, à un rythme régulier, enivrant.

Ses jambes s'écartèrent d'elles-mêmes et son talon glissa sur le sol. Leur intimité s'en trouva renforcée.

— N'ayez pas peur, mon ange, chuchota-t-il en traçant un sillon de baisers le long de son cou. N'ayez pas peur.

Elle n'avait pas eu peur jusque-là. Mais ces mots l'inquiétèrent. Pourquoi aurait-elle dû avoir peur ? Il n'allait pas lui faire de mal, n'est-ce pas ?

Ses doigts se posèrent sur les boutons de sa robe. C'était un vêtement pratique, qu'elle portait pour la maison, et les boutons du corsage étaient accessibles. Il les défit doucement, sans cesser de l'embrasser dans le cou.

Elle s'agita, un peu alarmée par la tournure que prenaient les choses. Mais ses mouvements ne firent que l'exposer davantage au désir de Kit. Sous le tissu, elle sentait les contours de son sexe, et l'entoura même de sa jambe pour l'attirer contre elle.

Sa robe était à présent déboutonnée jusqu'à la taille et sa chemise trempée par ses baisers passionnés. Il se releva légèrement, prenant appui sur un pied, et Maddy se cambra sous lui en frissonnant. Il agrippa les pans de sa chemise et la déchira en deux morceaux.

Maddy le vit jeter le tissu sur le sol. Il la contemplait, éperdu. Et soudain, la passion qu'il pouvait ressentir se mua en admiration.

— Tu es parfaite, murmura-t-il en prenant ses seins au creux de ses mains.

Tremblante, elle regarda ses doigts burinés sur la blancheur laiteuse de sa peau. Il titilla ses mamelons roses, gonflés de désir.

Elle étouffa une exclamation. On ne l'avait jamais touchée ainsi. Personne ne lui avait fait ressentir un tel plaisir. Son ventre se contracta, elle se souleva pour aller à sa rencontre.

Les cheveux de Kit lui effleurèrent l'épaule et elle sentit la chaleur de son souffle sur son sein. Il l'embrassa, tout en continuant de la caresser. Sa langue dessina de petits cercles au creux de son épaule, au-dessus de sa poitrine. Puis il saisit un téton entre ses dents.

Instinctivement, elle noua les jambes autour de lui pour l'attirer vers elle et lui agrippa les épaules. Il se pressa contre son ventre, donnant des coups de reins de plus en plus rapides. Elle eut l'impression qu'une flamme montait de son sexe à ses seins et se mit à onduler sous lui.

— Mon ange, mon ange, chuchota-t-il d'une voix rauque.

Soudain, un brasier gigantesque prit possession d'elle, si puissant qu'elle eut l'impression de se consumer. Elle poussa un cri, avant de plonger dans une mer de félicité. Kit s'effondra sur elle, le visage figé dans une expression de béatitude. Il nicha la tête au creux de son cou, et elle sentit son souffle chaud contre sa peau. D'autres vagues continuaient de traverser son corps, plus douces, plus lentes, comme lorsque la mer se retire. Merveilleux !

Était-ce cela, faire l'amour ? Ce que vivaient chaque nuit les femmes mariées ? Rien d'étonnant alors, à ce que tout le monde veuille se précipiter à l'autel. Elle leva les bras et enlaça Kit. Il pesait sur elle dans une sensation délicieuse.

Tournant la tête, elle déposa un baiser sur sa tempe. Il ne bougea pas, et elle se contenta de le serrer dans ses bras. Puis elle ferma les yeux en essayant d'imaginer qu'ils étaient mariés. Elle était dans les bras de son bien-aimé. Demain soir, ils recommenceraient. Bercée par ces pensées, elle finit par s'endormir.

Kit reprit contact avec la réalité, alors que son corps était encore engourdi de sommeil et de plaisir. Les pensées se bousculèrent dans sa tête.

Qu'avait-il fait ? Maddy était une dame convenable, et il venait de prendre du plaisir sur elle comme... comme un sauvage. Il l'avait bousculée, lui avait arraché ses vêtements, avait pris possession de son corps. Par chance, il avait joui sans la pénétrer, et il en était tout aussi honteux. Quelle sorte d'animal était-il donc ? Écœuré par sa propre conduite, il glissa sur le côté. Maddy soupira et ouvrit les yeux en lui caressant les cheveux.

— Est-ce aussi merveilleux entre mari et femme ?

La question le fit tressaillir. Ils n'étaient pas mariés et n'étaient pas près de l'être. Pas tant qu'il n'aurait pas mis de l'ordre dans ses affaires.

— Je n'en ai aucune idée, répondit-il avec sincérité. Je n'ai jamais été marié.

Elle sourit, rêveuse.

— Oh, oui. Bien sûr.

— C'était merveilleux, ajouta-t-il doucement. Vous êtes quelqu'un de spécial.

Elle s'empourpra et baissa les yeux.

— Je suppose que tous les hommes disent cela après avoir fait l'amour.

Il lui prit le menton, et l'obligea à tourner la tête vers lui.

— Il fut un temps où je disais beaucoup de bêtises. Je faisais des compliments exagérés, ridicules. Je ne sais plus le faire. Je ne peux dire que la vérité.

Il inspira profondément, conscient que ce qu'il allait ajouter ne reflétait pas véritablement la profondeur de ses sentiments.

— Je me rappellerai cette soirée toute ma vie. Le souvenir ne s'effacera jamais. Je me souviendrai de vous, de vos caresses, de votre corps exquis. Merci, murmura-t-il en lui passant un doigt sur les lèvres.

Ses joues se colorèrent délicatement, mais elle ne sourit pas. Il vit que ses paroles l'avaient touchée, mais elle demeura parfaitement immobile.

— Je vous ai trop donné, n'est-ce pas ? Si quelqu'un nous a entendus, si quelqu'un apprend ce que j'ai fait...

— Personne ne le saura, affirma-t-il en priant pour que ce soit vrai. Mais il ne faut pas que je m'attarde.

Il se redressa, avide déjà de son contact, de sa chaleur, de l'odeur de son corps. Elle s'assit, et ramena devant elle les pans de sa chemise. Kit se rembrunit en contemplant le vêtement déchiré,

181

le désordre sur le lit. Les cheveux emmêlés, elle n'avait jamais été aussi belle.

— Je suis désolé, dit-il. Je me suis très mal comporté.

— C'était mon choix, protesta-t-elle en secouant la tête.

Kit se leva et grimaça. Son pantalon était froid et mouillé.

— Auriez-vous un linge ? demanda-t-il en regardant autour de lui.

— Oui. Une seconde.

Elle se mit à genoux et ôta sa robe. Le tissu glissa sur sa taille, et ses seins ronds apparurent à ses yeux. Son sexe se dressa aussitôt. Mon Dieu, qu'elle était belle !

— Mon ange...

Elle fit passer la chemise déchirée par-dessus sa tête et la lui donna.

— Servez-vous de ceci.

Il regarda le morceau de coton. Il ne pouvait pas. C'était pourtant lui qui avait déchiré le vêtement, mais il ne pouvait pas en plus le souiller.

— Oh, fit-elle, se méprenant sur son hésitation. Vous préférez que je vous laisse seul.

Elle reboutonna sa robe, dérobant son corps à son regard. S'il ne l'avait pas vue de ses propres yeux, il n'aurait jamais pu deviner qu'elle cachait une silhouette aux courbes aussi parfaites, sous ses volants et ses fichus. S'il avait pu l'habiller à son goût pour cette saison, elle aurait été admirée comme le plus précieux des joyaux. D'une beauté sans égale, elle aurait été courtisée par tous les dandys londoniens.

Quand elle eut remis de l'ordre dans sa toilette, elle se recoiffa d'une main et descendit du lit. Elle versa le contenu d'un broc d'eau dans la bassine et se dirigea vers la porte.

— Je vais remplir le broc. J'en ai pour deux minutes.

— Mon ange...

Les mots moururent sur ses lèvres. Il n'avait pas besoin de rester seul. Il avait besoin d'elle. Et cependant, il voulait absolument prendre ses distances, ne pas être tenté de commettre une deuxième fois la même erreur.

— Ne vous inquiétez pas, je vous laisserai le temps qu'il faudra, dit-elle d'un ton assuré.

Elle entrouvrit la porte et jeta un coup d'œil dans le couloir. L'instant d'après, elle avait disparu.

Kit ferma les yeux. Le souvenir de sa peau, de ses seins ronds et fermes, surgit aussitôt devant ses yeux. Il la vit gémir de plaisir entre ses bras.

Tout en se maudissant, il fit sa toilette, mais se refusa à utiliser le vêtement de la jeune femme. Il déchira le bas de sa propre chemise. Elle était neuve et c'était la plus jolie qu'il possédait, mais tant pis. Il s'essuya comme il put, puis se rhabilla correctement.

Il fourra la chemise de Maddy dans sa poche et jeta le morceau de tissu dont il s'était servi par la fenêtre. Le lambeau atterrit près de sa veste et de sa cravate.

Il aurait dû partir à présent. Le seul fait de se trouver dans sa chambre était une tentation insupportable. Il ne devait pas céder. Il était venu là pour une raison précise, et ce n'était pas pour la séduire. Il devait savoir. Une seule question, embarrassante certes, et il repartirait. Il attendit donc, mal à l'aise, les mains dans les poches. Ses doigts se crispaient sur la chemise déchirée.

Elle revint enfin, gratta à la porte de la chambre, et il ouvrit aussi vite que possible. Ses joues étaient roses d'avoir couru dans l'escalier, et son sourire malicieux.

— J'ai l'impression d'être une petite fille qui se faufile la nuit dans la cuisine pour voler des friandises. Il n'y a personne, les domestiques sont couchés. Nous n'avons rien à redouter !

Tout de même, quelqu'un aurait pu les entendre. Ou découvrir les vêtements de Kit sous la fenêtre.

— Je... il faut que je parte, mais avant, je dois vous demander quelque chose.

Elle hocha la tête et déposa le broc sur la coiffeuse, tout en le regardant d'un air interrogateur. Il ne put se résoudre à poser la question pour laquelle il était venu.

— Avez-vous toujours la broche que je vous ai donnée hier soir ?

— Bien sûr.

Elle la sortit de sa poche, et l'or étincela au creux de sa main.

— Je ne devrais pas la garder sur moi, mais je ne savais pas où la cacher. Aussi...

— Le problème, c'est de trouver un receleur.

Maddy fronça les sourcils, sans comprendre.

— Un bijoutier. Quelqu'un qui me l'achètera et la fera fondre pour fabriquer un plus beau bijou.

184

— Mais c'est une broche ancienne qui a de la valeur ! Il ne faut pas la fondre.

Il se balança d'un pied sur l'autre.

— J'ai besoin d'argent liquide. Je ne peux pas payer un tailleur avec des bijoux. Il faut que je trouve quelqu'un qui l'achètera et me donnera des livres sterling en échange.

— Oh, je vois. Faut-il absolument que ce soit un bijoutier ?

Elle réfléchissait en fronçant les sourcils.

— Il y a une femme. Une baronne aux idées très romantiques. Rose la connaît bien. Contrairement à ma cousine, la baronne a beaucoup d'argent à sa disposition. Son mari est fou d'elle. Je crois que si vous inventez une belle histoire, elle vous donnera un bon prix pour cette broche.

Il la regarda, stupéfait. C'était exactement ce qu'il lui fallait.

— Je ne suis pas sûr de pouvoir inventer quelque chose d'intéressant...

— Vous vous en sortirez très bien. J'ai adoré vous écouter raconter l'histoire d'Alex.

Il eut une hésitation, mais elle le considérait, les yeux brillants de conviction.

— J'essaierai, promit-il.

— Excellent. Je ne suis pas sûre que le couple soit chez eux. Mais la baronne adore passer la saison à Londres. Dans quelques jours au plus tard, ils seront rentrés.

Kit hocha la tête, l'esprit en ébullition. Serait-il encore à Londres dans une semaine ? Le père d'Alex lui avait demandé de passer le lendemain. Probablement dans le but d'investir dans la compagnie maritime de Kit. Il se pouvait aussi

185

qu'il confie à Kit une cargaison. Alors, dès que le bateau serait chargé, Kit devrait partir. Sa jambe guérissait mieux qu'il ne l'avait cru. Hors de question d'escalader les gréements, mais diriger le navire ne poserait aucun problème. De toute façon, il n'avait pas le choix. C'était la seule façon pour lui de gagner sa vie.

Mais il lui restait une chose à faire, une affaire à régler avant de quitter l'Angleterre : dire au revoir au souvenir qu'il avait gardé de Schéhérazade. Son ange devina sans qu'il ait besoin de prononcer un mot.

— Je suppose, dit-elle lentement, qu'il y a autre chose que vous voulez savoir, n'est-ce pas ?

Il acquiesça. Se retrouver en présence de Schéhérazade ne l'enchantait guère. Ses sentiments pour elle étaient morts depuis longtemps. Mais il était revenu en Angleterre avec l'intention de ramener Alex dans sa famille, et aussi pour s'assurer que Schéhérazade ne manquait de rien. C'était le souvenir de cette femme qui l'avait aidé à rester en vie. Il avait besoin de savoir qu'elle était vivante et en bonne santé. Une fois qu'il en aurait la certitude, il pourrait tirer un trait sur le passé.

Il ne put exprimer aucune de ces pensées, et Maddy renonça à obtenir une explication. Elle alla à sa commode, et prit une lettre dans une pile de courrier.

— Lord et lady Blackstone ont envoyé un mot pour accepter l'invitation de Rose à prendre le thé, dit-elle d'un ton plat. Il y avait une seconde lettre, ajouta-t-elle en lui tendant une enveloppe blanche. Elle vous est adressée.

12

Kit prit la missive d'une main tremblante. Comment lire la lettre de Scher devant Maddy ? Devant la femme qu'il venait de séduire ? Il ne pouvait pas faire cela.

— Je vous ai blessée, dit-il, énonçant l'évidence.

L'expression de la jeune femme se durcit encore.

— La vie m'a blessée. Et mon père me manque.

Sans parler de son enfance, de l'innocence dans laquelle elle avait vécu. Tout comme Kit regrettait l'homme insouciant qu'il avait été, avant que Michael ne l'embarque sur un navire marchand et le fasse passer pour mort auprès des siens.

— Que dit-elle ? s'enquit Maddy d'un ton neutre.

Kit rompit le cachet de cire et tira la lettre de l'enveloppe, mais sa vision était brouillée. Il ferma les yeux et prit une longue inspiration. Il était un homme, bon sang ! Il avait survécu à l'enfer. Il avait même tué. Il pouvait lire la lettre de la femme qu'il avait aimée autrefois ! Il se passa une main sur le visage et ouvrit les yeux.

— « Cher Kit, lut-il à haute voix. Je suis abasourdie, mais si heureuse de savoir que vous êtes en vie. Je vous en prie, mon très cher ami, me ferez-vous l'honneur de venir me voir demain pour le thé ? »

Il contempla la lettre, l'esprit engourdi. Ses jambes se dérobèrent, et il se retrouva assis sur le lit.

— Je ne comprends pas votre réaction, fit remarquer Maddy. N'est-ce pas ce que vous voulez ? La revoir ?

Kit acquiesça d'un hochement de tête. Absolument. Et pourtant...

— Je ne suis dans mon nouveau logement que depuis vingt-quatre heures. Et j'ai déjà reçu une douzaine de lettres comme celle-ci. De vieux amis, des connaissances.

Elle lui caressa tendrement la joue.

— Vous espériez un message plus personnel ?

Il fit oui de la tête.

— Elle est mariée, Kit. Elle a deux enfants, et elle attend son troisième. Cela fait presque sept ans qu'elle ne pense plus à vous.

— Mais elle n'est jamais sortie de mes pensées ! s'écria-t-il.

Il se leva pour échapper au contact trop intime de Maddy.

— J'ai pensé chaque jour à elle. Tout ce que j'ai fait... et Dieu sait que j'ai fait des choses terribles, Maddy... c'était pour pouvoir revenir vers elle.

188

— Pourtant… Quand avez-vous racheté votre liberté ?

— Il y a quatre ans, avoua-t-il d'un ton morne.

— Et vous êtes resté au loin pendant tout ce temps. Pourquoi ?

Kit soupira. Il savait que Maddy ne le jugerait pas, aussi tenta-t-il de lui expliquer.

— J'étais devenu un animal. Je craignais de lui faire du mal.

— Ou bien d'être repoussé ?

— Oui.

— Ceci doit être extrêmement dur pour vous.

— Je ne l'aime plus, mon ange. Je le jure devant Dieu !

— Alors, quel est le problème ?

— Je ne sais pas, admit-il en secouant la tête. Elle a été tout pour moi, pendant si longtemps. Tout ce que j'avais perdu, tout ce que je désirais. Mais ensuite j'ai changé. Je suis devenu un monstre pour survivre.

Maddy posa une main sur son dos, et il perçut sa chaleur.

— Vous n'en êtes plus un.

Elle voulut s'écarter, mais il l'attrapa et la serra dans ses bras. Instinctivement, elle se raidit. Peu à peu elle céda et son corps se lova contre celui de Kit. Ce dernier ferma les yeux et déposa un baiser dans ses cheveux. Maddy était bien réelle. Ce n'était pas un mirage, ni le souvenir d'une autre époque. Elle lui communiquait sa force. Elle était son ange.

— Je ne veux pas la voir, décida-t-il brusquement. Pas si elle m'écrit de cette manière.

Pendant un moment, elle ne trouva rien à répondre. Il sentait sa respiration, la pression érotique de ses lèvres au creux de son cou, les battements rapides de son cœur. Soudain, elle se raidit et s'écarta.

— Il le faut, Kit.

— Mon ange...

Elle se redressa et croisa les bras. Il ne put s'empêcher de remarquer ses seins gonflés, les tétons dressés sous l'étoffe.

— Vous devez y aller.

— Non. Non, je n'irai pas, protesta-t-il avec un entêtement d'enfant. Je vais plutôt aller voir mon frère et la maison où j'ai grandi. Il l'a fait repeindre en vert paraît-il, c'est affreux !

Une lueur amusée passa dans les yeux de Maddy, mais elle demeura implacable.

— Vous devez vous rendre chez votre frère, en effet. Mais avant tout, rencontrez lady Blackstone. Demain, pour le thé, Kit. Il le faut.

— Pourquoi ?

Pourquoi regarder en arrière, alors que le présent lui semblait pour l'heure irrésistible ?

— Parce que vous n'irez pas de l'avant tant que vous n'aurez pas clos ce chapitre de votre vie.

Elle aurait voulu en dire davantage, il s'en rendit compte à son attitude rigide et à la façon dont elle pinçait les lèvres.

— Ah, fit-il, exaspéré. Je ne suis bon à rien. Je ne suis même pas capable de me battre pour la femme que j'aime.

— Elle est « mariée », Kit ! Elle appartient à un autre.

— Je sais ! Vous ne comprenez pas !

190

Il ne pensait pas à Scher, uniquement à elle, son ange. Mais une telle tempête faisait rage dans sa tête qu'il ne trouvait pas les mots pour exprimer ses sentiments.

— Je comprends. Vous regrettez quelque chose qui n'est plus. Moi aussi j'ai passé des mois à pleurer pour mon père et mes amis. Cette vie est révolue, Kit. C'est fini.

— Je ne peux pas, répéta-t-il. Pas sans vous. Je... ne peux pas.

Il vit Maddy fermer les yeux, en proie à une lutte intérieure. Quand elle les rouvrit, il comprit qu'elle avait cédé.

— Très bien. Je vais dire à Rose que je dois aller voir lady Blackstone pour la persuader de venir prendre le thé. Elle demandera à son père de me laisser la voiture. Nous irons ensemble, demain.

— Je vous dois tant, murmura-t-il. Et j'ai abominablement abusé de vous.

Maddy baissa les yeux sur ses mains jointes.

— En compensation, vous ferez la paix avec lady Blackstone, vous viendrez à la réception de Rose mardi prochain et vous vous réconcilierez avec vos frères.

Il était prêt à faire tout ce qu'elle lui demandait.

— Bien sûr, mon ange.

Il fit un pas vers elle, mais elle l'arrêta d'un geste de la main.

— Il faut que vous partiez, à présent. Rose ne va pas tarder à rentrer et elle voudra me raconter sa soirée.

Kit lança un coup d'œil à la pendule. Rose ne serait pas de retour avant au moins une heure, mais il n'essaya pas de discuter. C'était une excuse pour le faire sortir de la chambre. Il n'aurait jamais dû entrer par la fenêtre, songea-t-il en grimaçant.

— Merci, mon ange.

— Mon nom est Maddy. Allez, maintenant.

Il inclina la tête et se dirigea vers la fenêtre. Il n'avait pas le choix. Il sortit aussi vite que possible pour ne pas être tenté de faire demi-tour et de la renverser sur le lit. Cela ne ferait qu'empirer les choses.

Il se laissa glisser le long du mur et atterrit sur le sol avec un bruit sourd. Lorsqu'il eut ramassé ses affaires, il leva la tête. La silhouette de Maddy se découpait derrière la vitre, éclairée à contre-jour par la chandelle. Ses cheveux formaient un halo autour de son visage pâle. Jamais elle n'avait autant ressemblé à un ange. Mais apparemment elle ne voulait plus de ce petit nom.

— Merci, Maddy, murmura-t-il, juste assez fort pour qu'elle l'entende. Mon ange, ajouta-t-il pour lui seul.

Et il disparut dans la nuit.

Maddy le suivit des yeux. Il se mouvait en silence et, une fois qu'il eut revêtu son manteau sombre, il devint presque invisible. Mais elle le suivait en pensée, elle imaginait son corps souple se déplacer dans la rue. Elle avait l'impression de le connaître maintenant.

Avec un soupir de remords, elle s'écarta de la vitre et ferma soigneusement la fenêtre. Kit ne pourrait plus entrer par surprise.

Oh, quel moment merveilleux ! Elle avait éprouvé un tel plaisir ! Elle ne se doutait pas que ce pouvait être aussi intense. Et ils n'avaient même pas accompli l'acte le plus intime. Serait-ce encore meilleur ? Ou bien la sensation risquait-elle d'être douloureuse, inconfortable ? Le saurait-elle un jour ?

Elle était une jeune fille respectable, la nièce d'un comte, et elle avait reçu une bonne éducation. Si elle n'avait pas de dot, elle était issue d'une excellente lignée. Aussi avait-elle bon espoir de trouver un mari au cours de la saison. Et elle avait encore plusieurs semaines devant elle pour cela ! Elle aurait dû tomber à genoux et remercier le ciel de ne pas avoir perdu sa virginité ce soir ! Par chance, Kit ne l'avait pas poussée à se déshabiller pour se donner à lui. Elle n'aurait sans doute pas pu refuser. Il lui faisait perdre la tête.

Elle était toujours vierge et elle pouvait encore faire un bon mariage. Avoir un mari, une maison, des enfants... Tout ce dont elle rêvait. Mais à condition de ne pas laisser entrer Kit s'il revenait à sa fenêtre. Il fallait à tout prix qu'elle le fasse sortir de son cœur.

Kit Frazier ne la demanderait pas en mariage. De toute évidence, il était encore amoureux de lady Blackstone. Maddy n'était qu'une simple distraction, et elle ne devait pas se laisser bercer de fausses illusions. Déjà, elle craignait que ce qu'elle avait vécu dans les bras de Kit ne se lise sur son visage et fasse fuir tous les bons partis ?

Dorénavant, elle respecterait les convenances à la lettre. Sa fenêtre resterait fermée. Elle n'aurait plus de conversation en privé avec Kit, que ce soit dans la cuisine, dans une salle de bal, ou à sa fenêtre. Quant à demain...

Elle se figea. Il serait contraire à la bienséance d'aller rendre visite à lord et lady Blackstone avec Kit. Les jeunes filles ne montaient pas en voiture avec des gentlemen qui n'étaient pas de leur famille. Elle avait promis et jamais Kit n'aurait le courage d'y aller seul ! Et alors il resterait prisonnier de ses souvenirs et de ses regrets.

Elle ne pouvait le condamner à vivre ainsi. Dans le même temps, il fallait qu'elle s'assure de ne pas faiblir. Elle perdait la tête en sa présence ! Il y avait peut-être une solution. Après tout, « deux » jeunes filles pouvaient se rendre chez une dame sans manquer aux règles de la bienséance. « Deux » jeunes filles pouvaient aussi monter en voiture avec un gentleman célibataire, bien que ce fût un peu moins convenable. Rose sauterait certainement sur l'occasion de passer du temps avec son soi-disant fiancé. Maddy n'était pas enchantée à l'idée de révéler à Rose les points faibles de M. Frazier, surtout que la jeune fille était une terrible commère. Mais c'était le prix qu'il aurait à payer. S'il voulait être accompagné par Maddy, il faudrait qu'il accepte que Rose soit là aussi. Les dames se devaient d'observer l'étiquette. Et Maddy ne dérogerait plus à la règle !

13

Maddy ne pourrait jamais oublier l'expression de Kit quand il avait ouvert la portière de la voiture. Rose et elle étaient arrivées dans le quartier populaire où il vivait. Rose était en train de pousser des exclamations consternées et de s'inquiéter du style de vie de son grand amour lorsque Kit avait passé la tête à l'intérieur de l'habitacle.

Ses yeux se posèrent d'abord sur Rose. Celle-ci s'était installée près de la portière, à l'endroit exact où l'on regardait en montant dans une voiture. Elle prétendait pouvoir deviner les sentiments d'une personne au premier échange de regards : joie, envie, colère. Maddy n'y accordait pas autant d'importance, mais elle se surprit à guetter l'expression de M. Frazier.

Il semblait joyeux. Ce fut la première pensée de Maddy quand il tira la portière vers lui. Ses yeux brillants reflétaient le soleil et il arborait un sourire radieux. Son regard se posa sur Rose, puis sur Maddy, et il haussa les sourcils, plaquant sur son visage un masque d'intérêt poli, assez neutre.

— Bonjour, monsieur Frazier, dit Rose d'une voix flûtée. Je suis touchée que vous m'ayez demandé de vous accompagner dans une mission aussi délicate. N'ayez crainte, je ferai en sorte que cette entrevue se déroule d'une façon légère et agréable.

Rose sourit gaiement, tandis que Kit grimpait à l'intérieur. Naturellement, il dut s'asseoir à côté d'elle, car elle avait entassé les couvertures et leurs réticules sur l'espace libre près de Maddy.

Il fit un signe de tête poli à la jeune fille, et tourna vers Maddy un regard interrogateur.

— Comme vous le savez, continua Rose sans qu'il eût besoin de formuler sa question, une dame ne peut se déplacer sans escorte. Ce ne serait pas convenable.

— Bien sûr, fit-il, l'air énigmatique. Je suis heureux que vous ayez pu venir.

En vérité, cela n'avait pas très grande importance du moment que Maddy était là, comme elle l'avait promis.

Maddy s'était arrangée pour que tout se passe selon les usages. Néanmoins, elle ne pouvait empêcher son cœur de battre plus fort depuis qu'il avait ouvert la portière. La joie, l'excitation, le bonheur ! Tous ces sentiments s'étaient peints sur ses traits, alors qu'il la cherchait des yeux. Et tous s'étaient évaporés à la vue de Rose.

— Vous avez très belle allure dans ces vêtements, dit-elle de but en blanc. Les couleurs foncées vous siéent à merveille.

196

Il portait un costume gris assez strict. Sa cravate était simple et le blanc immaculé de sa chemise ressortait sur sa peau dorée : un sauvage habillé en homme. Splendide ! Surtout lorsqu'il souriait. S'il était apparu ainsi dans un bal, toutes les jeunes filles se seraient évanouies à sa vue.

— C'est très joli, ajouta Rose. Ne vous inquiétez pas, avec un peu d'entraînement et un valet, vous parviendrez à nouer votre cravate comme il se doit.

Kit haussa les sourcils, déconcerté.

— La simplicité du nœud Maharata ne vous séduit-elle pas ? Je me rappelle avoir passé des heures à arranger ma cravate, autrefois, mais à présent... Je n'en vois pas l'intérêt, laissa-t-il tomber en secouant la tête.

— Oh, mais il ne faut pas renoncer ! protesta Rose. C'est la seule façon pour un homme de porter de la dentelle, ou quelque chose qui y ressemble. La mode est de la nouer très haut sous le menton. C'est très chic !

De petites rides se formèrent au coin des yeux de M. Frazier en même temps qu'il sourit. Il avait sans doute passé les sept dernières années à plisser les paupières pour se protéger du soleil.

— Je suis sûr que vous aimez les dentelles et les volants, lady Rose. Ceux de votre robe forment une véritable cascade.

Rose tapa dans ses mains, aux anges.

— Vous avez remarqué ! Je le savais. Les hommes qui ont beaucoup souffert sont les plus perspicaces. Cela me donne presque envie d'être capturée par des pirates !

Le manque de tact de Rose fit grimacer sa cousine. Mais Kit se contenta de sourire d'un air débonnaire.

— Inutile, lady Rose, vous êtes déjà plus que perspicace. Par exemple, je trouve très fin de votre part d'obliger votre cousine à porter les robes dont vous ne voulez plus. Elles ne lui vont pas aussi bien qu'à vous, car elles ne lui correspondent pas du tout. Ainsi, vous paraissez généreuse en lui donnant vos robes et vous vous assurez qu'elle ne vous fait pas de l'ombre. C'est très malin, lady Rose. Vraiment très malin.

Rose fit la moue, visiblement consternée.

— Mais... mais ce n'est pas gentil, monsieur. Je trouve que Maddy est ravissante ! Et, avec sa taille, elle a la chance de pouvoir rajouter un volant supplémentaire !

Maddy aurait voulu se cacher dans un trou de souris. Où Kit voulait-il en venir ? Comment osait-il accuser Rose d'une telle perversité ? La vérité était toute simple : Rose trouvait magnifique d'être entortillée dans des mètres de dentelle !

— Vraiment, monsieur Frazier, cette conversation est contraire à la bienséance, les interrompit-elle avec fermeté.

— Au contraire, rien n'est plus convenable que de parler de la mode, rétorqua-t-il en haussant les sourcils. Je trouve la dentelle et les volants ravissants sur vous, lady Rose. Mais Maddy a quelques années de plus que vous, et ce genre de tenue n'est plus de son âge.

Rose se rembrunit.

— Oh. Eh bien, vous avez raison. Mais j'espérais la faire paraître plus jeune. C'est si difficile pour une vieille fille de trouver un mari.

Maddy se redressa, outrée.

— Je ne suis pas une vieille fille ! Je n'ai pas atteint trente ans, j'ai encore plusieurs belles années devant moi !

À vrai dire, elle aurait vingt-neuf ans dans six mois. Mais personne n'avait besoin de le savoir.

— C'est un bel âge. Moi-même, je suis dans la trentaine, fit remarquer Kit en la regardant avec intensité.

Puis il se tourna vers Rose et ajouta :

— Savez-vous qu'essayer de cacher quelque chose ne sert qu'à le faire remarquer davantage.

— C'est vrai. Comme ce pauvre baron Halperin qui perd ses cheveux. Plus il plaque ceux qui lui restent sur son crâne, plus les gens remarquent qu'il devient chauve.

— Exactement ! s'exclama Kit. Je me doutais que vous étiez fine observatrice. Vous êtes le genre de personne assez audacieuse pour expérimenter quelque chose de nouveau. Néanmoins, je dois vous mettre en garde, ajouta-t-il en baissant la voix. Nous frôlons le scandale.

Rose pencha la tête de côté, les yeux brillants. Rien ne l'attirait autant que la perspective d'être le centre de l'attention.

— Monsieur Frazier, déclara Maddy d'un ton de reproche, mes robes me plaisent comme elles sont, je vous remercie.

C'était un mensonge. Elle détestait ces robes, et il l'avait parfaitement deviné. Mais elle n'avait pas d'argent pour en acheter d'autres, et son oncle ne lui donnerait pas un sou pour cela.

— Naturellement, répondit-il d'un ton douce-reux. Vous les aimez car c'est un cadeau de votre généreuse cousine, et vous appréciez ce qu'elle fait pour vous.

Maddy soupira.

— Rose m'a donné ses robes, un toit et de quoi manger. Il ne me viendrait pas à l'idée de deman-der plus.

— Oh, bien sûr que non, Maddy ! s'écria Rose. Comme tu as grandi à la campagne, tu es très reconnaissante d'avoir tout cela à présent !

À l'entendre, on aurait pu croire que Maddy avait été élevée dans une grotte.

— Ma maison était très jolie, Rose...

— Parlez-moi plutôt de cette scandaleuse expérimentation, monsieur Frazier !

— Eh bien que diriez-vous d'habiller Mlle Wilson différemment ? Nous pourrions accentuer ses défauts, pour ainsi dire.

Rose fronça le nez.

— La faire paraître plus vieille ! comprit-elle, perplexe. Pourquoi faire cela ?

— Que penseriez-vous si le baron Halperin cessait de plaquer ses cheveux sur son crâne et les coupait en laissant voir qu'il est chauve ?

— Je trouverais cela raisonnable. Après tout, il ne trompe personne avec cette coiffure ridicule.

— Exactement ! Donc, nous habillerons Maddy d'une façon plus adaptée à son âge. Mais il n'y a pas que cela. Les robes devront rehaus-ser ses autres défauts, comme sa haute taille et sa poitrine opulente.

— Monsieur Frazier ! gronda Maddy, dont les joues s'étaient empourprées.

— Allons, allons. Nous faisons une expérience audacieuse. Si vous accentuez vos défauts, alors...

Il ne termina pas sa phrase et décocha un coup d'œil à Rose.

— Ils disparaîtront ! s'exclama celle-ci, triomphante. Oh, monsieur Frazier, c'est une idée épatante ! Après tout, nous ne trompons personne. Tout le monde sait que Maddy est vieille, grande et pauvre.

Maddy réussit tant bien que mal à contenir ses larmes. À eux deux, ils avaient fait ressortir tous les aspects de sa personne qu'elle essayait vainement de cacher.

— Qu'en pensez-vous, Rose ? reprit Kit. Seriez-vous assez courageuse pour vous embarquer dans cette aventure avec moi ?

— Oh, oui ! C'est une idée merveilleuse !

Naturellement, songea Maddy avec aigreur. Rose était prête à croire n'importe quoi. La cuisinière lui avait raconté que les Irlandais avaient des farfadets qui nettoyaient leurs maisons pendant la nuit et la jeune fille avait supplié Maddy de trouver un de ces lutins irlandais, plutôt que d'engager une nouvelle bonne !

— Je ne suis pas une poupée qu'on habille, déclara-t-elle avec un petit reniflement hautain.

— Oh, Maddy, ne fais pas la tête ! protesta Rose.

— Je ne peux pas m'acheter de nouvelles robes ! rétorqua-t-elle en ravalant ses larmes. Vous croyez que je n'aimerais pas avoir des vêtements neufs ? Que je n'aimerais pas être jolie, comme les autres jeunes filles ? Eh bien, cela n'arrivera jamais !

Mortifiée, elle regarda par la fenêtre. Comment osaient-ils lui faire une chose pareille ? La voix douce et fluette de Rose lui parvint de très loin.

— Mais tu n'es pas laide, Maddy. Comment peux-tu croire cela ?

— C'est parce qu'elle n'est pas habillée comme il faudrait, lady Rose, expliqua Kit.

Consternée, Maddy appuya le front contre la vitre. Il fallait plus d'une heure pour se rendre chez lady Blackstone, et ils ne roulaient que depuis un quart d'heure.

— Ma garde-robe me convient très bien, dit-elle d'un ton morne. Pourrions-nous parler d'autre chose ?

— Non, répliqua Rose avec entêtement. Je ne veux pas que tu te croies laide ! Tu n'es pas à ton avantage, c'est tout.

— Et cela peut changer si nous tentons cette expérience, dit Kit. Maddy sera en beauté, et ce sera grâce à vous, lady Rose ! Vous ferez alors partie de celles qui lancent la mode à Londres, tracent la voie pour les autres femmes ! Vous imaginez cela ?

Maddy se renversa sur la banquette en gémissant. Sa cousine se voyait déjà comme l'égérie de la bonne société en matière de toilettes ! Mais cela ne changerait rien à la stature de Maddy.

— Il n'y a pas d'argent pour cela, Rose, déclara-t-elle fermement. Je n'en ai pas.

— Mais votre oncle en a. Rose, votre père paie les factures de votre couturière, je suppose ? Vous pose-t-il des questions à ce sujet ?

— Jamais. Mais Maddy ne va pas chez Madame Céleste, c'est beaucoup trop cher.

— Mais si elle le faisait ? Vous n'auriez qu'à dire à votre père que vous avez commandé de nouvelles robes pour vous.

— Oh, mais je le lui ai déjà dit. Comme ma robe de bal n'était pas tout à fait...

— Excellent. Au lieu de vous acheter une nouvelle robe, vous pourriez en commander quelques-unes pour votre cousine ? Votre père paiera la facture sans même s'en rendre compte.

Maddy croisa les bras.

— Si je portais de nouvelles tenues, il s'en apercevrait.

— Vous lui direz que vous avez économisé sur l'argent de la maison.

— Dans ce cas, il réduira le budget du ménage !

Kit fit la moue.

— Vraiment ? Il est avare au point de ne pas vouloir dépenser pour les repas ? Pour un valet ou une femme de chambre ?

— Oh, papa se moque de tout cela, déclara joyeusement Rose. Il m'a dit que je pouvais choisir toutes les robes que je voulais pour la saison.

— Parfait ! Donc prenez-en pour votre cousine. Et dans quelques jours, c'est vous qui donnerez le ton à Londres !

Maddy soupira, excédée.

— Le comte est plus attentif que tu ne le crois, Rose. Il s'apercevra que tu as dépensé cet argent pour moi.

— Mais ce sera fait et il sera trop tard pour revenir en arrière, répondit Kit.

— Ce n'est pas une façon de se conduire, monsieur Frazier.

Pourquoi ne comprenait-il pas ? Rose avait déjà tendance à agir sans réfléchir et à croire que la fin justifiait les moyens. Qui sait ce qu'elle pourrait faire à l'avenir si on encourageait ce penchant chez elle ? Maddy lança à sa cousine un regard sévère.

— De plus, ton père a dit que tu pouvais acheter une robe de bal. Une seule.

— Oh, oui, admit Rose en baissant les yeux. Mais mon père est un homme très généreux.

— Avec le prix d'une robe de bal très raffinée, on pourrait acheter deux ou trois robes simples qui iraient à Mlle Wilson, souligna Kit, d'un ton encourageant.

— Mais il faudrait pour cela que Rose renonce à sa nouvelle robe !

Maddy lança à sa cousine un regard appuyé. Celle-ci n'avait pas compris que l'idée de Kit l'obligerait à se priver d'un de ses petits plaisirs.

— Cela fait des semaines que Rose observe les parutions de mode et dessine des modèles. Elle rêve de cette nouvelle robe de bal, je ne peux pas l'en priver.

Après tout, l'argent de la maison appartenait à Rose, et Maddy ne vivait que de sa charité.

— Oh, mon Dieu, c'est dur ! fit Kit avec un air compatissant. Mais toute action demande un sacrifice. Vous devez être déçue à l'idée de renoncer à votre robe de bal, lady Rose, et je comprends votre hésitation. Mais ne perdez pas de vue que vous vous engagez dans une expérience audacieuse, grâce à laquelle vous deviendrez la référence pour toutes les jeunes filles londoniennes.

Il poussa un soupir exagéré et enchaîna :

— Non, non, vous avez raison. On ne peut exiger que vous renonciez à cette robe.

Maddy était consciente que les paroles de Kit servaient son dessein. Pour lui, qui venait de passer sept années pratiquement nu, un vêtement ne représentait rien. Mais Rose n'avait pas été enlevée par des pirates et elle n'était pas le genre de personne à se sacrifier pour quelqu'un d'autre.

— Je le ferai ! s'écria-t-elle néanmoins. Maddy, je veux que tu sois belle. Je veux que tu trouves un mari. Et je veux être celle qui t'aidera !

— Oh, lady Rose, vous êtes la plus généreuse des femmes ! Je considère comme un grand privilège de me trouver ici, en votre présence.

Kit lui prit la main et la couvrit de baisers. Les joues de Rose se colorèrent délicatement. Elle était belle, songea Maddy. De jolis traits alliés à un bon cœur.

— Cela ne fonctionnera pas, déclara-t-elle néanmoins. Son père s'en apercevra et nous en pâtirons toutes les deux.

Kit changea brusquement d'attitude. Il se comportait d'une façon si raffinée, si convenable, depuis qu'ils avaient pris la route, qu'elle avait oublié le côté sombre de sa personnalité. Aussi demeura-t-elle sans voix quand il laissa éclater sa colère.

— N'enlevez pas cela à Rose ! dit-il d'un ton sec. Elle a des élans bons et généreux. Elle souhaite vous voir mariée. Elle est horrifiée à l'idée que vous vous trouvez laide. Et votre père ne vous punira pas, ajouta-t-il à l'intention de Rose, aussi abasourdie que Maddy par le changement qui venait de se produire. J'y veillerai.

Rose hocha lentement la tête, intimidée. Mais Maddy n'était pas femme à se laisser impressionner.

— Je ne suis pas une poupée que vous pouvez utiliser et rejeter à votre guise, chuchota-t-elle.

Kit écarquilla les yeux, visiblement en proie à de soudains remords. Il avait compris qu'il n'était pas seulement question de tenues, mais aussi de ce qu'ils avaient fait la veille. Et avant cela, au théâtre de la Taverne. Certes il tentait de lui obtenir de nouvelles robes, mais Maddy ne pouvait s'empêcher de penser qu'il n'avait pas la moindre considération pour elle.

— Vous n'êtes pas une poupée, mon ange, admit-il avec douceur. Et de nouvelles toilettes ne pourront que vous aider à trouver un mari.

C'était le seul argument susceptible de la faire plier. Il fallait impérativement qu'elle trouve un bon parti pendant la saison, sans quoi elle serait confrontée à un choix très difficile. Tout ce qui pouvait l'aider dans cette quête était donc nécessaire. Même si cela l'obligeait à mentir à oncle Frank et à acheter de nouvelles robes en cachette.

— Tu es sûre de vouloir le faire, Rose ?

Sa cousine acquiesça d'un air résolu.

— Absolument !

— Dans ce cas, je te remercie du fond du cœur.

Rose rougit de plus belle, ce qui la rendit encore plus jolie, et Kit fit un signe de tête, soulagé qu'elle ait enfin cédé.

— Vous ferez une mariée splendide, dit-il doucement. J'espère que vous m'inviterez à la noce.

— Naturellement, répondit-elle sans réfléchir.

Et tout à coup, la vérité l'atteignit de plein fouet. S'il voulait être invité, cela signifiait naturellement que ce n'était pas lui qu'elle épouserait. Bien sûr, elle s'en doutait. Kit n'était pas prêt à épouser qui que ce soit. Il n'avait pas encore mis d'ordre ni dans ses affaires ni dans sa tête.

Mais après ce qu'ils avaient fait hier soir, elle avait eu le secret espoir que... Elle avait passé toute la nuit à imaginer ce qu'ils feraient s'ils étaient mari et femme. Mais il n'avait aucune intention de demander sa main. Non ! Il voulait la rendre belle pour la pousser dans les bras d'un autre. Sa vision se brouilla et elle se tourna vers la fenêtre pour que personne ne voie ses larmes. Peut-être pourrait-elle faire diversion en parlant du paysage.

Ce fut inutile. Kit dévia lui-même la conversation sur la campagne anglaise.

Non, pas Kit ! M. Frazier ! N'oublie pas tes bonnes résolutions.

Elle ne devait pas l'appeler par son prénom, même en pensée. Surtout pas en pensée. C'est dans cet état d'esprit qu'elle fit mine de s'intéresser à la discussion, interminable et sans intérêt, avant d'arriver enfin chez lord et lady Blackstone.

14

Ils étaient arrivés. Paniqué, Kit se tourna vers Maddy, mais celle-ci était bien résolue à l'éviter. Il la comprenait. Un gentleman lui aurait déjà proposé le mariage. L'époque où il pouvait prétendre à ce titre était révolue et il ne voulait pas faire porter à une femme le fardeau de ces dernières années traumatisantes.

Elle ignorait à quels cauchemars il se trouvait confronté chaque fois qu'il fermait les yeux. Elle ne pouvait imaginer qu'il dormait avec un poignard serré contre son cœur. Elle ne savait pas à quel point sa rage était près de faire surface, et les efforts constants qu'il faisait pour l'étouffer. Et comme elle ignorait totalement qui il était en réalité, elle s'attendait à ce qu'il fasse sa demande.

Visiblement elle en éprouvait de la peine, mais il n'y pouvait rien. Pourtant il avait toujours été clair. À long terme, il valait bien mieux pour elle avoir un mari comme il faut, un vrai gentleman anglais, un homme solide. Quant à lui, il allait maintenant devoir affronter le plus terrible de ses démons : Schéhérazade, la femme qu'il avait aimée et mise sur un piédestal.

En descendant de voiture, ils découvrirent une maison d'aspect quelconque. Comparée aux propriétés voisines élevées à la gloire de leur propriétaire aristocrate, la demeure du vicomte de Blackstone paraissait modeste. Deux étages et une pelouse discrètement décorée. Où dormaient les domestiques ? Mais bien sûr, Schéhérazade était habituée à un tout autre genre de vie, elle ne voulait sans doute pas d'une armée de valets au sous-sol.

Kit aidait lady Rose à descendre quand la porte d'entrée s'ouvrit avec fracas. Il se figea. Bien qu'il se sût à des kilomètres d'une bataille, un frisson de terreur le parcourut comme lors des attaques navales qu'il avait connues.

— Arrête ! Bonté divine, Christopher, viens ici !

Une petite forme sombre passa comme une flèche à côté de lui. Kit attrapa l'enfant par le col et le souleva. C'était un garçon d'environ cinq ans, dont les jambes battaient l'air furieusement. Il fourra prestement dans sa bouche le morceau de tarte qu'il tenait dans sa main.

Kit ébaucha un sourire. Il se rappela avoir fait exactement la même chose quand il était enfant. Et plus tard, quand il était esclave.

— Ne le laissez pas me toucher s'exclama lady Rose, affolée. Il est couvert de confiture !

— Allons, Rose, la réprimanda Maddy. M. Frazier maîtrise la situation.

— Rien n'est moins sûr, ces enfants se tortillent tellement ! assura-t-elle en faisant la moue.

210

— Surtout le petit Christopher, lança une voix depuis le seuil.

C'était Schéhérazade. Kit aurait reconnu ce timbre entre mille. La voix sembla le pénétrer et il se mit à trembler de tous ses membres. Il reposa l'enfant. Le garçon, qui était malin, parvint à se dégager. Schéhérazade poussa un soupir excédé.

— Tu ne t'en tireras pas ainsi, jeune homme ! Attends-toi à des représailles.

Kit profita de cet intermède pour se ressaisir. Il était un homme, bon sang ! Il pouvait surmonter ce genre d'épreuves. Il se tourna résolument vers Schéhérazade. Celle-ci se tenait sur le seuil avec la gouvernante. Incapable de se concentrer sur son ancien amour, il dévisagea la domestique. C'était une femme d'âge moyen, à l'allure rude et aux cheveux gris. Elle tenait dans ses bras une petite fille d'environ deux ans qui se débattait pour rejoindre son frère.

— Je vais le chercher, madame.

— Bonne chance. Passez-moi Suzanne, répondit Schéhérazade, dont les formes rebondies étaient accentuées par une large robe de maternité.

La fillette se blottit dans les bras de sa mère. La grossesse devait dater d'au moins six mois, songea Kit, et la rendait plus belle encore que dans son souvenir. Elle avait un teint radieux, et portait la fillette sans effort apparent, malgré son état. Ses yeux verts, humides de larmes, se posèrent sur lui.

— Kit, murmura-t-elle.

Il ne l'entendit pas prononcer son nom, mais le lut sur ses lèvres. Aussitôt, il alla vers elle avec la ferme intention d'enlacer la femme et l'enfant. Mais à cet instant, la haute silhouette de Brandon s'encadra sur le seuil.

Kit se figea, Schéhérazade se tourna vers son mari et dit quelque chose que Kit ne put entendre. Brandon sourit à la petite fille et la prit dans ses bras. Mais alors même qu'il couvrait l'enfant de baisers, il ne lâcha pas Kit des yeux.

Était-ce de l'inquiétude qui se lisait dans son regard ? Se demandait-il si Schéhérazade aimait son époux ? Elle l'aimait. Pour Kit, c'était une évidence.

— Bonjour Scher, dit-il en faisant un pas dans sa direction.

— Oh, Kit...

Il franchit en un clin d'œil la distance qui les séparait, et la prit dans ses bras. Elle était plus volumineuse qu'autrefois, et ses courbes étaient plus féminines. Elle le serra contre elle, sans la réserve dont elle usait jadis.

Kit enfouit le visage dans ses cheveux et inhala son parfum. Elle sentait l'eau de rose et la tarte aux pommes. Une odeur de maman et de cuisinière. Mais quand il s'écarta, il retrouva le regard de celle qu'il avait aimée.

Un regard empli de chagrin et d'une nostalgie qui faisait écho à la sienne. Les souvenirs l'assaillirent. Non seulement ceux des instants qu'ils avaient partagés, mais aussi tous les rêves qu'il avait nourris au temps de son esclavage. Sans même s'en rendre compte, il se pencha vers ses lèvres.

Une douleur fulgurante lui saisit la nuque et lui paralysa les épaules. Il se raidit, prêt à résister. Il avait enduré de bien pires douleurs que celle-ci. Mais son cou était pris dans un étau.

— Lâche ma femme, Kit, ordonna Brandon, implacable.

Furieux, Kit retroussa les lèvres et serra les poings. Mais il n'était pas en position de se battre. Schéhérazade s'interposa.

— Brandon, laisse-le ! s'exclama-t-elle. Il voulait juste me dire bonjour.

— Scher...

Kit profita de l'instant pour se dégager et fit volte-face. Il aurait pu attaquer son cousin par pure habitude si celui-ci n'avait tenu sa fille dans ses bras.

— Avez-vous remarqué ce beau temps ? lança une voix.

La voix angélique. Maddy.

— Le ciel n'est jamais aussi clair, en ville. Pensez-vous que nous pourrons prendre le thé dehors, lady Blackstone ?

— En effet, la table de jardin n'attend plus que nous. Vous devez être l'intrépide Mlle Wilson ?

— Et moi, je suis sa cousine, lady Rose. Nous avions une conversation très intéressante dans la voiture. J'ai l'intention de donner le ton en matière de mode, à Londres, cette saison. Vous ne devez pas connaître tout cela ici, à la campagne, mais je suis sûre que je serai l'héritière la plus convoitée d'Angleterre.

— Je suis très honorée de faire votre connaissance, lady Rose, répondit Scher avec douceur.

Entrons un moment, pendant que l'on prépare la table sur la pelouse.

Elle les précéda à l'intérieur. Lady Rose suivit sans s'arrêter de babiller, et Maddy leur emboîta le pas plus lentement, son regard inquiet allant de Kit à Brandon.

— Quel plaisir de vous revoir, lord Blackstone.

— Tout l'honneur est pour moi, mademoiselle Wilson, répondit Brandon en s'inclinant poliment.

Souriant à Kit, elle lui lança à mi-voix :

— Vous avez l'air féroce, Kit. Ma robe vous déplaît tant que cela ?

Sa taquinerie eut l'effet escompté. Réprimant sa fureur, Kit contempla d'un air narquois l'horrible robe garnie de rubans et de dentelles.

— C'est un affront à mon sens de l'esthétique.

Du coin de l'œil, il vit Brandon élargir les yeux de surprise. Personne ne parlait ainsi à une dame. Mais comme Kit s'y attendait, Maddy sourit avec bonne humeur.

— Vraiment ? Moi qui pensais qu'elle était magnifique, dit-elle en froissant les volants de soie.

Elle lui prit le bras pour l'entraîner dans la maison. Kit passa devant Brandon, résistant à l'envie de lui envoyer son poing dans la figure. Maddy aurait été consternée.

— Merci d'avoir suggéré de prendre le thé dehors, lui chuchota-t-il en pénétrant dans le hall. Je respire mieux au grand air.

— Je sais.

Kit tressaillit. Comment aurait-elle pu savoir qu'il avait passé des années à fond de cale, dans

214

des odeurs de sang et de sueur mêlées, et avec pour seule compagnie le gémissement des esclaves ? Le pont était plus sûr que l'intérieur du bateau. Le vent apportait de l'air pur, chassait les miasmes et les maladies.

— Venez, ajouta-t-elle, allons voir si la gouvernante a rattrapé le petit garçon.

Il garda les yeux fixés sur Schéhérazade, qui écoutait le bavardage de lady Rose en hochant la tête. Elle s'arrêta brièvement pour donner un ordre à une servante, contourna une chaise, une couverture d'enfant oubliée sur le sol et une petite armée de soldats de bois s'apprêtant à attaquer une poupée de porcelaine.

— Kit, souffla Maddy en lui serrant le bras. À quoi pensez-vous ?

Il se disait que la grossesse mettait Schéhérazade en beauté. Maddy serait belle aussi, dans cet état. Avec un peu de poids supplémentaire et de nouveaux vêtements, Maddy serait d'une rare beauté. Pas du tout une poupée aux joues roses comme sa cousine, mais une femme sculpturale, au style classique. Une déesse antique.

— Kit ?

— Un jour, vous aussi vous attendrez un enfant, et votre mari sera l'homme le plus heureux de la terre.

Le regard de Maddy s'illumina et elle rougit.

— Vous êtes très étrange, monsieur Frazier. Je ne sais plus que penser.

— Ne pensez pas, mon ange. Continuez de me parler.

Sa voix l'aiderait à garder les idées claires et le dissuaderait peut-être de tuer son cousin.

— Je vais passer un marché avec vous, monsieur, dit-elle en contournant les petits soldats. Je m'efforcerai de continuer à parler si vous me promettez de ne jamais essayer d'embrasser l'épouse d'un autre homme.

Il marqua une pause, un pied au-dessus du champ de bataille. Elle semblait parler sérieusement, et aussi avoir réellement peur pour lui. Il posa délicatement son talon sur le sol, entre les jouets.

— Ce n'était pas mon intention. J'ai toujours eu envie de la voir ainsi : ronde, heureuse, des enfants à ses pieds. Je ne peux pas…

Il secoua la tête, la gorge nouée par l'émotion.

— Tout cela ne me paraît pas réel, mon ange. Parlez-moi. Je veux entendre votre jolie voix.

— Bien sûr, monsieur Frazier, reprit-elle d'un ton un peu trop enjoué.

Elle se mit à bavarder de tout et de rien. De quoi parlait-elle ? Il n'aurait su le dire. Il se laissait bercer par les sons mélodieux qui s'échappaient de ses lèvres, la cadence distinguée de son accent. Maddy, à la voix angélique et au regard soucieux. Elle avait peur pour lui. Et à raison, car il était dangereusement proche de la folie. Cependant, avec son bras glissé sous le sien, sa voix douce comme une berceuse, il pensait pouvoir rester dans les limites de la civilité. Il pourrait parler avec Schéhérazade, et même plaisanter avec Brandon, sans sombrer dans la démence. Avec elle à ses côtés, il en était capable.

Puis il franchit la porte du jardin, à l'arrière de la maison, et comprit qu'il s'était trompé.

Quand elle vit la lueur sauvage traverser son regard, Maddy se lança dans un monologue ininterrompu sur le jardinage. Elle en connaissait beaucoup plus sur le sujet, qu'il n'était convenable pour une dame de la haute société. Son père, expliqua-t-elle, croyait aux vertus médicinales des plantes et l'envoyait souvent prendre des leçons chez la « sorcière » du village. Celle-ci n'était pas une sorcière, naturellement, juste une herboriste qui vivait seule, sans enfant. Si les choses s'étaient déroulées autrement, son père et Mlle Ruseman auraient sans doute pu tisser des liens plus profonds. Peut-être... Il était tombé malade et tout avait basculé.

— Cela a dû être très dur pour vous, s'inquiéta lady Blackstone. Moi-même, j'ai perdu ma mère, et elle me manque beaucoup.

Maddy sourit faiblement. Elle s'était mise à parler pour apaiser Kit et faire disparaître la terrible lueur au fond de ses yeux. Au début, cela avait fonctionné. Elle avait senti les muscles de son bras se détendre. Puis son ancienne fiancée qu'il désirait visiblement toujours, avait parlé, et tout son corps s'était de nouveau crispé.

Maddy avait cru qu'il serait bon pour lui de voir cette femme dans son élément, avec mari et enfants. Quel meilleur moyen de lui faire comprendre que Lady Blackstone était hors de portée, à présent ? Il avait fallu qu'il essaye de l'embrasser !

Elle chercha désespérément quelque chose à dire pour meubler le silence qui s'était installé. Rose se taisait, son regard passait de l'un à l'autre. Était-elle consciente des tensions entre les personnes présentes ? Probablement. La jeune fille était bien plus perspicace qu'elle ne le laissait penser. Par bonheur, la gouvernante réapparut, traînant derrière elle un petit garçon à la mine boudeuse. Maddy reconnut l'expression furieuse d'une personne dont la patience a atteint ses limites.

— Ah, vous avez retrouvé le voleur de tartes ! s'exclama Maddy, d'une voix un peu trop haut perchée.

— Et dans quel état ! ajouta lady Blackstone d'un ton sévère. Juste au moment où je voulais te présenter quelqu'un de spécial.

— Il m'a fait courir jusqu'à la rivière, expliqua la gouvernante. Mais je savais qu'il finirait par se fatiguer, n'est-ce pas, mon garçon ? La prochaine fois, tu seras sage et tu écouteras ta maman.

Le garçonnet se renfrogna, et sa mère éclata de rire.

— Mon Dieu, Christopher, tu ressembles tellement à ton père quand tu fais cette tête !

— Certainement pas ! protesta lord Blackstone, feignant d'être horrifié. Je ne me présentais jamais aussi sale devant de belles dames. Et j'obéissais toujours à ma mère.

Lady Blackstone haussa les sourcils d'un air sceptique.

— Je pense que votre maman a dû vous apprendre à ne jamais mentir, mon ami. Viens ici, mon petit cœur, je veux que tu fasses la connaissance du monsieur dont tu portes le prénom.

Ils étaient tous rassemblés sur la terrasse. Maddy et Kit étaient assis sur un banc. Il n'aurait pas été convenable qu'elle continue de lui donner le bras, mais elle était assez proche de lui pour l'entendre respirer tout à coup bruyamment. Il posa les yeux sur le petit garçon couvert de boue. Celui-ci donnait toujours la main à sa nurse, et posa sur Kit un regard perçant.

— Bonté divine, tu es dans un état dégoûtant, maugréa sa mère, en congédiant la gouvernante.

Rose fronça le nez et ramena sa jupe contre ses jambes, de peur que l'enfant ne la salisse. Maddy, quant à elle, était sous le charme. Il y avait longtemps qu'elle n'avait pas eu l'occasion de parler à un petit enfant, car ils n'étaient pas acceptés dans les salons de la bonne société.

— Explique à ta maman que tous les petits garçons aiment se salir, dit-elle avec grâce. Et aussi, que cela donne faim, ajouta-t-elle alors que l'on apportait le plateau du thé.

Elle prit un biscuit et interrogea lady Blackstone du regard.

La mère acquiesça d'un signe de tête.

— Je ne te donne l'autorisation de manger, que parce que je veux que tu sois aimable avec M. Frazier, précisa-t-elle. M. Christopher Frazier.

Retrouvant enfin l'usage de la parole, Kit bredouilla d'une voix rauque :

— Appelle-moi Kit, mon garçon. Oncle Kit.

L'enfant, trop occupé à mastiquer son gâteau, ne répondit pas.

— Il ressemble vraiment à son papa, dit Maddy, pour meubler le silence.

— Oui. Il a aussi son caractère…

— Vous lui avez donné mon nom ? demanda Kit de but en blanc. En souvenir de moi ?

— C'est Brandon qui en a eu l'idée, mais je l'ai aussitôt approuvé. Si nous avions eu une fille, nous l'aurions nommée Christine.

Kit posa les yeux sur Brandon, qui confirma d'un hochement de tête. Quand son regard revint vers le garçon, il fut pris d'un frisson. Léger tout d'abord. Puis le tremblement gagna ses poings serrés. Maddy posa une main sur lui pour l'aider. Mais tout son corps s'était crispé, et il semblait avoir du mal à respirer.

— Kit, murmura-t-elle, pressentant le désastre. La journée est si belle, nous devrions aller nous promener.

Mais il était trop tard. Kit était secoué de spasmes violents.

Lady Blackstone se leva et prit son fils dans ses bras. Lord Blackstone passa la petite fille à la gouvernante et vint se placer devant son épouse, dans la claire intention de la protéger.

— Rose ! Emmène le garçon à la nursery, ordonna Maddy.

— Quoi ? s'exclama sa cousine, avec une grimace incrédule.

— Fais ce que je te dis !

Elle poussa la jeune fille vers la porte, où se trouvaient déjà lady Blackstone et la gouvernante. Puis elle reprit le bras de Kit et sentit ses muscles noués sous l'étoffe de sa veste.

— Lady Blackstone ! Ne partez pas, je vous en prie. Ne l'abandonnez pas maintenant.

Avec un bref signe de tête, Schéhérazade confia son fils à Rose et revint sur ses pas. L'enfant se mit à crier et à se débattre pour rejoindre sa mère, tandis que Rose le tenait à

220

bout de bras pour éviter de salir sa robe. Lord Brandon vint à la rescousse. D'un mouvement vif et souple, il prit l'enfant des bras de Rose et le déposa sur le sol.

— Christopher ! Monte immédiatement à la nursery.

Le garçon voulut protester, mais le regard sévère de son père l'en dissuada. Il tourna les talons et fila comme une flèche.

— Lady Rose, faites-moi une faveur je vous prie. Assurez-vous qu'il monte bien dans la chambre. C'est la dernière porte à droite.

Lord Blackstone prononça ces mots avec une parfaite politesse, mais le ton était sans réplique. Rose acquiesça, dépitée, et suivit l'enfant.

Maddy demeura avec lord et lady Blackstone, auprès de Kit. Grâce au ciel, la crise finit par passer.

15

Kit recouvra l'équilibre, mais le monde continuait de vaciller autour de lui. Il sombrait dans un océan d'émotions, et la fureur noyait tout sur son passage. Jamais encore il n'avait autant pris la mesure de ce qu'il avait perdu.

— Kit !

Il reconnut la voix de Maddy, empreinte d'angoisse, mais cela ne suffit pas à canaliser la souffrance qu'il ressentait.

Il croyait avoir surmonté les épreuves et accepté son sort. Mais tout ce qui lui avait été volé s'étalait à présent sous ses yeux. Schéhérazade n'était plus qu'un doux souvenir au parfum féminin. Mais cette maison, ces enfants, le bonheur dont elle était entourée... c'était tout cela qu'il avait perdu le jour où son maudit cousin l'avait fait monter à bord d'un navire marchand.

— Ce garçon, balbutia-t-il d'une voix enrouée. Il aurait dû être à moi. Cette vie !

Il tourna follement sur lui-même, désignant la demeure, le jardin, Schéhérazade.

— Cette vie était la mienne !

Une silhouette sombre s'avança et posa sur lui une main pour le soutenir et le calmer. Brandon, bien sûr, un des deux cousins qui lui avaient tout pris. Michael l'avait fait passer pour mort et embarqué de force, le livrant sans le savoir aux pirates barbaresques. Puis Brandon lui avait volé sa femme et son enfant.

— Laisse-moi tranquille ! hurla-t-il en le repoussant brutalement.

Brandon chancela, mais ne relâcha pas son étreinte.

— Tu t'égares, Kit.

— Moi ? Comment en serait-il autrement ? J'ai tout perdu ! On m'a tout volé ! cria-t-il en se dégageant.

— Je ne t'ai rien volé.

Quelque chose se brisa en Kit et l'esclave refit surface. Enfin, une bagarre ! Une occasion de donner libre cours à la violence qui bouillonnait en lui.

Il se mit en garde, face à Brandon, et chercha par où l'attaquer pour le jeter à terre. Personne ne pouvait avoir le dessus sur lui. Il vit que son cousin avait compris ses intentions. Brandon écarquilla les yeux de surprise, mais serra les poings, évaluant la meilleure position sur la terrasse pour riposter.

Et soudain, une femme enceinte s'interposa entre eux.

— Arrêtez, tous les deux ! Comment osez-vous dire qu'il m'a enlevée à vous, Kit ? Nous vous croyions mort !

224

— Il n'y a rien de rationnel dans ses propos, affirma une autre voix.

Celle de son ange.

— Vous ne voyez pas ? Il est en colère. Il a tellement souffert ! Il voudrait simplement trouver un responsable pour passer sa rage sur lui.

— Très bien, dit Brandon en repoussant délicatement sa femme. Il n'a qu'à se venger sur moi. Je l'ai courtisée, je l'ai séduite, puis je l'ai épousée.

Kit lui assena un coup de poing dans l'estomac, puis sur le menton. Il vit son cousin s'effondrer, et l'esclave qui survivait en lui poussa un cri de victoire. L'homme n'était pas inconscient, cependant, et Kit était prêt à continuer la lutte.

Il bondit et atteignit Maddy sans le vouloir. Celle-ci s'était avancée au plus mauvais moment. Il s'apprêtait à abattre une pluie de coups sur son cousin mais elle s'était interposée. Il la manqua, mais se heurta à sa poitrine et l'agrippa par le cou.

Malgré le choc, elle noua les bras autour de ses épaules et s'agrippa à lui. Ils tombèrent sur le côté, manquant Brandon de peu, et roulèrent contre la table.

Kit était déjà prêt à se relever. C'était Brandon, qu'il voulait. Mais Maddy s'accrocha à lui avec la souplesse d'un singe.

— Mon ange, grogna-t-il. Mon ange !

— Je ne… vous lâcherai… pas.

Il se battit contre elle, et la table vacilla au-dessus d'eux. Du coin de l'œil, il vit Brandon rouler sur lui-même. Dans une seconde il serait debout et pourrait les tuer, son ange et lui !

— Mon ange ! cria-t-il en se débattant.

Mais il ne put se dégager. La théière s'écrasa sur le sol et se brisa en mille morceaux. Des éclats de porcelaine et du thé brûlant furent projetés sur son visage. Un filet de sang apparut sur la joue de Maddy.

— Mon ange !

— Non, je ne vous lâcherai pas, Kit.

Il se figea et finit par sentir la brûlure du thé sur sa peau, l'étreinte des bras de Maddy qui le contenait avec une force incroyable. Le tourbillon qui agitait ses pensées ralentit enfin. Il parvint à analyser la situation : Maddy accrochée à lui... Brandon debout et immobile... Les battements erratiques de son propre cœur...

— Je ne vous lâcherai pas, non, non, répéta Maddy.

Ses paroles l'apaisèrent. Il détendit ses doigts encore serrés sur elle. Sa respiration reprit un rythme normal.

Et soudain, la rage qui bouillonnait en lui s'évapora. L'esclave fut réduit au silence, son corps cessa le combat. Dans le calme qui suivit, une douleur sourde et intense l'envahit, le submergea.

Il poussa un hurlement de douleur.

— Je ne vous lâcherai pas, je ne vous lâcherai pas, répétait Maddy d'une voix douce.

Le temps cessa d'exister pour la jeune femme. Elle pleurait pour cet homme qui avait tant perdu et qui ne voyait pas d'issue à sa souffrance. Ils roulèrent ensemble sur le sol, unis dans la peine.

Elle recouvra ses esprits avant lui. Après tout, elle avait déjà eu quelques années pour faire le deuil de son enfance, alors qu'il venait tout juste d'affronter la perte de la femme qu'il avait aimée. La douleur fusa dans son corps, ses bras se mirent à trembler. Sa tête avait heurté la table, ses joues éclaboussées par le thé la brûlaient. Elle ignora résolument ces petits désagréments. Elle ne relâcherait Kit que lorsqu'il serait prêt à affronter le monde.

C'est alors que Rose apparut. Maddy aurait dû s'y attendre, car Rose n'aimait pas être mise à l'écart des événements. Sans oublier qu'elle pensait être la future fiancée du pirate romantique. Pas question pour elle de rester à la nursery !

Donc, la porte-fenêtre s'ouvrit et Rose sortit sur la terrasse. Du moins, elle essaya, car la silhouette massive de lord Blackstone lui bloqua le passage.

— Lady Rose ! s'exclama-t-il. Comme je suis heureux que vous soyez redescendue ! Je vous remercie de m'avoir aidé, mon fils est un tel garnement.

Il s'avança vers la jeune fille qui n'eut d'autre choix que de reculer dans le salon.

— Bien sûr, monsieur. Mais comme les enfants sont dans leur chambre à présent...

— Je crois qu'il va pleuvoir, enchaîna lady Blackstone qui suivit son mari pour cacher à Rose le spectacle de Maddy et de Kit enlacés par terre. Nous allons devoir nous installer à l'intérieur. Lady Rose, que pensez-vous de mon salon ? Idéal pour prendre le thé, je trouve. Pas aussi confortable que le vôtre, en ville, c'est certain. Voudriez-vous me donner quelques conseils pour le décorer ?

— Bien sûr, lady Blackstone, mais…

— Par ici, lady Rose, ajouta lord Blackstone.

Leurs voix s'éloignèrent et Maddy poussa un soupir de soulagement. Grâce à leurs hôtes, Rose n'avait rien vu. Elle imaginait fort bien sa réaction si elle avait su ce qui s'était passé ! Cette idée la fit sourire. Kit s'était enfin ressaisi et la fixait du regard. Il n'avait pas l'air amusé du tout.

— N'ayez crainte, Kit, je ne suis pas folle.

Il roula sur le côté et dégagea une de ses mains tandis que leurs jambes restaient étroitement mêlées. Maddy ne put réprimer une grimace quand le sang circula de nouveau dans ses doigts. Kit s'en aperçut et lui caressa la joue, sur laquelle les larmes se mêlaient au sang.

— Je vous ai fait mal.

— Pourtant, je suis toujours là. Et souriante avec cela ! Comment vous sentez-vous, Kit ?

Une myriade d'expressions passa sur son visage, qui finit par se figer en un masque tragique.

— Ils sont tellement heureux, murmura-t-il.

— Oui. Très amoureux.

Kit hocha imperceptiblement la tête.

— Et Alex est heureux aussi. Ses frères l'ont embrassé, son père a pleuré, et sa mère… Sa mère est vivante, ajouta-t-il dans un soupir.

Ajouté à tous ces malheurs, Kit avait perdu sa mère pendant qu'il était en mer ! Comment avait-elle pu l'oublier ? Le chef de famille était

228

donc Michael, comte de Thorndale, Celui-là même qui l'avait trahi.

— Leur enviez-vous leur bonheur ?

— Je ne désire plus Schéhérazade, avoua-t-il. Je le jure devant Dieu. Mais j'aimerais avoir sa vie. Avoir la famille d'Alex. J'aimerais…

— Être de nouveau heureux ?

— Oui.

Il ferma les yeux et appuya son front contre celui de Maddy. Si seulement elle pouvait succomber au désir physique qu'elle éprouvait, songea-t-elle. Si elle pouvait le laisser entrer dans sa chambre la nuit et oublier ses réticences. Elle serait heureuse, alors. Enivrée de bonheur.

Kit se redressa et s'allongea à côté d'elle dans un grognement.

— Que suis-je devenu ? marmonna-t-il en fixant le ciel. Mon ange, j'éprouve un vide intense.

— Comme si votre âme s'était envolée et que votre corps n'était plus qu'une coquille vide ? dit-elle en se souvenant de ce qu'elle avait ressenti à la mort de son père. Et tout ce que vous éprouvez, c'est…

— Un sentiment de perte et de colère. Je suis désolé pour votre père, dit-il en posant sur elle un regard plein de tendresse.

Maddy esquissa un sourire.

— Je suis désolée que le comte de Thorndale soit à la fois idiot et arrogant. Ces deux traits de caractère combinés sont…

— Savez-vous qu'il est considéré comme un homme très influent sur le plan politique ?

— Dieu protège l'Angleterre, grommela-t-elle.

Un sourire se dessina sur les lèvres de Kit et disparut aussitôt. Son visage s'assombrit de nouveau.

— Vous vous rappelez ce qu'a dit la sœur d'Alex ? demanda Maddy en s'asseyant. Que vous étiez un homme qui portait chance.

— Je ne possède rien. À part un navire en mauvais état et un équipage qui attend toujours sa paye. Je n'ai pas de cargaison et pas de réputation pour m'aider à en trouver une. Je n'ai même pas de quoi payer mon loyer le mois prochain. J'ai loué ce logement pour Alex, et aussi parce que les réparations sur le navire ne nous permettaient pas de dormir à bord. Mais dans quelques semaines, je pourrais fort bien me retrouver en prison pour dette.

— Esclave, vous étiez encore plus démuni et pourtant vous avez racheté votre liberté.

— C'était une question de chance et de patience. Cela a pris des mois, mais Venboer a fini par me faire confiance. Grâce à cela j'ai eu plusieurs opportunités. Je suis devenu un voleur. Pour la nourriture, d'abord, puis j'ai dérobé de l'or et des bijoux, que j'entassais en secret. J'ai fait ces choses-là, mon ange.

— Vous avez su provoquer la chance, vous avez racheté votre liberté, et ouvert le champ des possibles. Aujourd'hui vous possédez un bateau, un équipage, et vous avez rendu Alex à la vie.

Elle se pencha pour lui caresser la joue du bout du doigt et ajouta :

— Un tel homme peut réussir tout ce qu'il entreprend.

230

Elle vit une curieuse expression s'inscrire sur son visage, empreinte de passion, de désir et d'espoir.

— Après tout ce que vous avez souffert, comment pouvez-vous encore parler ainsi ? chuchota-t-il d'un ton admiratif. Comment pouvez-vous y croire ?

— Avec vous, c'est facile, répondit-elle en souriant.

Elle avait terriblement envie de l'embrasser, et elle lisait dans ses yeux que ce désir était réciproque. Mais n'importe qui aurait pu les voir. Ne pas oublier l'objectif premier : trouver un mari. Sa vertu ne devait pas être entachée. Elle se releva donc en soupirant.

— Rose n'est pas idiote, vous savez. Elle va vouloir savoir ce qui nous est arrivé.

— Nous avons fait une promenade jusqu'à la rivière, improvisa-t-il avec un regard malicieux. Votre amour de la campagne, vous vous souvenez ? Vous avez insisté pour vous approcher et vous êtes tombée à l'eau.

— Certainement pas ! J'ai un pas très sûr.

— Bien, alors j'ai glissé et vous ai entraînée dans l'eau.

— Mais nous ne sommes pas mouillés, monsieur Frazier. Nous ne ferons croire cela à personne !

— Au contraire, mademoiselle Wilson, répliqua-t-il en roulant sur une flaque de thé. Je suis mouillé et vous êtes toute sale. Je ne pense pas qu'une petite londonienne fera la différence.

Maddy finit par acquiescer.

— De toute façon, je ne vois pas comment expliquer autrement mon accoutrement.

Kit vint se camper devant elle. Ses cheveux étaient en bataille, et il avait tout à fait l'allure d'un homme qui vient de se bagarrer.

— Monsieur Frazier...

Sans la laisser aller plus loin, il lui prit le visage à deux mains et pressa sa bouche contre la sienne. Elle aurait pu le repousser, mais n'en fit rien. Elle avait envie de sentir ses lèvres, de répondre à son baiser.

Tout alla très vite, c'est à peine si elle eut le temps de se presser contre lui.

— Il faut que vous m'appeliez Kit, insista-t-il en reculant à une distance respectable.

— Et que je vous invite à mon mariage, ajouta-t-elle, le cœur brisé.

Kit baissa les yeux, les joues rouges.

— Je ne suis pas un homme, mon ange, mais une bête qui a pris une apparence humaine.

— Ne soyez pas ridicule...

— Vous ne comprenez pas !

Sa voix se fit dure, son expression menaçante. Le changement fut si brutal qu'elle poussa une exclamation. Puis il soupira, reprenant le contrôle de lui-même.

— Vous avez eu raison de me faire venir ici, reprit-il d'une voix neutre. J'avais besoin de voir tout cela, de voir ce qui aurait pu être ma vie. À présent, je dois aller jusqu'au bout et rendre visite à mon frère.

Le cœur de Maddy se serra à l'idée qu'il allait quitter Londres.

— C'est une bonne idée, répondit-elle cependant. C'est votre famille. Votre frère vous aidera à redevenir vous-même.

Elle prononça ces mots d'un ton enthousiaste pour se donner du courage. Il fallait qu'elle retourne chez Rose et oncle Frank. Ils étaient sa famille et probablement son seul avenir. Après tout, il lui avait fait comprendre qu'elle ne serait pas sa femme, et l'incident qui venait d'avoir lieu prouvait qu'il n'était pas un mari possible.

En quelques minutes, Maddy reprit courage. Elle devait se concentrer sur elle et donner un sens à sa propre vie, plutôt que de sympathiser avec cet homme. Quand elle releva les yeux, elle rencontra son regard bleu et froid.

— Je suis prête.

Il lui offrit son bras et elle posa le bout de ses doigts sur la manche de sa veste, mettant le plus de distance possible entre eux.

Ils n'eurent aucun mal à trouver Rose, qui parlait chiffons avec la maîtresse de maison. Kit s'excusa abondamment pour leur déplorable apparence, expliquant qu'ils étaient tombés dans la rivière. Rose les examina d'un air suspicieux, mais n'eut pas le loisir de poser des questions, car lord et lady Blackstone rirent beaucoup de la maladresse de leur invité.

Au moment où Maddy croyait être tirée d'affaire, sa cousine tapa dans ses mains avec un sourire doucereux.

— Je suis contente que vous soyez là, monsieur Frazier. Nous allons pouvoir parler de ma réception. Vous m'avez promis de venir, n'est-ce pas. Et lord et lady Blackstone viennent également d'accepter l'invitation.

— Rose ! soupira Maddy. Rose, ce n'est pas possible. Lady Blackstone ne peut faire un tel voyage dans son état.

— Sottises ! rétorqua gaiement sa cousine. Elle me disait justement qu'elle se rend à son théâtre une fois par semaine.

— Mais...

— Je viendrai, naturellement, déclara lady Blackstone. Mais seulement si M. Frazier accepte de m'accompagner. Est-ce possible, Kit ? Pourrez-vous vous joindre à nous pour aller en ville ?

Tous les regards se tournèrent vers Kit. Il devint évident qu'il se livrait à une lutte intérieure, et il perdit la bataille contre lui-même. Son sourire aimable s'effaça, ses yeux exprimèrent un sincère regret.

— Je suis désolé, lady Rose. Je dois quitter Londres au plus vite.

— Quoi ? Maintenant ? Mais pour aller où ?

— Voir mon frère Donald pour lui emprunter un peu d'argent. J'en ai besoin pour équiper mon navire et payer mon équipage.

— Si ce n'est que cela, intervint lord Blackstone, légèrement embarrassé, Scher et moi ne demandons qu'à t'aider, Kit. Nous voudrions investir dans ta compagnie.

— Que... quoi ? bredouilla Kit, sous le choc.

— Le théâtre fait entrer de l'argent dans les caisses, Kit, expliqua lady Blackstone. Avec les bénéfices, nous voudrions acheter des parts dans votre société de navigation.

Kit demeura bouche bée.

— Vous possédez bien un navire ? reprit Rose. Ils veulent vous donner de l'argent afin que vous restiez à Londres et veniez à ma réception !

Maddy dévisagea Kit. Crispé, les yeux écarquillés, il ne semblait pas croire à l'offre que lui faisait son cousin.

— C'est ce qu'on appelle de la chance, lui souffla-t-elle. Vous ne croyez pas ?

— Ce n'est pas une question de chance, bougonna Brandon. Je cherchais à faire un investissement. J'ai donc fait une enquête et parlé avec ton équipage.

— Tu as parlé à mes hommes ?

Lord Blackstone acquiesça d'un signe de tête.

— Je suis allé sur les quais lors de mon dernier passage à Londres. J'ai discuté avec un nommé Puck qui m'a appris toutes sortes de choses positives. L'équipage est bon, mais le navire est en mauvais état. Je peux t'aider. Payer les réparations et investir dans ta compagnie.

Kit demeura muet.

— C'est magnifique ! s'écria Rose. La réparation d'un navire prend du temps, n'est-ce pas ? Vous pourrez venir chez moi pour le thé !

— Rose, gronda Maddy. Le monde ne tourne pas uniquement autour de toi.

Rose haussa les épaules, mais ne put ajouter un mot, car lord Blackstone se leva.

— Nous pouvons régler cette affaire sur-le-champ, Kit. J'ai fait préparer les documents. Tu verras si les termes te conviennent. Tu auras immédiatement les fonds nécessaires pour commencer les réparations.

Tous les regards étaient de nouveau braqués sur Kit, qui sortit enfin de sa stupeur.

— Je viens de me battre avec toi, Brandon. Je voulais te briser le cou, je t'ai traité de voleur et j'ai fait peur à tes enfants.

Lord Blackstone eut un sourire insouciant.

— Suzanne et Christopher ont trouvé cela très amusant. Quant aux noms dont tu m'as traité, j'ai entendu pire de la part de Scher.

— Brandon ! protesta sa femme, avec un sourire en coin.

— Je te dois beaucoup, Kit, reprit Brandon d'un ton plus grave. Et mon frère encore plus. Permets-moi de te rembourser une toute petite partie de ma dette. Je t'en prie.

Kit finit par se détendre. Il inclina la tête pour signifier son agrément.

— Merci. Et merci d'avoir donné mon nom à votre fils. J'espère qu'avec le temps, je deviendrai un oncle pour lui.

Lady Scher eut un sourire chaleureux.

— J'en serais extrêmement heureuse, Kit.

— Oh, c'est merveilleux ! s'exclama Rose en tapant des mains. Tout se passe exactement comme je l'avais prévu !

— Presque, lady Rose, répondit Kit d'un ton sobre. Le fait est que je ne suis pas encore prêt à paraître devant le beau monde. Je m'en suis rendu compte cet après-midi, grâce à vous, mademoiselle Wilson.

— Kit... souffla Maddy.

Mais il l'interrompit d'un signe de tête.

— J'accepte ton argent avec gratitude, Brandon. Je ferai commencer les réparations

236

avant de me rendre chez mon frère aîné, et peut-être aussi chez les autres. J'aimerais voir Lucas. Toutes mes excuses, lady Rose, mais je n'aurai pas le temps de venir prendre le thé.

Rose se leva. Elle était l'image même de la détresse.

— Mais cela ne sera sûrement pas long ! Vous pouvez être de retour avant mardi prochain, non ?

— Non. En fait... je ne réapparaîtrai sans doute jamais en société.

Avec un dernier regard pour Maddy, il tourna les talons et fit un signe à son cousin. Les deux hommes quittèrent la pièce sans plus de cérémonie.

16

— Je sais ce que tu as fait avec M. Frazier.

Maddy s'extirpa à grand-peine du vertige qui la gagnait. Elles étaient dans la voiture qui les ramenait à Londres. Rose et Maddy s'étaient attardées longtemps après que Kit et lord Blackstone se furent retirés pour parler affaires. Rose espérait que Kit reviendrait en ville avec elles, mais Maddy savait qu'il n'en ferait rien. Il lui fallait du temps pour recouvrer ses esprits, réapprendre à se comporter comme un gentleman. Ensuite seulement, il pourrait tenter une incursion dans la bonne société.

Elle ne pouvait s'empêcher de prier pour qu'il guérisse vite. Pour que son affaire avec lord Blackstone soit très vite réglée. Et pour qu'il puisse se présenter un jour à la porte de chez eux, comme un visiteur normal. Il y avait si peu d'espoir... Elle savait mieux que personne combien de temps il fallait pour guérir.

Rose finit par renoncer et fit demander la voiture. Elle grimpa à l'intérieur de mauvaise humeur. Maddy suivit, consciente qu'elle allait passer plus d'une heure à écouter sa cousine se plaindre. C'était ce que la jeune fille avait fait avant de plonger dans un silence inhabituel. Maddy n'avait pas osé la questionner sur son humeur, trop soulagée d'avoir un peu de répit. Jusqu'au moment où sa cousine avait prononcé ces mots.

— Je te demande pardon ?

— J'ai bien vu ce qui s'est passé sur la terrasse. Vous avez fait assez de vacarme.

— Rose, ce n'était pas du tout ce que tu crois.

— Je crois que M. Frazier a essayé de tuer lord Blackstone et que tu t'es interposée. Vraiment, Maddy, toi-même tu me répètes de ne jamais intervenir quand deux hommes se battent ?

— Oui, mais...

— Mais tu n'as pas pu t'en empêcher ! Tu ne pouvais pas les laisser échanger des coups de poing ? Tout se serait bien mieux passé si tu l'avais fait, tu sais.

— Rose, tu ne peux pas me reprocher...

— Aucun des deux n'aurait été gravement blessé. M. Frazier et lord Blackstone sont dans la force de l'âge. Ils se seraient bourrés de coups, Kit aurait lavé son honneur et ne se serait pas senti humilié. Il ne se serait pas effondré sur toi en pleurant comme un petit garçon et n'aurait pas éprouvé le besoin de quitter Londres !

Maddy battit des paupières. Elle ne pensait pas mériter d'être blâmée pour cet échec.

— Rose, c'est plus compliqué que cela.

— Naturellement, reconnut sa cousine avec un haussement d'épaules. M. Frazier ne va pas bien. Et c'est pour cela qu'il a besoin de donner des coups de poing. Il vaut mieux qu'il le fasse avec un membre de sa famille qui n'ébruitera pas l'affaire, plutôt qu'avec n'importe quel noble, domestique ou commerçant.

Maddy se mordit les lèvres. Il arrivait parfois que Rose se montre logique et perspicace. Kit avait-il besoin de cela ? De faire sortir toute la violence contenue en lui ? Cela semblait ridicule. Sa souffrance était trop profonde pour être guérie en quelques coups de poing. Pourtant, elle avait vu certains patients de son père se rétablir grâce au travail, à quelques bagarres d'ivrognes, et au temps qui passe. Le temps était un grand guérisseur.

— Je suis désolée, Rose. J'ai peut-être eu tort d'intervenir.

— Bien sûr, tu as eu tort ! Et maintenant il est parti !

Maddy était d'autant plus désolée que son cœur chantait le même refrain que Rose.

— Mais pourquoi es-tu si bouleversée, Rose ? Tu connais à peine M. Frazier. C'est à cause du thé ?

— Je me moque de cette invitation ! Enfin, sa présence aurait été souhaitable, mais après tout, j'ai assisté aux retrouvailles du fameux couple maudit, non ? Ma réception sera un succès, car je pourrai raconter la rencontre en détail.

— Tu ne feras pas cela ! protesta Maddy, effarée.

— Je ne dirai rien de scandaleux, Maddy. Je raconterai simplement que tu as été prise dans la bagarre. De toute façon, tout le monde voudra savoir comment tu t'es coupée au visage.

— Je ne parle pas de moi, idiote ! Mais de M. Frazier, et... de tout.

— Ne t'inquiète pas. À la fin de la réception, il apparaîtra comme le héros romantique d'une tragédie de notre temps.

— Et lord et lady Blackstone ?

— Ce sont aussi des victimes, tu ne penses pas ? Ils le croyaient morts, la preuve, ils ont donné son nom à leur fils. Je trouve que c'est un détail splendide, tu ne trouves pas ?

— Je doute qu'ils aient fait cela afin de rendre l'histoire plus dramatique encore, rétorqua sèchement Maddy.

— Je ne comprends pas pourquoi tu es d'aussi mauvaise humeur. Ce n'est pas ton fiancé qui est parti Dieu sait où pour revenir Dieu sait quand !

Maddy considéra sa cousine bouche bée.

— Ce n'est pas ton fiancé non plus, Rose. Je ne pense pas qu'il ait l'intention de se marier.

— Eh bien non, mais les hommes ne comprennent jamais rien à ces choses-là.

— Seigneur ! Qu'est-ce qui t'a mis ce genre d'idées en tête ?

— Tout le monde sait cela ! répondit Rose, avec un brin d'indignation.

Maddy la fixa longuement, et la jeune fille finit par baisser les yeux en rougissant.

— Si tu veux savoir, la maman de Bethany dit que lady Ashcroft a pris son mari au piège en...

L'histoire était longue et impliquait plusieurs personnes, ainsi que certains faits qui n'étaient guère plus que des spéculations. Rose était persuadée qu'en provoquant un homme, on pouvait lui faire suivre ses instincts les plus bas. Lorsque l'un d'eux désirait désespérément une femme, il se retrouvait obligé de demander sa main. Le mariage, l'amour et les enfants suivaient d'une façon ou d'une autre.

Tout cela était ridicule, bien sûr. Rose dépeignait les hommes comme des créatures simples que l'on n'avait qu'à pousser dans une direction pour obtenir le résultat escompté. C'était comme diriger un cheval vers un point d'eau. Tout homme finissait par être rongé de désir et faisait sa demande afin de pouvoir boire à l'eau de la fontaine.

Plus Rose parlait, plus Maddy réfléchissait. Après tout, elle n'avait jamais réussi à capturer un mari. Peut-être n'était-elle pas assez séduisante ?

— Oui, oui, Rose, tout cela est bien beau. Mais pourquoi tiens-tu tant à épouser M. Frazier ?

— Je pensais que c'était évident ! répondit sa cousine en fronçant les sourcils.

— Non, ça ne l'est pas ! Et ne me sers pas ton baratin ridicule sur l'amour, je n'y crois pas. Tu n'es pas plus amoureuse de M. Frazier que moi.

Sa cousine arqua un sourcil, d'un air malicieux.

— Voilà une déclaration intéressante. Es-tu amoureuse de lui, Maddy ?

— Ne sois pas sotte ! répliqua Maddy, avec plus de force qu'elle ne l'aurait voulu.

Elle s'intéressait à lui parce qu'il souffrait, et elle admettait éprouver un certain désir pour cet homme. Depuis qu'elle avait vu son torse, elle avait passé plusieurs heures à rêver de lui. Mais ce n'était pas de l'amour.

— Je cherche quelqu'un de très différent.

— M. Wakely, peut-être ?

M. Wakely ? Maddy dut réfléchir un moment avant de se rappeler qui était cet homme. Le gentleman à l'allure tranquille, qui lui avait parlé si gentiment l'autre soir, pendant le concert. Il avait des revenus respectables, un esprit logique et un sourire bienveillant.

— Oui, affirma-t-elle. Il est sur ma liste.

— Je le trouve parfait pour toi.

— Merci. Mais nous parlions de toi et M. Frazier. Pourquoi t'intéresses-tu à lui précisément ?

Rose se pencha en avant.

— Je vais te le dire, mais tu dois me promettre de ne pas me prendre cet homme... Il serait bien pour toi aussi.

— Je t'ai déjà dit que M. Frazier ne me plaisait pas, déclara Maddy d'une voix claire. M. Wakely est en tête de ma liste.

Elle énuméra les noms de quelques gentlemen qui avaient retenu son attention.

— Non, fit Rose en fronçant le nez. Je pense que M. Wakely est le mieux de tous. Après tout, il...

— Rose ! Pour quelle raison as-tu fixé ton choix sur M. Frazier ?

— Oh, bon. Pour commencer, tu sais qu'il est le meilleur parti de la saison.

— Il n'est pas beau, ses habits sont ordinaires et il est sujet à des crises de nerfs. Cela ne fait pas de lui un bon parti.

Rose balaya ces arguments d'un geste de la main.

244

— Il est assez beau et il peut changer sa façon de s'habiller.

— Mais...

— Tu ne vois pas ? À la fin de ma réception, il sera devenu l'homme le plus attrayant de la scène sociale. Aucun gentleman bien élevé ne peut se mesurer à un pirate maudit, de retour dans son pays natal.

Maddy pinça les lèvres. Il était inutile de souligner encore une fois que Kit ne tenait ni à faire son retour dans la bonne société ni à devenir un héros romantique.

— Ensuite, poursuivit Rose sans tenir compte de l'air désapprobateur de sa cousine, tu ne te rends sans doute pas compte que père n'est pas aussi riche qu'il veut le faire croire.

Maddy savait que le comte était une fourmi en matière d'argent. Il n'était pas ruiné, loin de là. Mais oncle Frank n'aimait pas dépenser pour d'autres que lui.

— Ton père dépense son argent avec parcimonie, répondit-elle avec diplomatie.

— Tout à fait. Or, M. Frazier est riche comme un nabab et...

— Pas du tout !

— Il le sera, grâce à l'argent de lord Blackstone. Et ma dot, aussi mince soit-elle, ne posera pas de problème.

— M. Frazier n'a pas autant d'argent que tu l'imagines.

— Fadaises ! Il possède des montagnes de bijoux. C'est Alex qui me l'a dit !

Maddy dévisagea sa cousine, dont les joues avaient rosi.

— Eh bien, tu vois, je... je suis au courant pour le bain.

— Quoi ? s'écria Maddy, en agrippant les accoudoirs.

— Je n'arrivais pas à dormir, et j'ai entendu M. Frazier aller et venir dans la cuisine.

— Tu m'as espionnée !

Il était impossible que la jeune fille ait entendu Kit circuler dans la maison. À moins qu'elle n'ait été en bas, derrière la porte de la cuisine.

— Pas toi, idiote ! s'exclama Rose, en gloussant. Lui ! Il est très fort, tu ne trouves pas ? Je ne l'aurais jamais cru, si je ne l'avais pas vu !

Maddy se mordit les lèvres, mortifiée à l'idée que Rose l'avait vue ce soir-là. Le fait que quelqu'un les ait surpris dans une telle intimité...

— Comme il était occupé dans la cuisine, j'en ai profité pour entrer dans sa chambre.

— Oh, Rose !

— Alex s'y trouvait, et nous avons bavardé. Je n'ai eu aucun mal à le charmer, précisa-t-elle avec un sourire qui creusa des fossettes dans ses joues.

— Rose ! Ce n'est pas juste pour...

— C'est là qu'il m'a parlé des bijoux. Il m'en a même montré certains. Ce sont de vieux bijoux, affreux !

Donc, Kit possédait d'autres pièces que la broche qu'il lui avait donnée.

— Il faut qu'il trouve un moyen de les vendre.

— Et il sera riche et mon époux !

Maddy soupira.

— L'argent n'est pas une raison suffisante pour se marier, Rose. Tu es la fille d'un comte. Tu peux choisir n'importe quel homme.

246

— Et c'est lui que je veux. Tu ne vois pas ? C'est le parti de la saison, et en plus il est beau. Il a de l'argent, il est bien fait et il est déjà un peu amoureux de moi.

— Ah bon ?

— Tu sais bien, il a dit qu'il me trouvait belle. Et il se montre très charmant à mon égard.

C'était vrai, Maddy le réalisa tout à coup.

— Mais il est parti, Rose.

— Il reviendra. Et à ce moment, j'aurai déjà tout orchestré. Grâce à moi, il sera l'homme le plus sollicité de la saison. Et moi, je serai sa beauté fidèle, attendant désespérément son retour.

Maddy demeura stupéfaite. Le plan de sa cousine était déjà tout tracé.

— Tu ne vas tout de même pas faire tapisserie en attendant qu'il revienne ?

Rose poussa un soupir à fendre l'âme.

— Oui, je sais. Cela n'aurait pas été nécessaire si tu ne l'avais pas chassé, tu sais.

Maddy ignora cet argument.

— Il doit sûrement y avoir un autre gentleman qui t'intéresse.

Elle cita les noms de tous ceux qui tournaient autour de Rose pendant les réceptions, mais la jeune fille secoua la tête avec obstination.

— Aucun d'eux ne me plaît autant que M. Frazier.

Maddy ne pouvait guère la blâmer. Après tout, elle aussi était très triste de la tournure que les événements avaient prise aujourd'hui.

— Tu as créé un personnage qui n'est pas réel, décida-t-elle. Cet homme n'est pas un pirate, ce n'est pas un homme tout à fait normal. Du moins, pas dans sa têtc.

— Oh, mais si !

Maddy lui intima le silence d'un geste de la main. Elle ne pouvait lui raconter ce qu'elle avait vu, ni ce qui s'était passé dans la cave du théâtre.

— M. Frazier m'a avoué lui-même qu'il avait des crises. Il croit parfois être retourné dans le passé et il revit des choses qui lui sont arrivées il y a longtemps.

— Cela n'a rien d'étonnant. Plus vite il reprendra sa place dans la société, plus vite il oubliera tout cela.

— Ce n'est pas si facile, Rose.

— Mais si. Et maintenant qu'il ne peut plus avoir lady Blackstone, il va naturellement s'intéresser aux autres femmes. À moi, par exemple.

— Rose...

— Oh, cela suffit, Maddy ! Fais en sorte d'attraper M. Wakely dans tes filets et laisse-moi m'occuper de M. Frazier.

Maddy aurait pu continuer de discuter, mais la meilleure tactique consistait à laisser Rose mettre en place sa machination. Tôt ou tard son plan s'effondrerait, et elle inventerait une nouvelle histoire, romantique à souhait. Les lèvres pincées, Maddy regarda par la fenêtre. Elles avaient atteint les faubourgs de Londres et ne tarderaient pas à rentrer. Une fois à la maison...

— Je pense que nous ne devrions pas sortir ce soir, dit Rose.

— Quoi ?

— Ce ne serait pas bien. Je suis censée me morfondre en l'absence de M. Frazier.

— Mais si tu veux sortir...

— Non. Pas vraiment. Il faudra nous rendre au bal demain, bien entendu, car il marquera le début de la saison. Mais ce soir, je préfère me consacrer à mon chagrin. Je sais ! ajouta-t-elle soudain d'un ton joyeux. Nous allons regarder des modèles de robes pour commander tes nouvelles toilettes !

— Tu es sûre de vouloir les payer, Rose ? Ton père risque de s'en apercevoir.

— Mais il faut t'acheter des robes, c'est évident ! Quand M. Frazier reviendra, il verra que j'ai suivi ses conseils et que je suis devenue la référence en matière de mode, comme il l'avait prévu ! Il sera obligé de tomber follement amoureux de moi !

Maddy aurait aimé avoir assez de volonté pour refuser. Ce n'était pas le cas. Elle hocha la tête, et toutes deux se lancèrent dans une conversation à bâtons rompus sur le genre de robes qui lui iraient le mieux. La discussion se poursuivit jusqu'à leur arrivée à la maison et occupa une bonne partie de la soirée. Rose adorait les rubans et les jupons de dentelle. Mais elles parvinrent à se mettre d'accord sur un style de vêtements plus sobres qui conviendraient mieux à Maddy. Ainsi, celle-ci n'eut pas un instant pour penser à Kit. Du moins, c'est ce qu'elle se dit.

Ce mensonge devint plus difficile à croire, une fois qu'elle se fut retirée pour la nuit. Maddy resta seule avec ses pensées et le souvenir des événements de la journée. Elle ouvrit la fenêtre de sa chambre, sachant que Kit ne lui rendrait pas visite. Il était parti et c'était mieux ainsi. Il avait besoin de temps pour guérir. Il allait rendre visite à son frère, restaurer les liens familiaux. Et bien sûr, elle pourrait essayer d'attirer l'attention de M. Wakely sans avoir l'esprit tourné vers Kit.

Tout se passait comme il le fallait. Néanmoins, elle s'attarda à la fenêtre. Elle s'interrogea sur ce qui aurait pu se passer le premier soir, dans la cuisine, si elle était restée tandis qu'il prenait son bain.

Elle ne l'aurait pas fait, bien entendu. Elle était une jeune femme bien élevée et n'aurait pas dû avoir de telles pensées. Mais elle était aussi une fille de la campagne. Elle connaissait certains détails de l'amour physique et, avec Kit, elle avait éprouvé quelques-unes de ces merveilleuses sensations.

Serait-ce aussi exquis avec M. Wakely ? Elle essaya de l'imaginer, mais son esprit s'y refusa. Malgré tous ses efforts, le visage de M. Wakely se trouvait immanquablement remplacé par celui de Kit, avec sa barbe drue et ses cheveux éclaircis par le soleil... Son corps strié de cicatrices... Et ses baisers passionnés et possessifs.

Était-ce de l'amour ? se demanda-t-elle, debout à sa fenêtre. Certainement pas. C'était du désir, purement et simplement. Et pourtant... pourtant...

Elle se détourna en soupirant. Maddy était une fille à l'esprit pratique et raisonnable. Elle ne pouvait se permettre de faire de sa vie un rêve, comme Rose. Il fallait donc qu'elle s'applique à trouver un mari. L'amour et le désir n'avaient rien à voir avec cela, bien sûr, à moins que M. Wakely n'éprouve ces sentiments pour elle.

Elle se coucha. La journée avait été épuisante, aussi s'endormit-elle dans l'instant. Sans surprise, ses rêves la ramenèrent aussitôt vers Kit.

Elle revécut chaque baiser, chaque caresse. Elle éprouva ce besoin intense au plus profond de son ventre et elle s'y abandonna. Dans son sommeil, les convenances n'avaient pas leur place. Submergée de désir, elle pouvait le sentir, là, contre elle. Un sourire se forma sur ses lèvres et elle ouvrit les yeux.

Kit était là, dans son lit. Et il était bien réel.

17

Kit aurait dû être à bord de son navire. Effectuer les réparations nécessaires, entasser la cargaison dans les cales et prendre le large. Partir loin, dans des pays où personne ne parlait sa langue et où on n'avait jamais vu d'homme blanc. Il aurait dû quitter l'Angleterre sans même un regard derrière lui. Au lieu de cela, il se tenait sous la fenêtre de Maddy, comme un pauvre gamin amoureux.

Cela faisait plus d'une heure qu'il attendait. Il l'avait vue se préparer pour la nuit, puis se mettre à la fenêtre. Il avait mémorisé les expressions qui passaient sur son visage, éclairé par la pleine lune. Il n'en croyait pas ses yeux. Elle ne pouvait pas éprouver le même désespoir que lui ! Pourtant la tristesse se lisait sur ses traits : elle était hantée par un chagrin si profond qu'il eut peur de ne jamais pouvoir le chasser. Pourtant, elle résistait et refusait de se laisser consumer par le chagrin. Kit le voyait à la façon dont elle serrait la mâchoire et crispait les doigts sur le chambranle.

Que se serait-il passé si les choses avaient été différentes ? S'il n'était pas tombé malade et que le maudit Michael ne l'avait pas jeté au fond d'un navire marchand en partance pour les Amériques ? Si le père de Maddy n'était pas mort, si elle était restée vivre à la campagne ?

Comment ses sentiments pouvaient-ils faire aussi parfaitement écho aux siens ? Quand elle souffla la bougie, il sut qu'elle allait se coucher et pleurer, comme l'autre nuit. Les larmes viendraient dans son sommeil.

Il ne pouvait pas la laisser ainsi. Pas ce soir. Il pouvait soulager sa peine.

Il se mentait à lui-même. Il en prit conscience tout en escaladant le mur. La dernière chose dont Maddy avait besoin, c'était d'un homme comme lui dans sa vie. Kit vivait dangereusement et elle l'ignorait. Certes, l'argent de Brandon lui permettrait d'avoir un navire en bon état, mais cela ne lui assurait pas une cargaison, et encore moins un bénéfice. Mille catastrophes pouvaient survenir lors d'un voyage, il était bien placé pour le savoir. Un simple changement de vents pouvait le ruiner. Et tout cela n'était rien en comparaison des démons qui le possédaient.

Il ne pouvait apporter que souffrance à une femme, et il ne pouvait prendre le risque de faire du mal à son ange. Cependant tout son être tendait vers elle. Tant qu'il restait maître de lui, elle n'avait pas à craindre pour sa virginité.

Il pénétra dans la chambre et la trouva endormie, s'agitant sous les draps. Ses joues étaient humides de larmes, et elle portait une chemise de nuit usée. À quoi rêvait-elle ? Ses seins se dressaient à travers l'étoffe. Il caressa la pointe du bout de son pouce. Elle se cambra en ouvrant les yeux.

— Ne dites rien, mon ange, chuchota-t-il. Je ne pouvais pas partir sans vous avoir revue. Je ne prendrai pas votre virginité, je vous en fais la promesse. Mais laissez-moi vous caresser.

Elle s'humecta les lèvres sans prononcer un mot. Kit lui déboutonna sa chemise. Il aurait donné cher pour pouvoir s'enfoncer dans la chaleur de son corps, mais il l'avait déjà suffisamment déshonorée, il n'irait pas plus loin.

— Ne criez pas, dit-il en repoussant les pans du vêtement.

Sa peau était diaphane, et ses mains basanées formaient un contraste saisissant sur sa chair délicate. Il se figea un instant avant de reprendre ses caresses. Il sentit la peau parcourue de mille frissons et son cœur qui tambourinait dans sa poitrine.

— Avez-vous peur de moi ?

— Non, murmura-t-elle.

— Vous devriez. Mon esprit est malade.

— Je me sens si seule, avoua-t-elle, les yeux pleins de larmes. Je crois que je deviens folle aussi.

— Non, mon ange. Vous n'êtes pas seule. Pas ce soir.

Les yeux mi-clos, elle se cambra pour mieux s'offrir.

— Chassez mon chagrin, Kit. Je vous en prie.

— Oui.

C'était une chose qu'il pouvait faire pour elle, même si cela ne durait qu'une nuit.

Kit l'étouffait de baisers. Il prenait un mamelon en bouche, caressait l'autre du bout des doigts. Rêve ou réalité, cela lui importait peu. Elle tremblait de plaisir.

Ce qu'elle faisait n'était pas convenable, elle le savait. Tout comme elle savait que tout ceci était bien réel. Elle s'en moquait. Elle se sentait vivante entre les bras de Kit, qui faisait surgir en elle des sensations étourdissantes. À chaque contact de ses lèvres sur sa peau, elle se trouvait plus belle, plus désirable. Son corps n'était plus source de honte, bien au contraire.

— Voulez-vous vous déshabiller ? hasarda-t-il, la bouche sur un sein.

Il repoussa le tissu sur ses épaules. Sans une hésitation, elle fit glisser le coton le long de ses bras. Puis elle souleva les hanches pour lui permettre de tirer la chemise vers le bas. Elle ne voulait dévoiler que son buste, mais Kit fut plus rapide qu'elle.

Il tira d'un coup sec et fit tomber le vêtement, avec les couvertures, sur le sol. Elle se retrouva complètement nue devant lui et plaqua instinctivement les mains sur son sexe et sa poitrine.

— Non, mon ange. Ne vous cachez pas, vous êtes belle.

Maddy se détourna en rougissant. Elle n'était qu'une traînée. Faire entrer un homme dans sa chambre était le plus grand péché imaginable, elle n'aurait jamais dû laisser la fenêtre ouverte.

— Ne pleurez pas. Oh, mon ange, ne pleurez pas.

Il la prit tendrement dans ses bras. Elle nicha la tête au creux de son épaule, tandis qu'il lui caressait le dos et les épaules. Elle essaya en vain de retenir ses larmes, qui vinrent mouiller la chemise de Kit. Elle pleura à gros sanglots, comme lorsqu'elle avait perdu son père.

Kit ne dit pas un mot, ou peut-être ne l'entendit-elle pas. Peu à peu, ses pleurs s'apaisèrent. Il lui tendit un mouchoir, alla prendre un linge sur sa table de toilette et le trempa dans la bassine. Cela laissa le temps à Maddy de se ressaisir. Elle ramena les couvertures sur elle et s'adossa au mur. Kit ne fit aucune remarque et attendit patiemment qu'elle se soit essuyé le visage avec le linge humide.

— Pourquoi vous mettez-vous à pleurer quand je vous dis que vous êtes belle ?

Elle voulut se détourner, mais il lui prit le menton d'une main ferme.

— Dites-moi, mon ange.

— Rose est belle. Elle est petite, délicate, ravissante. Moi, je suis... énorme !

— Ce n'est pas vrai !

Elle ne répondit pas. Elle s'était déjà regardée dans une glace et savait parfaitement de quoi elle avait l'air. D'ailleurs les gentlemen l'ignoraient, n'accordant d'attention qu'à sa cousine.

— Vous ne me croyez pas, dit-il gentiment.

Il se pencha pour lui prendre la main, l'obligeant doucement à déplier les doigts. Puis il les plaqua sur son sexe tendu de désir.

— Vous êtes belle, Maddy.

257

— Cela ne prouve rien. Chez moi, à la campagne, on disait que certains hommes étaient même attirés par les animaux. Vous faites peut-être partie de ceux-là.

— Certainement pas ! s'exclama-t-il, choqué.

Sa réaction la fit rire. Pleurer l'avait épuisée, et la journée avait été chargée de tant d'émotions. Elle se sentait vidée de ses forces. Et pourtant, son corps vibrait de désir lorsqu'il la regardait avec cette expression d'infinie tendresse.

— Vous êtes une entêtée, mon ange. Mais si vous ne croyez pas mon corps, laissez-moi vous bercer de mots.

— Kit…

— Je trouve Rose minuscule, elle est trop délicate et c'est une enfant gâtée.

Il prononça ces mots d'un ton si plat que Maddy eut un tressaillement de surprise. Profitant de cet instant de désarroi, il tira sur le drap pour dénuder ses seins pulpeux.

— Vous avez le genre de poitrine qui plaît à un homme. Et des hanches assez larges pour porter des enfants. Je vous trouve cependant un peu trop mince par rapport à votre taille.

Maddy fit la moue. Elle se savait trop grande. Jadis, les garçons du village se moquaient d'elle.

— Ce n'est pas la seule raison pour laquelle je vous trouve belle. Votre corps est robuste, ce qui vous rend encore plus désirable. Rose se briserait au travail. Mais vous, je vous ai vue transporter de l'eau, vous avez été malmenée par un fou, vous l'avez empêché de tuer son cousin, et tout cela sans qu'il n'y paraisse.

— Vous n'êtes pas fou.

— Je l'étais à ce moment. Et votre force est incroyable. C'est merveilleux de trouver un tel pouvoir chez une dame, dit-il en la prenant par les bras.

Maddy s'empourpra. Elle n'avait jamais considéré les choses sous cet angle. À en croire Kit, cette force dont elle avait honte faisait d'elle une femme exceptionnelle.

— Je pense souvent à ce premier soir. Vous aviez cette robe ridicule...

— Pourquoi détestez-vous autant mes robes ?

— Parce qu'elles cachent vos formes.

Il contempla sa poitrine avec un désir non dissimulé. Fasciné, il tendit la main pour les caresser.

— Dès ce premier jour, j'ai su que vous étiez faite pour moi, dit-il en prenant ses seins au creux de ses mains. Assez intrépide pour m'aider à maîtriser Alex. Assez forte pour exiger que l'on vienne chez vous. Vous accueillez un fou sous votre toit, vous lui préparez un bain et le rasez, tout en continuant de diriger la maison du comte.

Maddy ferma les yeux pour mieux se concentrer sur ses caresses. Elle n'éprouva pas la moindre gêne quand il repoussa le drap qui couvrait ses jambes.

— Vous avez des jambes magnifiques. Longues et gracieuses. J'aimerais les sentir nouées sur mes reins pendant que je vous pénètre.

Elle ouvrit brusquement les yeux, le cœur battant.

— Je veux vous donner du plaisir, Maddy. Votre virginité demeurera intacte, mais je veux vous donner tant de plaisir que vous ne pourrez m'oublier quand je serai parti.

— Je ne pourrai jamais vous oublier, Kit.

Il sourit, comme s'il doutait de ses paroles. Il voulut se pencher mais elle l'arrêta, lui posant une main sur les lèvres.

— Pourquoi ne voulez-vous pas m'épouser ? Est-ce parce que…

Il repoussa doucement sa main.

— Parce que quoi ?

— Parce que je suis une dévergondée, murmura-t-elle en détournant les yeux. Parce que je vous ai laissé me voir et me toucher comme seul un mari devrait pouvoir le faire.

— Oh, mon ange, ce n'est pas cela du tout. Je suis fou. Vous le savez mieux que personne.

— Ce n'est pas vrai ! protesta-t-elle en redressant les épaules. C'est juste que parfois, vous ne savez plus très bien où vous êtes.

Kit secoua la tête.

— Vous avez vu mes cicatrices ? Ce n'est pas le pire de mes souvenirs. J'ai dû faire des choses pour survivre, Maddy. Des choses épouvantables.

— Cela m'est égal.

— Parce que vous ne savez pas. Je dois partir, mon ange. Partir loin d'ici et réapprendre à être un homme.

Maddy se mordit les lèvres, consciente qu'il disait vrai.

— Je vous attendrai.

— Vous n'avez pas le temps. Il vous faut un époux, tout de suite.

— Mais vous pourriez…

260

— Non ! Même une femme aussi forte que vous finirait par être anéantie. J'ai brisé des hommes et des femmes, Maddy. Je les fouettais quand ils pleuraient, je les vendais comme esclaves.

— Ce n'était pas votre faute ! On vous obligeait à le faire. Vous étiez vous-même esclave.

— Ce n'est pas une excuse, répondit-il, le regard vide. Et cela ne change rien à ce que je suis devenu.

Il avait une expression égarée.

— Laissez-moi vous embrasser, mon ange, chuchota-t-il. Me rappeler ce que c'est, d'aimer une femme.

Ces mots eurent raison de sa faible résistance. Quand il se pencha pour prendre sa bouche, elle alla à sa rencontre.

Elle s'offrit sans réserve. Il déposa une pluie de baisers sur son cou, ses épaules, ses seins. Puis il descendit sur son ventre et ses hanches, repoussa ses mains. Il se laissa glisser au bord du lit et lui embrassa le haut de la cuisse. Maddy releva la tête, surprise.

— Si je reste allongé à côté de vous, rien ne pourra m'empêcher de vous posséder, expliqua-t-il.

— Mais...

— Serrez un oreiller contre vous pour étouffer vos cris.

— Mais...

— Faites ce que je dis, mon ange. Je ne vous ferai aucun mal.

Elle obéit, sachant que ce qu'il lui ferait serait absolument scandaleux et incroyablement merveilleux.

— Faites-moi confiance, mon ange, murmura-t-il, les lèvres sur sa peau satinée.

Elle le laissa lui écarter doucement, mais fermement, les jambes, tandis qu'il continuait de l'embrasser. Le visage en feu, elle était contente de pouvoir se cacher derrière l'oreiller. Quand il s'insinua entre ses cuisses, elle ne fit rien pour l'en empêcher.

Puis elle sentit ses doigts se poser au plus secret de son intimité. Elle tenta un mouvement de recul, mais ne put se dérober. Et aussitôt après, il fit une chose encore plus choquante.

Il l'embrassa à cet endroit ! Sa langue effleura les pétales de sa chair. Une flèche brûlante lui transperça le ventre, et elle eut l'impression d'exploser. Mais ce n'était rien encore. Du bout de la langue, il pressa… elle n'aurait su dire quoi exactement. Mais il répéta ce geste plusieurs fois, et elle laissa échapper un long cri rauque.

Elle se cambra de tout son corps. Elle voulait qu'il recommence encore et encore. Mais alors, il introduisit un doigt en elle. Il le retira pour l'enfoncer de nouveau dans sa moiteur et elle se mit à gémir, sans pouvoir se contrôler. Ce n'était pas assez. Elle voulait plus.

Il recommença, avec deux doigts cette fois, et elle se laissa sombrer dans un océan de sensations étourdissantes.

Il se retira encore. Cette fois, il appuya de son pouce sur ce point incroyable et merveilleux. Le mouvement était à la fois trop rapide et trop doux, et elle avança le bassin pour se presser contre sa main.

— J'aime voir tes seins, murmura-t-il. Et voir ton corps bouger quand je te touche. Presse ton visage contre l'oreiller, mon ange. Fais-le.

Elle ne s'était pas rendu compte que le coussin était tombé sur le côté. Elle l'agrippa et s'en servit pour étouffer le cri qui montait dans sa gorge. Soudain, il pressa les lèvres sur le point mystérieux, le taquina du bout de la langue. Son corps se mit à vibrer au rythme de ses mouvements. Le sang lui battait aux tempes. Une chaleur intense montait de son bas-ventre.

Il continua de la caresser du bout de la langue, et ce fut l'explosion. Des vagues de plaisir déferlèrent jusqu'à l'étourdir, et elle cria.

Il imprimait de petits baisers sur ses cuisses, tandis que les vibrations continuaient de se répandre en elle.

C'était donc cela, l'amour physique. Ce que les dames pouvaient éprouver dans le lit conjugal. Elle aurait voulu pouvoir vivre pleinement cela avec Kit. Elle repoussa le coussin, toujours perchée dans un monde de félicité.

— C'était incroyable, balbutia-t-elle, haletante.

Il eut un sourire malicieux, puis l'embrassa encore une fois sur la cuisse avant de se redresser. Elle lui ouvrit les bras. Elle avait envie qu'il s'allonge sur elle.

— Venez, dit-elle.

Il eut un regard sombre, empli de désir, et rabattit le drap sur elle.

— Je n'ose pas.

— Juste un moment, Kit, dit-elle en se dressant sur un coude.

Il refusa d'un signe de tête.

— J'ai vu des hommes prendre des femmes dans leur sommeil. Nous étions entassés, les uns sur les autres. Les hommes tombaient de fatigue, ils devenaient des animaux, possédaient les femmes sans même réaliser ce qu'ils faisaient.

— Mais vous n'êtes pas...

— Je vous désire trop, Maddy.

Elle garda le silence un bref instant, avant de prendre sa décision.

— Eh bien faites-le. Possédez-moi.

— Prendre votre virginité ? Et ruiner votre réputation à jamais ?

— Oui.

Il serra les poings et fit un pas en arrière. Maddy souleva les couvertures. Le regard de Kit se posa immédiatement sur ses seins. Il ferma les yeux.

— Vous voudriez que je perde le peu d'honneur qui me reste ? murmura-t-il, la voix rauque. Le seul crime que je n'ai pas commis quand j'étais esclave, c'est le viol.

Elle se mit à genoux sur le lit, exposant ses seins ronds et gonflés.

— Vous ne violez pas une femme si elle est consentante.

Elle sauta vivement du lit et alla fermer la fenêtre.

— Je veux être surprise avec vous, Kit. Vous prendre au piège pour que vous deveniez mon mari.

Il écarquilla les yeux, en proie à une soudaine panique.

— Vous me voulez, envers et contre tout ?

— Oui.

Elle leva le menton, étonnée par sa propre audace. Éberlué, il la contempla un long moment avant de se reprendre et de laisser fuser un long soupir. Son visage se ferma.

— Je ne le ferai pas, dit-il froidement.

Elle s'attendait si peu à cela qu'elle ne comprit pas tout de suite.

— Quoi ?

— Je ne le ferai pas. Hurlez si vous voulez. Ameutez toute la maison, mais je ne vous épouserai pas. Vous ne pouvez pas forcer un homme qui n'a que faire de sa réputation.

Maddy cligna des paupières en ravalant ses larmes.

— Mais vous me désirez, pourtant. Vous me trouvez belle.

— C'est vrai. Mais la réponse est non.

Le coup fut si rude qu'elle posa une main contre sa poitrine comme pour s'empêcher de crier. Soudain, elle prit conscience de sa nudité. Il fit un pas en avant, mais elle se déroba. Elle se dirigea prestement vers sa robe de chambre, l'enfila et resserra les pans autour d'elle. Puis elle leva les yeux vers lui.

Planté au milieu de la chambre, il avait fourré les poings dans ses poches, l'air accablé.

Comment osait-il prendre l'air aussi malheureux ?

Elle aurait voulu dire quelque chose qui l'aurait blessé comme il venait de le faire. Demain matin, elle aurait sûrement des douzaines de railleries à lui lancer au visage. Mais pour l'heure, elle voulait qu'il s'en aille.

— Mon ange, vous croyez me vouloir maintenant. Je suis le premier homme qui vous ait donné du plaisir, et vous pensez pouvoir construire une vie là-dessus.

— Je ne suis pas une idiote !

— Et vous n'avez aucune expérience, ajouta-t-il en se passant une main sur le visage. Mon ange, je ne peux pas vous offrir la vie que vous méritez.

— Comment osez-vous entrer dans ma chambre, me faire vivre toutes ces choses et ensuite me dire que je ne sais pas ce que je veux ! Quelle arrogance ! Allez-vous aussi me dire que je ne peux pas épouser l'homme que j'ai choisi et me jeter au fond d'un bateau pour mon bien ?

Elle vit que ses paroles l'atteignaient en plein cœur.

— Mon ange...

— Maddy, rétorqua-t-elle. Mon nom est Maddy.

Il hocha la tête en se mordant les lèvres, l'air à la fois coupable et obstiné. Quoi qu'elle dise à présent, il ne changerait pas d'avis. Il ne l'épouserait pas.

— Sortez ! lança-t-elle d'une voix sifflante.

Il tressaillit comme si elle l'avait giflé. Son regard alla à la fenêtre, avant de revenir vers elle. Il ouvrit la bouche pour dire quelque chose, mais elle lui avait tourné le dos pour ne plus le voir.

Elle perçut son hésitation et, pendant un bref instant, son cœur se gonfla d'espoir. Il allait peut-être s'excuser. Changer d'avis et tomber à genoux pour lui demander sa main. Peut-être.

Puis elle entendit le châssis de la fenêtre remonter. Un moment plus tard, il atterrit sur la pelouse avec un bruit sourd. Puis plus rien.

Kit était parti.

18

— Vous avez mis un ruban de soie bleue, cette fois. C'est un excellent choix, qui change complètement l'allure de votre robe.

Maddy se retourna sur son siège pour voir le nouveau venu, bien qu'elle l'ait déjà reconnu à sa voix. Les intonations de M. Mitchell Wakely étaient particulières. Elle savait que sa réponse ne l'intéresserait pas, et elle se contenta de hausser un sourcil d'un air de défi.

— Ce n'est pas un si grand changement, puisque vous avez reconnu la robe.

— Ah, mais j'accorde beaucoup d'importance aux détails. Par exemple, je ne crois pas vous avoir déjà vue porter cette épingle. Que représente-t-elle ? demanda-t-il, les yeux étrécis. On dirait un arbre à l'envers.

— Vous avez raison, vu d'ici on pourrait croire que c'est un arbre !

— Où avez-vous trouvé cet ornement original ?

Elle fut sur le point de mentir et d'assurer que c'était un héritage qu'elle venait de recevoir. Une telle remarque aurait fait augmenter sa propre valeur de quelques centaines de livres sur le marché du mariage. Mais elle ne pouvait pas mentir à son futur époux. Ou plutôt à l'homme qu'elle espérait épouser.

— Ce bijou ne m'appartient pas, avoua-t-elle. On me l'a confié. Il paraît que cela représente un paon.

— Hmm, fit-il en examinant l'objet de plus près. C'est une broche de trop grande valeur pour être confiée à une jeune fille.

— Oh, fit-elle avec un haussement d'épaules désinvolte. Je la trouve assez laide.

Elle se mit à arranger les plis de son foulard, afin de dissimuler la broche. Elle n'aurait pas dû porter le cadeau de Kit alors qu'elle essayait d'attirer l'attention d'un autre homme, mais elle avait besoin de quelque chose pour agrafer le col de sa robe de bal. Lasse d'emprunter ses affaires à Rose, elle s'était décidée pour la broche. M. Wakely lui prit la main pour l'empêcher de cacher le bijou.

— Non, non, laissez. Il me semble que c'est bien un paon. Gardez-la, Maddy. Mais ne dites à personne qu'elle n'est pas à vous.

Les joues de la jeune femme s'empourprèrent. Elle aurait dû le réprimander de l'avoir appelée par son prénom, mais elle n'en eut pas le cœur. Deux mois s'étaient écoulés depuis le départ de Kit. La saison tirait à sa fin, et personne n'avait demandé sa main, ni celle de Rose. Chaque jour qui passait était une torture pour les deux jeunes filles.

268

Rose se trouvait favorisée, bien que cette dernière ne soit pas de cet avis. Son père pouvait fulminer au sujet de ses dépenses, il ne jetterait pas sa propre fille à la rue. Maddy n'avait pas droit à ce traitement de faveur. Ce matin même, son oncle lui avait fait la surprise d'une visite. Il n'avait pas mâché ses mots, lui répétant qu'elle n'avait aucune chance d'obtenir une demande aussi tard dans la saison. Et comme Rose avançait en âge, elle n'aurait bientôt plus besoin de chaperon. Par conséquent il souhaitait officialiser son arrangement avec Maddy. Il était même prêt à signer un contrat faisant d'elle sa maîtresse officielle. Elle continuerait de s'occuper de la maison et partagerait sa couche. En retour, il lui allouerait une somme conséquente lorsqu'il se serait lassé d'elle. Ce genre de contrat était la grande mode du moment, expliqua-t-il. Presque comme un mariage.

Mais cela n'en était pas un. Maddy avait refusé l'offre en termes clairs et concis. Aussi lui avait-il signifié son congé : dans une semaine, elle serait à la rue. Elle regrettait de ne pas avoir eu la présence d'esprit de le faire sortir de sa chambre à ce moment. Elle s'était contentée de le regarder, les yeux brûlants de larmes contenues.

Après son départ, elle avait pris une décision. Elle deviendrait gouvernante ou couturière. Ou ramoneur, s'il le fallait. Mais elle ne serait jamais la maîtresse de son oncle. Demain à la première heure, elle se rendrait dans un bureau de placement. À moins qu'elle n'amène M. Wakely à faire sa demande ce soir, bien entendu.

— Je suis heureuse de vous voir.

— On est toujours sûr de me trouver dans les lieux fréquentés par les jolies femmes.

Un compliment banal, le genre de phrase que l'on entendait les soirs de bal. Mais la façon dont il la fixa la fit rougir. La trouvait-il vraiment à son goût ? Alors que Rose était juste à côté ?

— Ah, j'aime voir vos joues se colorer. Vous étiez trop pâle, ces temps derniers.

Cela venait du fait qu'elle tenait la maison de son oncle le jour et cherchait désespérément un mari le soir, mais elle se garda bien de le dire. Elle décida d'aller droit au but. Elle ne pouvait pas attendre davantage.

— Pourrions-nous faire un tour dans la salle de bal ? La prochaine danse va commencer dans quelques minutes.

— Allons vers la fenêtre, il y fait un peu plus frais.

— Excellente idée, dit-elle en lui prenant le bras.

Repoussant résolument toutes pensées concernant un certain pirate, elle se concentra sur la façon de persuader M. Wakely de faire sa demande.

— La saison est bientôt finie, dit-elle en tournant ses regards vers la fenêtre ouverte. Resterez-vous en ville ou comptez-vous rendre visite à votre famille, dans le nord ?

— Oh, je resterai ici. Un banquier a toujours du travail à terminer.

Elle rit et s'interrompit brusquement, confuse. Son rire trop strident évoquait à ses propres oreilles le hennissement d'un cheval !

— Quelque chose ne va pas, mademoiselle Wilson ? Vous paraissez nerveuse.

— En effet, admit-elle, se rappelant que son compagnon appréciait la franchise.

— Y a-t-il une raison particulière à cela ?

— Mon oncle envisage de me mettre à la rue dans une semaine, à la fin de la saison. Oh, mon Dieu ! Comment ai-je pu oser vous révéler cela ?

Les yeux de M. Wakely s'assombrirent.

— Allons un peu plus loin, voulez-vous ? Si nous continuons de parler à mi-voix et que nous ne cessons pas de marcher, personne ne nous entendra.

Maddy acquiesça et avança d'un pas égal, contournant avec lui les quelques groupes de la bonne société qui se trouvaient encore à Londres.

— Pourquoi votre oncle ferait-il une chose pareille ? demanda-t-il d'un ton neutre.

— Parce qu'il est las de m'entretenir.

M. Wakely haussa les sourcils, l'air sceptique.

— Je doute que vous lui coûtiez bien cher. Vous n'avez que trois robes, achetées par lady Rose, qui le chante sur tous les toits. Et si vous partiez, il faudrait qu'il engage une gouvernante. Vous ne faites pas dépenser de l'argent à votre oncle, il en gagne grâce à vous.

— Je vous remercie. J'ai appris à être économe.

— Ce qui me ramène à ma première question. Pourquoi prendrait-il une décision aussi drastique ? Il connaît votre valeur, je vous assure. Le comte est assez près de ses sous pour savoir cela.

Maddy trébucha, déconcertée.

— Vraiment ?

— Il le sait, Maddy. Souriez et continuez de marcher.

— Vraiment ? Vous pensez qu'il est conscient de tout le travail que j'accomplis dans la maison ?

— Oui, fit M. Wakely en lui tapotant la main. Donc, qu'est-ce qui l'a poussé à faire ce... choix récemment ?

Le choix de la mettre à la porte. La réponse était évidente. Il lui forçait la main, devinant qu'elle céderait à ses avances de peur de se retrouver à la rue.

— Je ne le ferai pas, déclara-t-elle fermement. Je ne deviendrai pas sa maîtresse juste pour avoir un toit !

— Ah. Je m'en doutais.

Maddy n'entendit pas sa remarque. Elle était trop occupée à fulminer tout bas.

— Dire qu'à mon arrivée à Londres je le considérais comme le meilleur des hommes ! Je n'aurais jamais cru qu'il puisse s'abaisser à cela. Je croyais qu'il ignorait tout du fonctionnement d'une maison. Mais il sait à quel point je lui suis utile et il exige encore davantage ! Et quelle exigence ! Oh, je voudrais lui arracher les yeux !

M. Wakely ne répondit pas. Il continuait de marcher avec elle, lui demandant simplement de baisser le ton de temps en temps. Elle sentait qu'il était en colère, mais il saluait aimablement les gens qu'ils croisaient.

Maddy finit par se calmer. Quoi qu'elle dise, cela ne changerait rien à la situation. Son oncle la mettrait à la porte dans quelques jours.

Les secondes s'écoulèrent avant que M. Wakely prenne la parole.

— Qu'avez-vous l'intention de faire ?

— J'irai me présenter dans une agence de placement dès demain. Je pourrais devenir gouvernante.

— J'en suis certain, mais je crains que personne ne vous engage.

Il prononça ces mots d'un ton si neutre et si poli, qu'elle ne comprit pas tout de suite.

— Quoi ? Mais pourquoi ?

— Mademoiselle Wilson, toute agence soucieuse de sa réputation fera une enquête sur votre passé avant de vous recommander à un client.

— Mon passé est exemplaire.

— Pas si... je vous demande pardon, Maddy, mais...

Maddy voulut s'arrêter et croiser son regard, mais il l'obligea à continuer d'avancer dans la foule.

— Mitchell, qu'essayez-vous de me dire ?

— Vous ne serez pas engagée si vous avez été la maîtresse d'un comte pendant trois ans.

— Mais c'est justement ce que je vous dis. Je refuse de le devenir !

M. Wakely secoua tristement la tête.

— Il y a quelques mois, le comte a commencé à répandre le bruit que vous étiez sa maîtresse depuis votre arrivée à Londres.

— C'est ridicule ! s'exclama-t-elle, d'une voix aiguë.

— Naturellement, et j'ai compris il y a plus d'un mois que c'était un mensonge.

— Plus d'un mois... répéta-t-elle, stupéfaite.

Son oncle la calomniait donc depuis le début ! Il lui fallut un moment pour absorber les implications de cette information.

— Je n'avais donc aucune chance de trouver un mari ! Il a ruiné ma réputation.

— Eh bien, oui. Avec beaucoup de discrétion. Il a annoncé clairement qu'il briserait l'homme qui oserait en parler.

— Alors que c'est lui-même qui a créé la rumeur !

— Oui. Et je pense que sa stratégie s'est retournée contre lui, car elle a visiblement gâché les chances de Rose. Il est assez déplaisant de faire la cour à une jeune fille devant la maîtresse de son père, comprenez-vous.

— Mais je ne suis pas sa maîtresse !

— Je sais, je sais.

Il l'entraîna vers un banc. Ils se trouvaient dans le hall de la maison où des gens allaient et venaient. Maddy s'assit. Elle avait l'impression que le monde basculait. Son oncle la faisait chanter pour qu'elle devienne sa maîtresse. Cela, elle le savait déjà. Mais ce qu'elle ignorait, c'était qu'il possédait un esprit assez froid et calculateur pour ruiner toutes ses chances avant même son entrée dans le monde !

— C'est mon oncle, dit-elle d'une voix faible.

M. Wakely soupira, l'air malheureux, tout en continuant de lui tapoter la main. La scène était tellement différente de ce qu'elle avait imaginé ! Elle qui croyait qu'ils échangeraient un baiser passionné, comme deux personnes qui viennent de se fiancer !

— C'est pour cette raison que vous n'avez pas demandé ma main le mois dernier ? Vous pensiez que j'étais sa maîtresse.

— Comme je vous le disais, je me suis rendu compte que c'était faux. Mais je suis banquier, mademoiselle Wilson. Ce métier est régi par un code moral très strict. Personne ne confierait son argent à une personne dont la moralité est douteuse. Dans ma profession, un homme doit donner l'apparence d'une personne intouchable moralement. Son éthique professionnelle doit être inébranlable, ses distractions modestes et... son épouse irréprochable.

Maddy comprit enfin le dilemme de M. Wakely. Il était fils cadet. Il n'avait pas de titre, pas de revenus en dehors de ce que lui rapportait son travail quotidien. Il avait fréquenté les meilleures écoles, avait des amis haut placés, mais il se tenait sur le piédestal fragile de l'opinion publique. Si sa moralité venait à être remise en question, il risquait de tout perdre.

— Vous ne m'avez pas demandé ma main parce que ma réputation avait été détruite, sans que je le sache.

— Vous me plaisez, mademoiselle Wilson. Et je pense que je pourrais vous aimer.

L'espoir gonfla le cœur de Maddy. Mais un regard suffit à lui faire comprendre que Wakely n'allait pas s'agenouiller.

— Je ne suis pas facilement influencé par l'opinion publique, mademoiselle Wilson. Et je crois qu'on vous a fait beaucoup de tort.

Il lui prit le menton entre les doigts et lui fit tourner la tête vers lui. Il demeura à distance respectable, mais le geste n'en était pas moins extrêmement intime.

— Je vous trouve loyale et vaillante. Vous êtes quelqu'un d'équilibré et vous avez bon cœur. Pour moi, ce sont des qualités très importantes.

— Mais ce n'est pas de l'amour.

— Je ne suis pas un homme de passions, avoua-t-il dans un soupir.

— Alors pourquoi m'avez-vous courtisée pendant des semaines, m'invitant à danser soir après soir ?

Il pencha la tête et haussa les épaules, comme pour s'excuser.

— Je tâtais le terrain pour ainsi dire.

— Pour savoir si vous ressentiez de l'amour envers moi ?

— Oui. Et aussi pour voir la réaction de mes clients. Mon intérêt pour vous a été remarqué.

— Et qu'ont-ils dit ?

— La moitié d'entre eux ont eu vent des rumeurs sur votre... réputation. Deux en ont été informés directement par le comte.

Maddy était trop accablée pour prononcer un mot.

— Si ce que j'éprouve est de l'amour, Maddy, je vous épouserai tout de même. Mais je préférerais attendre d'être mieux établi dans la profession. Il ne servirait à rien de nous marier pour finir ensemble à l'hospice...

— Comment... comment saurez-vous si vous m'aimez ? chuchota-t-elle, les lèvres contre son éventail.

Wakely soupira. Un essaim de jeunes filles passa dans le hall en courant pour se rendre sur la piste de danse. Les musiciens accordaient leurs instruments.

— Je dois vous ramener à votre cousine, dit-il en lui tendant la main. Vous avez un cavalier pour la prochaine danse, n'est-ce pas ?

Elle ne s'en souvenait pas, et cela lui était égal. À quoi bon danser quand tout le monde la prenait pour une dévoyée ?

— Comment saurez-vous ? répéta-t-elle d'une voix sourde.

Il semblait profondément malheureux. Pourquoi ne lui avait-il pas parlé plus tôt ? songea-t-elle, soudain furieuse.

— Comment ? Et quand ?

— Je ne sais pas, avoua-t-il. Je suis désolé. Permettez-moi de vous rendre visite demain. Nous pourrons parler davantage.

Elle acquiesça, car elle n'avait pas le choix. Il lui fallait attendre son bon plaisir. À moins qu'elle ne devienne ramoneur, songea-t-elle avec un petit rire nerveux. Sa réputation ne lui permettait pas de faire grand-chose d'autre. Sauf qu'elle avait des hanches trop larges pour passer dans le conduit d'une cheminée…

— Ah, je vois mon cavalier à côté de Rose, s'exclama-t-elle en se levant. Merci de votre compagnie, monsieur Wakely.

— Mademoiselle Wilson… Maddy…

— Demain, monsieur Wakely. Venez me voir demain.

Il hésita, mal à l'aise. Elle lui fit une gracieuse révérence et s'éloigna vivement.

Elle ne manqua pas une seule danse, bien qu'elle n'eût su dire qui avaient été ses cavaliers.

Elle n'essayait plus de flirter. À quoi bon, quand la partie était jouée d'avance ?

Puis elle retourna s'asseoir tristement parmi les jeunes filles qui faisaient tapisserie, en attendant la fin de la soirée. Elle passa un moment à maudire son oncle, souhaitant le voir frappé par la foudre.

Cette idée lui plut tellement qu'elle faillit ne pas faire attention au gentleman qui se présenta devant elle. Ses vêtements étaient neufs, d'une couleur brune intemporelle. Ses chaussures étaient assez jolies. De vieilles bottines confortables, qui avaient vu d'autres paysages que les salles de bal londoniennes. Son père avait possédé les mêmes.

— Excusez-moi, mademoiselle Wilson. Me feriez-vous l'honneur de m'accorder cette danse ?

Maddy se figea. Elle connaissait cette voix. Elle en rêvait depuis des semaines. Mais il ne pouvait pas se trouver là ! Juste ce soir.

C'était pourtant lui. Il lui tendit la main en souriant.

— Kit ?

— Dansez avec moi, Maddy. Je vous en prie.

— Mais c'est une valse.

— Tant mieux, répondit-il avec un sourire détendu.

19

Doux Jésus, comme elle était belle ! Le cœur de Kit battait si follement qu'il pouvait à peine parler. Chaque soir, depuis son départ de Londres, il avait pensé à son ange. Il la voyait dans une affreuse robe, qu'il lui enlevait lentement.

Ce soir, sa robe n'était pas hideuse. La soie blanche et scintillante mettait en valeur ses seins ronds et sa taille fine, révélant une silhouette exquise. Un simple ruban bleu, croisé sous la poitrine, retombait sur la jupe et soulignait sa haute taille. Un foulard bleu couvrait sagement le décolleté, agrafé par la broche ancienne.

— Vous êtes époustouflante ! Je veux que vous remettiez vos vieilles hardes, cette robe vous rend trop belle.

Elle le regardait bouche bée, pâle comme un fantôme. Ses paroles l'aidèrent à se ressaisir, et elle reprit des couleurs.

— Maddy, que se passe-t-il ? Êtes-vous malade ? Mangez-vous à votre faim ? s'enquit-il, alarmé.

Elle battit des cils et redevint en quelques secondes une dame de la bonne société. Son regard se ferma, ses épaules se redressèrent.

— Monsieur Frazier, j'ignorais que vous étiez en ville, remarqua-t-elle d'une voix qui tremblait un peu.

— Je suis arrivé il y a deux jours. Il m'a fallu tout ce temps pour me renseigner sur l'endroit où vous seriez ce soir et obtenir une invitation.

Elle ne sut que répondre et détourna les yeux, les mains toujours croisées sur ses genoux. Il était sur le point de la questionner, quand une voix fluette s'interposa.

— Monsieur Frazier, c'est bien vous ! s'écria Rose.

Kit se retourna à contrecœur. La couturière de lady Rose s'était surpassée, et celle-ci était engoncée dans une dizaine de couches de dentelles.

— Lady Rose ! Vous êtes aussi appétissante que la garniture d'un gâteau ! Votre robe est remarquable.

— Je sais ! fit la jeune fille en gloussant. Plus la robe de Maddy est sobre, plus je porte de fanfreluches !

— Tournez donc sur vous-même que je puisse vous admirer.

— Oh, monsieur Frazier, ce n'est pas convenable ! Mais vous le demandez si gentiment. Un seul tour alors, sinon Maddy me grondera !

La jeune fille se mit à tourbillonner sur elle-même, de plus en plus vite, faisant virevolter ses volants de dentelle. Elle fit huit tours avant de s'arrêter, essoufflée et les joues en feu.

— Mon Dieu ! cria-t-elle, en feignant de tomber contre Kit. Je me trouve mal.

Il la rattrapa, naturellement, et elle s'appuya longuement sur son bras.

— Pas du tout. Vous êtes en parfaite santé. L'un de vos cavaliers doit vous attendre, ajouta-t-il en cherchant un moyen de se débarrasser d'elle.

— Oh, monsieur Frazier, je ne savais pas que vous seriez là ce soir !

Il lui prit le poignet pour examiner son carnet de bal. Comme il s'en doutait, toutes les danses étaient retenues.

— Vous n'avez pas la moindre disponibilité pour moi. Demain soir, peut-être. Dites-moi où...

— À Vauxhall, pour le dernier bal de la saison. Ensuite, tout le monde partira à la campagne. La comtesse de Thorndale a retenu une loge.

Lily, sa maudite cousine. Michael serait-il là également ?

— Excellent, fit-il en saluant avec élégance. Je vous y retrouverai. À présent, ajouta-t-il en désignant un gentleman impatient derrière elle, je crois que votre cavalier ne peut se passer plus longtemps de votre présence éclatante.

— Oh, monsieur Frazier ! répondit Rose, avec un gloussement ravi. Je ne suis pas sensible à la flatterie.

— Menteuse.

Il lui pinça la joue, et ce geste impertinent arracha à la jeune fille un petit cri de surprise.

— La danse va commencer, lui rappela-t-il gentiment.

— Oh, oui. Oui !

Elle se dirigea vers son cavalier, tout en gardant les yeux fixés sur Kit. Celui-ci sourit et lui fit un petit signe de la main, mais son esprit était tout tourné vers la jeune femme assise derrière lui.

— Vous portez ma broche, remarqua-t-il en pivotant sur les talons.

— Voulez-vous la reprendre ?

— Non, non ! Je n'ai toujours pas trouvé d'acheteur.

— Je pense pouvoir vous aider. Vous savez, cette baronne norvégienne dont je vous ai déjà parlé ? Elle adore les paons. C'est une dame adorable.

— Vous pensez qu'elle achèterait la broche que je vous ai donnée ?

Maddy s'empourpra et baissa les yeux.

— Je sais que je ne devrais pas la porter, vous me l'avez simplement confiée pour qu'elle soit en sécurité. Rose m'a questionnée, mais je lui ai dit qu'elle était fausse. Elle l'a trouvée très laide. Elle était de mauvaise humeur ces temps-ci, mais votre retour semble lui avoir fait plaisir.

— Et vous ? Êtes-vous heureuse de me voir ? Vous êtes très en beauté ce soir, cependant j'ai le sentiment que quelque chose vous attriste.

Maddy plaqua un sourire sur ses lèvres.

— Pas du tout, je vais très bien, monsieur Frazier. La baronne serait très heureuse si vous lui proposiez cette broche, j'en suis certaine. Elle est très riche et vous en offrirait bien plus qu'un joaillier. Surtout si vous pouviez associer une histoire romantique à ce bijou.

— Maddy...

— Les gens... et surtout les femmes, ont besoin de romantisme, monsieur Frazier, dit-elle en lui prenant la main. Racontez-lui une histoire d'amour, et elle vous donnera une belle somme pour cet objet.

— Même si c'est un mensonge ?

Elle laissa sa main retomber.

— Les histoires d'amour sont toujours des mensonges, mais nous faisons tout de même semblant d'y croire.

Il comprit alors. Quelqu'un, ou quelque chose, lui avait brisé le cœur au cours de ces dernières semaines. Elle avait perdu toutes ses illusions.

— Mon absence a duré trop longtemps, n'est-ce pas ?

Elle fit la moue, évitant de croiser son regard.

— Je ne sais pas, monsieur. J'essaye simplement de trouver une solution à votre problème financier.

— Pouvez-vous tout arranger pour moi ? Faire les présentations ?

Il n'avait pas besoin de vendre cette broche, mais il aurait fait n'importe quoi pour retenir l'attention de Maddy.

— Bien sûr. Cela prendra quelques jours. Peut-être une semaine. Avez-vous une carte afin que je puisse vous contacter ?

Il lui en tendit une, et elle la prit avant que leurs doigts aient pu s'effleurer.

— Merci, monsieur Frazier. Je crains de devoir décliner votre invitation, je suis trop fatiguée pour danser.

— Bien sûr, dit-il, bien qu'il ne fût pas dupe.

Elle mentait pour se débarrasser de lui, et cette idée le blessa profondément.

— Quant à la fenêtre de ma chambre, Monsieur Frazier, elle sera fermée ce soir. Comme tous les autres soirs.

C'était indéniable, elle entendait le tenir à distance. Il ne pouvait pas lui en vouloir. Il s'était montré cruel, mais il n'avait pas eu le choix. Comment aurait-il pu prendre une épouse, alors qu'il était susceptible de la tuer dans un accès de rage ?

— Bien sûr, mademoiselle Wilson. Je n'en attendais pas moins d'une demoiselle aussi convenable que vous.

Il la vit réprimer une grimace.

— Maddy...

— Vous semblez aller beaucoup mieux, monsieur Frazier. Je suis contente pour vous.

Il crut déceler une pointe de nostalgie dans son regard. Mais elle disparut aussitôt. Maddy se leva, le visage fermé, et arrangea son foulard de façon à cacher la broche.

— Je vais rejoindre les dames dans le salon de repos, annonça-t-elle. La saison a été plus fatigante que je ne le croyais.

— Puis-je vous accompagner...

— Bonsoir monsieur, dit-elle froidement en passant devant lui.

— Tu as vu comme il était beau ? Et il se souvenait de moi ! Oh, je suis si excitée qu'il soit revenu ! Et juste au bon moment ! Je commençais à désespérer, mais à présent il est là !

284

La voix haut perchée de la jeune fille résonnait dans l'habitacle sombre de la voiture. Maddy espérait que sa cousine avait oublié M. Frazier, mais ce n'était pas le cas. Les rêves de Rose étaient plus vivants que jamais, elle voulait épouser son pirate !

— Ce n'est pas parce qu'il est de retour qu'il veut se marier, fit-elle observer. Et nous ne savons rien de lui. Ton père voudra connaître sa situation avant de l'autoriser à te faire la cour.

— Oh, père n'est pas aussi regardant que tu le crois, répliqua Rose avec une moue dédaigneuse. Il m'a encore dit hier qu'il était temps que je trouve quelqu'un. Comme si je n'essayais pas !

— Qu'a-t-il dit exactement ?

— Que j'allais être majeure dans un mois et qu'il fallait que je cesse de me comporter comme une petite fille. Il voudrait que je m'habille et me comporte davantage comme toi.

— C'est pour cela que tu as choisi cette robe ce soir ? Pour le narguer ?

— Eh bien oui, avoua Rose, un peu nerveuse. Papa ne connaît rien à la mode, après tout. Ce genre de robe est le meilleur moyen d'attirer l'attention d'un homme. Tu n'as pas entendu ce que disait M. Frazier ?

— Je ne pense pas que tu devrais te fier au goût de M. Frazier. Son costume était d'une grande sobriété.

À vrai dire, il était splendide, avec son costume chocolat et sa chemise de lin blanc. Maddy ne l'avait jamais trouvé aussi beau.

— Mais il avait raison pour tes robes, tu te rappelles ? Et puisque je vais l'épouser, son opinion compte beaucoup pour moi.

— Mais Rose, tu…

— Je t'ai vue avec M. Wakely. Est-ce qu'il t'a embrassée ? Il est fou de toi ?

— Non, non.

Maddy laissa son regard errer par la fenêtre. Elle devrait expliquer à Rose ce que son père avait fait. Mais Rose aimait son père, et Maddy n'avait pas le courage de lui révéler cet aspect de sa personnalité.

— Je n'épouserai pas M. Wakely, dit-elle doucement.

— Ne dis pas cela ! Il faut juste que tu le provoques un peu pour qu'il se montre plus passionné !

— Non, Rose, cela n'arrivera pas. Ce qui signifie que je devrai quitter la maison dans une semaine.

— Il faut le laisser t'embrasser, Maddy. Et… Quoi ? Attends… que dis-tu ?

Maddy se pencha et prit la main de sa cousine.

— Tu es devenue une belle jeune fille. Je suis heureuse d'avoir participé à ton éducation.

— Oui, mais pourquoi parles-tu de partir ?

— Ton père a décidé qu'il ne voulait plus m'entretenir. Il m'a demandé de quitter la maison.

— Quoi ? s'exclama Rose en mettant une main devant sa bouche. C'est ridicule ! Il ne peut pas te renvoyer ! Je veux que tu restes avec moi !

— J'aimerais bien, répondit Maddy, émue par la réaction de sa cousine. Mais il a été très clair.

— Était-il en colère pour quelque chose ? Avons-nous trop dépensé pour les chandelles ?

— Non, il était calme et rationnel. Je peux te dire qu'il avait bien réfléchi.

— Mais c'est idiot. Où vas-tu aller ?

— Je vais chercher un emploi.

Quel genre d'emploi, elle n'en avait pas la moindre idée. Avec sa réputation, elle ne pouvait même pas prétendre à un poste de domestique.

— Papa changera d'avis.

— Je ne crois pas.

— M. Wakely...

— Non, Rose.

Elle soupira, résignée. Elle finirait bien par trouver une solution.

— C'est ridicule ! déclara Rose en croisant les bras. Je parlerai à papa demain, à la première heure.

Maddy ne fit aucun commentaire. Elle ne voulait pas espérer que Rose réussirait à faire changer d'avis son père. Et même si la jeune femme y parvenait, voudrait-elle rester ? Elle frissonnait de dégoût à l'idée de ce qu'il avait fait. Si elle avait pu, elle serait partie sur-le-champ.

— Tout ira bien, affirma-t-elle tout haut.

— Bien sûr. Quand je serai mariée avec M. Frazier, tu viendras habiter chez nous.

— Oh, Rose, tu ne peux pas compter sur...

— Tais-toi, Maddy ! Maintenant qu'il est de retour, rien ne m'empêchera de l'épouser. Tu sais bien qu'il viendra à Vauxhall demain soir juste pour me voir ? Ne t'inquiète pas, Maddy, tout va fonctionner comme prévu. J'aurais tout de même préféré que tu me laisses plus d'une semaine pour régler cette affaire !

Maddy ne répondit pas. Rose pouvait croire ce qu'elle voulait. Après tout, Kit s'était donné en spectacle, avec tous ses compliments. Peut-être était-il revenu en ville pour trouver une épouse ? Peut-être était-ce Rose qu'il voulait ? Tout était possible…

Quoi qu'il en soit, elle était sûre d'une chose. Elle ne serait la maîtresse de personne. Ni de son oncle ni de Kit. Il n'y aurait plus de visites clandestines au milieu de la nuit. Elle était une jeune femme convenable et ne céderait pas. Elle préférait encore devenir ramoneur. Ou femme de chambre.

— Ne soupire pas ainsi, Maddy. Je ne supporte pas de te voir triste.

— Très bien, dit-elle, attendrie par la gentillesse de sa cousine. Je me repose sur toi.

— D'accord ! Il faut établir un plan !

Maddy ne put s'empêcher de rire. Rose avait toujours besoin d'un plan.

— En fait, M. Frazier m'a demandé de l'aider, mais je crois que tu serais mieux placée pour le faire. Il voudrait… euh… m'aider à vendre cette broche à la baronne Haugen.

— Cette vieille taupe ?

— Rose ! Elle est très gentille ! Et elle adore les paons. M. Frazier va lui faire croire que ce bijou fait partie d'un butin de pirate et la lui vendre. Voudrais-tu t'arranger pour faire les présentations ? Cela te permettra de passer plus de temps avec M. Frazier.

— Je sais ce que nous allons faire ! C'est toi qui te chargeras des présentations, tu es bien plus douée que moi pour ça.

— Mais...

— Écoute-moi. Tu vas aller trouver la vieille taupe, et bavarder avec elle. Tu es plus patiente que moi. Vends-lui la broche et persuade-la de la porter à Vauxhall demain soir.

— Mais Rose, je n'aurai pas le temps !

— Débrouille-toi. Ce bal est le dernier de la saison et elle risque de repartir en Norvège après-demain.

— Mais...

— Écoute. Je verrai la broche sur elle à Vauxhall et je m'extasierai sur la beauté du bijou. Tout le monde fera comme moi naturellement, puisque je suis devenue une référence en la matière depuis que j'ai changé ta garde-robe.

Maddy ne dit rien, mais cela datait déjà de six semaines, c'est-à-dire une éternité selon les critères de la bonne société.

— Après cela, M. Frazier deviendra la coqueluche de Londres, tout le monde voudra porter ses bijoux.

— Tu ne trouves pas ce plan un peu compliqué ? Rose haussa les épaules.

— Il y a quelques conditions, mais cela fonctionnera. N'aie crainte. Je sais exactement comment il faut s'y prendre.

Le plus extraordinaire, c'était que Rose avait raison. De par son statut et sa beauté, elle avait quelque influence en société. Si elle déclarait en public que le butin du pirate était à la pointe de la mode, M. Frazier n'aurait aucun mal à écouler ses bijoux.

— Il faut simplement que la baronne achète cette broche demain, reprit Rose. Et surtout, qu'elle la porte à Vauxhall. Tout dépend de cela, Maddy !

— Je ne suis pas sûre de réussir.

— Il le faut ! Le succès repose sur toi.

Maddy avait du mal à résister à sa cousine. Son enthousiasme était contagieux, et elle avait bon cœur. Ce serait donc la dernière chose qu'elle ferait pour Rose avant... avant d'être obligée de partir pour commencer une nouvelle vie bien différente de ce qu'elle avait connu jusqu'alors.

— Je te promets d'essayer, concéda-t-elle.

— Excellent ! Et si papa refuse d'entendre raison, tu viendras vivre chez moi, tout de suite après mon mariage avec M. Frazier.

Maddy se mit à rire.

— Tu sais, les jeunes mariés préfèrent généralement vivre seuls.

— Ne sois pas idiote. Tu auras tes appartements privés, dans une aile séparée, ou je ne sais où. Je suis sûre qu'il pourra acheter une belle maison, surtout quand ses bijoux seront vendus. Nous allons faire fortune !

Naturellement. Et tout le monde vivrait heureux. Les rêves étaient bien pratiques, songea Maddy. Il aurait fallu rêver plus souvent.

— Maintenant, reprit Rose alors que Maddy commençait à se détendre un peu, je vais t'expliquer comment aborder la baronne. Demain, à la première heure, tu vas écrire un mot à cette vieille taupe. Tu lui diras que tu as une surprise extraordinaire...

20

— Je ne m'attendais pas à ce que vous me contactiez si vite, dit Kit en rattrapant Maddy d'un pas alerte.

Elle se trouvait seule dans Mayfair. Rose avait décidé qu'il valait mieux ne pas avoir de servante avec soi pour ce genre d'affaires. En réalité, la jeune fille préférait garder quelqu'un auprès d'elle pour la protéger de son père, au cas où la discussion tournerait mal. Apparemment, il était déjà arrivé que le comte frappe sa fille. Cela ne s'était jamais produit depuis que Maddy vivait sous leur toit, mais le souvenir de ces violences était gravé dans la mémoire de Rose.

Dès qu'une heure de rendez-vous avait été fixée avec la baronne Haugen, Maddy avait expédié un mot à Kit, et Rose l'avait mise à la porte de la maison. Les discussions entre père et fille devaient avoir lieu en privé. Deux minutes plus tard, Maddy était donc partie pour Mayfair.

À vrai dire, cette promenade au grand air lui plaisait. Comment Kit l'avait-il repérée dans la foule, elle n'en avait pas la moindre idée. Il avait surgi à son côté, alors qu'elle admirait la vitrine d'un bijoutier.

— Vous avez vu quelque chose qui vous plaisait ?

— Tout est joli.

— Allons, il y en a bien un qui se détache du lot ?

— Celui-là, avoua-t-elle en désignant un pendentif en rubis, taillé en forme de cœur. Je sais que c'est puéril, c'est le genre de bijou qui plairait à Rose. Mais mon père me sculptait des cœurs dans l'écorce des arbres. Il disait qu'il avait fait cela pour demander ma mère en mariage et lui avait promis de transformer l'écorce en diamant un jour.

— L'a-t-il fait ?

Maddy secoua la tête et tourna le visage vers Kit.

— Les médecins de campagne sont rémunérés en fruits et légumes. Il n'avait pas d'argent pour acheter des bijoux, mais je crois que ma mère s'en moquait.

— Vous êtes une femme exceptionnelle, dit-il en lui prenant le bras.

— J'ai l'esprit pratique.

— C'est bien ce que je dis.

Elle rit, le cœur léger. Il faisait beau et elle avait un bel homme à son bras. Kit était très élégant, avec sa veste bleue qui faisait ressortir la couleur de ses yeux.

— Il faut nous dépêcher si nous voulons arriver chez la baronne avant les visiteurs de l'après-midi, dit-elle en faisant signe à un fiacre.

Kit acquiesça, mais continua de marcher le long du trottoir.

— J'aimerais vous parler, mon ange. Euh... Maddy. C'est personnel, et je pense qu'il faut profiter de ce moment. Le reste de la journée promet d'être occupé.

C'était vrai pour Maddy. Après leur visite à la baronne Haugen, elle comptait passer au bureau de placement. Ensuite, il lui faudrait être à l'heure pour prendre le thé avec M. Wakely, après quoi elle devrait se préparer pour Vauxhall.

— Vous semblez d'humeur sombre, Maddy.

— Non, continuez je vous en prie. Je pensais à ce que j'avais à faire.

— Rose vous met-elle de mauvaise humeur ? Ou bien est-ce votre oncle ?

Il prononça le dernier mot d'un ton sourd. Il se demandait sûrement si elle avait succombé aux avances de cet homme, et elle n'avait aucune envie de le tranquilliser.

— Gérer la maison d'un comte prend du temps, répondit-elle d'un ton neutre. Quant à Rose, elle est aussi adorable qu'accaparante, si vous voyez ce que je veux dire.

— Je suppose aussi que vous m'en voulez. Ne niez pas. Je me suis mal conduit et je regrette le tort que je vous ai causé.

— Vous ne m'avez causé aucun tort. Ma réputation n'a changé en rien.

— Je suis pourtant désolé de vous avoir quittée.

— Vous ne m'aviez fait aucune promesse, Kit.

— Non, Maddy. Mais je n'étais pas tout à fait sain d'esprit. Je ne pouvais pas...

— Et maintenant ? Comment vous sentez-vous ?

— Mieux, admit-il en haussant les épaules. Mon séjour en famille, chez Donald, m'a fait du bien. Mes frères ignoraient le mal que m'avaient fait Michael et Lily, expliqua-t-il en soupirant. Ils n'auraient pas été d'accord.

— Oh, Kit, je suis contente pour vous !

— Donald entend porter plainte. C'est extraordinaire de voir mon frère s'acharner contre ses propres cousins, à cause de moi !

L'idée fit sourire Maddy.

— Mais Michael est comte et il est bien plus riche que nous. Je ne veux pas que Donald se ruine juste pour prouver que son cousin s'est conduit comme un vaurien. C'est inutile, surtout que je suis sur la voie de la guérison.

— C'est une excellente nouvelle, Kit.

— Mais je ne suis pas encore sorti d'affaires. Mes finances sont fragiles, les réparations du navire sont coûteuses. Et puis le soir... les démons viennent m'assaillir.

— Vous faites des cauchemars ?

— Oui. Je crois qu'ils me hanteront toute ma vie. Je crains... je crains d'être trop dangereux pour une femme.

C'était donc cela. Il voulait lui dire clairement qu'il ne l'épouserait pas. Une nouvelle fois. Le cœur de Maddy se brisa, et l'intensité de la douleur la prit par surprise. N'avait-elle pas fait sortir Kit de sa vie depuis plusieurs semaines déjà ?

— Les rêves finissent par mourir, affirma-t-elle, parlant autant pour lui que pour elle.

— Vous méritez un homme, Maddy, pas un sauvage. Et cet homme doit pouvoir subvenir à vos besoins. À l'heure qu'il est, je ne peux même pas acheter une paire de chaussures.

— Les vôtres me plaisent, dit-elle doucement.

Mais elle comprit qu'il n'y avait pas de discussion possible. Sa mâchoire contractée trahissait sa détermination. Son expression semblait presque dangereuse. Et pourtant elle ne voyait que Kit, l'homme qui l'avait caressée avec tendresse, sans jamais lui faire de mal.

Elle hocha la tête, détourna les yeux et dit d'une voix précipitée :

— Rose sera déçue. Il faut que vous lui parliez. Elle croit que vous allez demander sa main ce soir.

— Diable ! Que dites-vous ? s'exclama-t-il, éberlué.

— Rose voit le monde à sa façon.

— Mais comment a-t-elle pu forger une idée pareille ? C'est vous que je veux, Maddy.

Le cœur de la jeune femme se mit à battre plus fort, et chaque coup était un peu plus douloureux. Kit voulait une maîtresse, pas une épouse. À tout prendre, elle préférait être la maîtresse de Kit que celle d'oncle Frank. Mais par chance, elle avait une autre option.

— Vous êtes parti longtemps, Kit. Six semaines.

— Je sais. Je suis désolé.

Elle se remit à marcher. Ils ne pouvaient rester plantés ainsi au milieu de la rue, d'autant qu'elle n'avait pas de servante qui l'accompagnait.

— Un gentleman a l'intention de demander ma main. Il me plaît. Je pense accepter.

— Mais il n'a pas encore fait sa demande ?

— Non. Il la fera bientôt, ajouta-t-elle en priant pour que M. Wakely se décide.

— Alors, j'ai encore un peu de temps devant moi. Vous l'aimez ?

— Je ne sais pas, reconnut-elle. Je ne crois pas que les jeunes filles pauvres peuvent se payer le luxe d'attendre l'amour.

— Vous pourriez, Maddy ! Vous méritez de tout avoir !

Pour la première fois, elle entrevit le jeune garçon qu'il avait dû être. Jeune, honnête, optimiste. Elle sourit malgré elle.

— Vous parlez comme Rose.

— C'est terrible ? s'enquit-il en faisant la moue.

— Non. Vous êtes bon, vous avez un grand cœur. Je suis heureuse que vous ayez retrouvé cet aspect de votre personnalité.

— Savez-vous comment je l'ai retrouvé ? En pensant à vous, mon ange. En imaginant ce que ce serait de passer le reste de ma vie avec vous.

Elle haussa les sourcils, déroutée. Mais la joie de Kit retomba et il baissa les yeux.

— La réalité a un côté plus sombre. J'étais heureux quand je pensais à vous. Mais c'était seulement...

— Seulement une partie du temps, n'est-ce pas ? Vous est-il encore arrivé de croire être à bord du bateau, avec ce garçon ?

— Oui. Et pire encore. J'ai dû aller dormir dans la grange, chez mon frère, car je craignais d'effrayer sa famille.

— C'est terrible.

— C'était mon choix. J'étais au calme et cela me permettait de réfléchir.

Ils marchèrent un moment en silence, puis Maddy s'arrêta devant un fiacre qui attendait.

— Nous devons nous rendre chez la baronne.

— Naturellement. Vous avez la broche ?

— Oui, dans mon réticule.

— Parfait. Allons faire du charme à la baronne norvégienne.

Elle avait un autre prétendant ! Bien sûr, songea-t-il en montant dans la voiture. Elle aurait même pu en avoir une douzaine, belle comme elle l'était. Cependant elle était pâle, et semblait désespérée. Il en avait déduit que la saison s'était mal passée pour elle.

— Si vous avez un prétendant, Maddy, pourquoi avez-vous si peur ? Vous semblez redouter quelque chose de terrible.

Elle ouvrit la bouche et la referma aussitôt. Elle baissa les yeux et s'adossa à la banquette.

— Votre santé m'inquiète, dit-elle. Je n'ai pas oublié vos crises, bien que vous paraissiez aller mieux.

— Mon ange, nous avons toujours été francs l'un envers l'autre. J'espérais que cela continuerait.

Elle battit des paupières pour lutter contre les larmes. Il lui prit le menton et lui fit relever la tête.

— Dites-moi quel dragon vous menace. Je le vaincrai, je vous le promets.

Son regard devint triste et elle eut un sourire tremblant.

— Il n'y a pas de dragon. C'est la vie qui me fait peur. Maintenant, parlons de la baronne, ajouta-t-elle en se dégageant. Il faut lui raconter une belle histoire. Savez-vous que son mari possède une compagnie de navigation ? Sa société s'appelle… comment, déjà ?

— Sysselmann Shipping ?

— Oui ! Vous le connaissez ?

— Oui, j'ai passé du temps sur les quais, dernièrement. Le butin d'un pirate est un mythe, et j'espérais trouver du travail en attendant la fin des réparations.

— Chez Sysselmann ?

— Je pensais pouvoir leur donner quelques conseils. Leur montrer comment se défendre des pirates.

— Oh, Kit, c'est une idée merveilleuse ! Vous transformez cette terrible épreuve en quelque chose de positif !

— C'est exactement ce que m'a dit mon frère.

— Décidément, vous allez mieux. Vous pensez à l'avenir, et hier soir vous avez même ri.

— Je vis de bons moments, et celui-ci est l'un des meilleurs. J'adore être assis dans cette voiture avec vous et parler de l'avenir.

Il aurait aimé lui expliquer ce qu'il ressentait. Un mois plus tôt, il n'aurait pas pu rester assis dans l'obscurité. Trop de fantômes l'auraient alors assailli.

Ils étaient arrivés à destination. Bon sang ! Maddy avait un prétendant, l'après-midi passait, et il n'avait encore rien dit de ce qui lui tenait tant à cœur.

— Maddy, écoutez-moi. Il faut que vous sachiez... Quoi qu'il arrive... ne craignez rien. Je vous protégerai. Je serai toujours là pour vous.

Il lui prit la main, la porta à ses lèvres et répéta :

— Quoi qu'il arrive, Maddy. Je vous aiderai. Vous n'êtes pas seule.

21

— Elle aimait les oiseaux, les oiseaux rares aux plumages somptueux, mais elle n'avait jamais vu de paon...

Kit continua de broder une histoire, en se basant sur des récits qu'il avait entendus. La baronne écoutait, les yeux brillants.

— C'était un pauvre marin qui avait fait le tour du monde. Le bijoutier auquel il s'adressa n'avait jamais vu de paon non plus, aussi ce bijou fut-il dessiné par un homme...

— Qui ne connaissait pas cet oiseau ! Oh, monsieur Frazier, quelle histoire charmante !

Maddy regardait Kit, l'air aussi ravi que la baronne.

— Ne vous arrêtez pas, Kit. Lui a-t-il offert le bijou ?

Kit s'agita dans son fauteuil, un peu gêné.

— J'ignore si toute cette histoire est vraie, vous comprenez.

— Allons donc, jeune homme ! s'exclama la baronne en resservant du thé. Ce ne sont que des balivernes, mais je veux tout de même entendre la fin.

— Très bien. Mais je ne sais pas comment le marin a réussi à remettre ce trésor à la princesse.

— Un marin n'a pas pu être autorisé à la voir, remarqua Maddy. Il a dû escalader le mur du jardin.

— Quelle merveilleuse idée, répondit la baronne. Vous croyez que...

Les dames échangèrent quelques suggestions, avant de se mettre d'accord sur la plus romantique. Kit fut soulagé d'être mis de côté. La vérité était bien plus sordide qu'elles ne l'imaginaient. Et Maddy paraissait tellement heureuse quand elle bavardait avec la baronne.

Seigneur, qu'elle était belle !

— Je pense, reprit la baronne, qu'il a dû la regarder exactement comme M. Frazier vous regarde en ce moment.

Kit cligna des yeux et tressaillit.

— Je... je vous demande pardon. J'essayais de me rappeler...

— Oh, ne gâchez pas tout, mon garçon. Elle est tellement jolie, avec ses joues roses.

Maddy évita son regard. Elle baissait les yeux, mais il eut le temps d'apercevoir ses pommettes enflammées. Une fois de plus il oublia ce qu'il allait dire et la contempla.

Personne n'interrompit sa rêverie. Quand il reprit ses esprits, la baronne buvait son thé, l'air satisfait, et Maddy regardait toujours ses mains.

— Désolé, où... où en étais-je ?

— Vous nous racontiez comment le marin avait pu offrir ce superbe bijou à la princesse.

— Bien sûr. Je l'ignore. Ce qui est sûr, c'est qu'elle l'a reçu. Il paraît même qu'elle l'a porté lors d'un grand bal de la saison.

— Quel genre de bal ? En Afrique ?

— Une sorte de réception, comme celle de Vauxhall ce soir, suggéra Maddy.

— Oui, c'est cela, s'exclama Kit. Et bien sûr, le marin put la voir parée de son présent.

— En a-t-il profité pour l'enlever ? s'enquit Maddy avec nostalgie. Vécurent-ils heureux par la suite ?

Non. La princesse avait probablement été attrapée par des brigands qui l'avaient violée et vendue sur le marché aux esclaves. Mais Maddy le regardait avec douceur, et il savait qu'elle aurait aimé qu'un homme l'enlève pour l'épouser.

— Oui, chuchota-t-il, en souhaitant être lui-même ce héros. Ils réussirent à échapper aux hommes de son père. Le marin avait des amis qui les cachèrent à bord d'un bateau, et ils partirent avec la prochaine marée.

— Oh, c'est merveilleux ! s'écria la baronne en tapant des mains. Où débarquèrent-ils ? Et où avez-vous eu la broche ?

Kit avala une gorgée de thé pour gagner du temps.

— Ils débarquèrent sur une île et s'y installèrent. De ces îles où volent des oiseaux des tropiques et où ils vécurent heureux.

— Et ils eurent de merveilleux petits bébés, ajouta la baronne. C'est très important.

— Oui. Les années passèrent et, un jour, une terrible tempête s'abattit sur l'île. Notre princesse, devenue arrière-grand-mère, mourut pendant l'orage et fut enterrée avec sa broche.

— Oh, comme c'est touchant !

— Malheureusement, le village fut dévasté et les habitants durent quitter cette terre. J'ignore où ils allèrent.

— Eh bien, fit la baronne avec un hochement de tête, cela arrive souvent dans ces îles, paraît-il. C'est normal.

Kit se tut, stupéfié par tant d'ignorance. Un orage tropical n'avait rien de « normal », mais il ne pouvait le lui dire. Il fut sauvé par Maddy qui brandit l'affreux bijou.

— Et cette broche a survécu à tous ces événements. C'est extraordinaire. Quelle histoire !

— Mais, reprit la baronne, si la broche a été enterrée avec la princesse, comment l'avez-vous trouvée ?

Kit soupira.

— C'est le côté sombre de l'histoire. Il existe des pilleurs de tombes, madame la baronne. Les pirates ne respectent rien.

— Vous avez donc volé le bijou à vos maîtres quand vous vous êtes enfui ?

Kit hésita. Était-ce ce que l'on racontait sur lui ? Qu'il s'était enfui ?

— Non, ils me donnèrent cette broche car elle n'était pas assez belle pour eux. Je les avais bien servis, et c'était ma part du butin.

Il posa sa tasse avec un sentiment d'amertume. Il n'aimait pas se rappeler ce qu'il avait fait sur ce bateau. Mais, bien sûr, ce bijou ne faisait pas partie d'un butin. Il l'avait trouvé et caché, sans que les maîtres du navire l'apprennent.

304

— Peu importe. Le résultat, c'est que vous avez une belle pièce à me vendre, et je la veux absolument. Je ne permettrai pas que quelqu'un d'autre l'obtienne.

— Je crains que ce bijou n'ait une immense valeur, madame.

— Très bien, très bien. J'ai déjà dit à mon cher Migel que je voulais cette broche comme cadeau d'anniversaire. Il m'a autorisée à dépenser une certaine somme et…

Ils se mirent à négocier. Maddy et Kit s'entendirent à merveille. Maddy connaissait la baronne et savait exactement quand insister. Elle aurait pu mener la négociation toute seule. Kit lui était utile uniquement pour évaluer les pierres et expliquer leur origine.

Finalement, la baronne céda. Son mari apparut pour signer un chèque, ce qu'il fit avec autant de désinvolture que s'il réglait la facture du boucher.

Cela donna l'occasion à Kit de se présenter au baron, propriétaire de Sysselmann Shipping. Ce fut Maddy qui glissa à la baronne que Kit souhaitait créer une compagnie de navigation et qu'il avait des idées très intéressantes sur la façon de se défendre contre les pirates. Le baron l'entendit et fixa un rendez-vous à Kit.

L'après-midi avait été très fructueux. Pour la première fois depuis sept ans, Kit avait une certaine sécurité financière et entrevoyait l'avenir de manière sereine. Il fit une pause sur le perron pour apprécier l'instant.

— Kit ? C'est un merveilleux après-midi, n'est-ce pas ? lança Maddy, radieuse.

Il hocha la tête, incapable d'articuler un mot. Maddy lui prit le bras.

— Venez avec moi. Nous allons nous promener dans le parc tout proche. Il est presque toujours désert.

— Vous ne préférez pas Hyde Park ?

— Hyde Park est très beau, concéda-t-elle en soupirant. Je m'y suis souvent promenée pour attirer l'attention des messieurs à la recherche d'une épouse. C'est un terrain de chasse pour les jeunes filles à marier, et je trouve cela ennuyeux à mourir.

— Vous n'appréciez donc pas la société londonienne ?

— Eh bien, je suppose que s'il n'y avait pas cette constante chasse au mari, certaines choses me plairaient à Londres. Le théâtre par exemple. On y rencontre des personnes très drôles, comme la baronne. Mais j'ai été élevée à la campagne. Je trouve la ville...

— Bruyante ? Sale ?

— L'ambiance y est à la fois agitée et...

— Et vide.

Ils franchirent l'entrée du jardin et s'engagèrent dans une allée.

— Je suis contente que vous ayez charmé la baronne. Ce chèque est-il suffisant ? Serez-vous tranquille quelque temps avec cette somme ?

— Il suffira à couvrir mes dépenses pendant plusieurs mois. Comme pour vous.

— Quoi ? fit-elle, en trébuchant. Pour moi ?

— C'est ce qu'on appelle une commission, Maddy. Vous aurez trente pour cent de tout ce que j'ai vendu à la baronne. Vous le méritez, je n'aurais jamais conclu cette affaire sans votre aide.

— Mais... mais...

— Vous aurez cet argent. N'essayez pas de me dissuader.

— Oh, merci ! s'exclama-t-elle en lui nouant les bras autour du cou.

— Ce n'est que justice, Maddy, répondit-il en inhalant le doux parfum de ses cheveux.

Avant qu'elle ait pu reculer, il se pencha et captura ses lèvres. L'espace d'une seconde, elle resta interdite. Puis elle s'offrit à lui, répondant à son baiser avec un enthousiasme qui le surprit. Avait-elle appris cela avec son nouveau prétendant ?

À cette pensée, il éprouva une bouffée de jalousie et la serra plus étroitement contre lui. Il la plaqua contre un arbre et explora sa bouche comme le pirate qu'il était.

Il s'attendait à une certaine résistance. Elle était une dame bien élevée, et ce genre d'assaut avait de quoi la terrifier. Mais loin de se défendre, elle répondit avec une passion qui le stupéfia.

Ses mains remontèrent sur ses seins. Elle renversa la tête en arrière, et sa poitrine se soulevait à chaque respiration. Son regard était noyé de désir.

— Mon ange ?

Elle déglutit, reprenant ses esprits avec une évidente anxiété, et regarda autour d'elle. Par chance, seule une gouvernante se trouvait dans les environs avec ses petits protégés.

— N'ayez pas peur, personne ne nous a vus.

— Je n'ai pas peur et je ne suis pas un ange. J'ai même songé dernièrement à exercer certaines professions... peu vertueuses.

— Mon ange... murmura-t-il, étourdi. Mais... et votre prétendant ?

— Un mensonge. Il y a bien un homme, mais il est banquier. S'il m'épousait, sa profession risquerait d'en souffrir. J'ai appris une chose horrible... avoua-t-elle, en détournant le regard.

Elle lui raconta tout, sans insister sur la perfidie de son oncle. Quand elle eut terminé, Kit était fou de rage. Le comte n'était déjà plus de ce monde : il allait le tuer dans son sommeil, l'étrangler, l'étouffer...

— Kit, Kit, ne me regardez pas ainsi ! Je vous jure qu'il n'y a jamais rien eu entre oncle Frank et moi.

— Je sais, dit-il en lui posant les doigts sur les lèvres. Je sais, et vous n'avez plus à avoir peur de lui.

Elle lui caressa la main avec un regard empli de gratitude.

— Grâce à vous, j'aurai assez d'argent pour louer une petite chambre, en attendant de trouver un emploi. Je pensais devenir préceptrice, mais ma réputation risque de me porter du tort. Je peux tenir une maison, et donc demander un poste de gouvernante.

— Maddy...

— Je dirai que je suis veuve, que mon mari est mort en Espagne. Vous voyez... il ne faut plus m'appeler mon ange. Je... je ne le mérite pas.

— Vous ne savez pas ce que vous dites. Je tue-rai votre oncle, ajouta-t-il en reculant pour cal-mer le désir qui le tenaillait.

— Kit ! Oh, non, Kit.

Mais déjà il tournait les talons, sa décision était prise. Maddy lui prit le bras.

— Kit !

Alors, il la souleva, alla la déposer sur un banc et s'agenouilla devant elle.

— Vous ne deviendrez pas gouvernante, ni domestique, et encore moins courtisane ! s'écria-t-il en sortant le chèque de sa poche. Prenez-le. Prenez tout, Maddy. Cela vous paiera une cham-bre. Vous aurez plus quand Rose héritera...

— Kit !

— Mais ne remettez plus les pieds là-bas. Pas avant...

— Monsieur Frazier !

Il s'interrompit en l'entendant l'appeler par son nom. Il se releva et fit un pas en arrière.

— Ne parlez pas ainsi, monsieur Frazier. C'est mon oncle.

— Il a voulu faire de vous sa maîtresse ! Il a détruit votre vie, votre avenir...

D'un geste impérieux de la main, elle lui intima le silence.

— Vous ne tuerez personne à cause de moi. Aussi vil que soit mon oncle, je vous l'interdis. Cela ruinerait votre vie et ne ferait rien pour améliorer la mienne. Et je ne prendrai pas votre argent non plus, ajouta-t-elle en lui refermant les doigts sur le chèque. Uniquement la part qui me revient.

— Mon ange...

— Cessez de m'appeler ainsi ! Je ne suis pas une créature délicate. J'ai vu mon père mourir, je n'ai rien pu faire quand notre maison a été vendue et qu'on m'a envoyée à Londres, où je ne connaissais personne. Oncle Frank m'a offert un toit. Il veut profiter de la situation, et alors ? Tout le monde veut obtenir plus. L'histoire que vous avez racontée à la baronne n'était qu'un tissu de mensonges. Elle le savait, mais elle aime les histoires d'amour et vous lui en avez raconté une. Pourquoi ? Pour l'argent. Pour l'indépendance, pour votre survie.

Kit la regarda, abasourdi. Quand était-elle devenue si froide et cynique ?

— Dites-moi, Kit. Avez-vous tué le pirate qui vous avait réduit en esclavage ?

— Oui, j'ai fini par le faire.

— Mais vous avez d'abord racheté votre liberté, n'est-ce pas ?

Il acquiesça d'un hochement de tête.

— Laissez-moi faire comme vous et acheter mon indépendance sans verser de sang.

— Maddy, vous êtes tellement plus forte que je ne l'imaginais, chuchota-t-il.

— Et vous, Kit, vous êtes la réponse à mes prières. Me laisserez-vous vous aider à vendre vos bijoux ? M'aiderez-vous à gagner mon indépendance ?

— Oui.

Il faudrait qu'il trouve d'autres bijoux à vendre. Mais il ferait n'importe quoi pour elle.

Il aurait aussi une entrevue avec cet oncle Frank.

22

Maddy n'eut pas le temps de passer au bureau de placement. Elle rentra à la maison juste à l'heure pour le dîner. Elle avait demandé à Kit de lui montrer les autres bijoux qu'il avait à vendre. Pour cela, ils durent se rendre à la banque, où les joyaux étaient à l'abri dans un coffre. Il n'y en avait pas beaucoup, et ils étaient presque tous endommagés, mais les pierreries étaient susceptibles d'intéresser de riches aristocrates. Kit en profita pour déposer le chèque de la baronne et pour aider Maddy à ouvrir un compte à son nom. Elle avait de l'argent ! Elle n'était plus complètement démunie, et cette pensée l'emplit d'une joie intense.

De l'argent ! La liberté ! À présent, des possibilités s'offraient à elle. Elle n'était plus dépendante d'oncle Frank.

Malheureusement, dès son retour à la maison son enthousiasme disparut. Le majordome l'informa qu'elle avait eu un visiteur. M. Wakely !

Elle avait complètement oublié leur rendez-vous. Il aurait peut-être fait sa demande aujourd'hui.

Effondrée, elle gravit l'escalier d'un pas lourd. Elle avait à peine le temps de se préparer pour le dîner. Mais alors qu'elle atteignait le palier, Rose émergea de sa chambre en poussant un cri de joie.

— Tu es rentrée ! Enfin ! J'étais sur des charbons ardents ! Tu as réussi ? la baronne a acheté cet affreux bijou ? Elle le portera ce soir ?

— Oui, oui, ma douce. Laisse-moi un moment pour aller me changer.

— Oh, ce n'est pas la peine. Père dîne au club ce soir, et il n'y aura que nous. Nous ferons monter un plateau dans ma chambre et tu me raconteras comment tout cela s'est passé.

Intriguée, Maddy marqua une pause et observa sa cousine.

— Tu as parlé à ton père ?

Rose haussa les épaules et entraîna Maddy dans le couloir.

— Il n'était pas d'humeur à bavarder.

Cinq minutes plus tard, elles furent installées dans la chambre, sur le lit de Rose.

— Que veux-tu dire pour ton père ? Lui as-tu parlé, oui ou non ?

Rose poussa un petit soupir, s'allongea et contempla le plafond.

— Je lui ai dit que c'était affreux de te chasser de la maison, que je ne le supporterais pas. Tu es comme ma sœur, et je veux que tu restes ici, avec moi.

— Oh, Rose, fit Maddy, touchée.

312

— Il m'a tapoté la joue en disant que tu n'irais nulle part. Et il a ajouté que je ne devrais pas te considérer comme ma sœur, mais plutôt comme une amie, ou comme une mère qui nous rend visite quelque temps. Je ne comprends pas ce que cela signifie.

Maddy déglutit, les doigts serrés sur ses genoux. Oncle Frank s'attendait donc à ce qu'elle cède et devienne sa maîtresse. Ce qu'il ignorait, c'était que grâce à Kit elle avait une autre issue. Néanmoins, c'était un détail qu'elle ne pouvait révéler à Rose.

— Moi non plus, répondit-elle d'un ton indifférent.

Rose la fixa d'un regard perçant, mais Maddy demeura impassible. Au bout de quelques secondes, la jeune fille soupira.

— Très bien. Et la vieille taupe ? A-t-elle acheté la broche ?

— Rose ! Tu ne dois pas parler ainsi de...

— Oui, oui, je sais. Raconte-moi.

Maddy était encore tout excitée et elle était heureuse d'avoir une sœur à qui se confier. Elle lui rapporta en détail la vente de la broche et l'histoire romantique qui se rattachait au bijou.

— Elle la portera ce soir ? s'exclama Rose, en sautant à genoux sur le lit.

— C'est ce que je lui ai suggéré, et elle a trouvé que c'était une excellente idée.

— Oui ! s'écria Rose en se jetant au cou de sa cousine. Merci, merci, merci ! Tu as tout arrangé à la perfection !

— Je ne vois pas ce que j'ai arrangé, ma chérie ?

313

— Tout se passera comme prévu ce soir ! Mon prince pirate m'entendra m'extasier sur cet affreux bijou. Je proclamerai que je veux avoir le même. Avec l'influence dont je jouis comme chef de file de la mode, tout le monde voudra porter ces bijoux de pirates.

— Mais… de quel « prince pirate » parles-tu ?

— M. Frazier, bien entendu ! Je serai sa belle. L'histoire qu'il a racontée à la baronne était la nôtre, c'est évident. Comment a-t-il deviné que j'adorais les oiseaux tropicaux ? Je sais ! Je mettrai la robe dans laquelle je ressemble à un oiseau.

— Laquelle ?

— Tu ne te rappelles pas ? s'exclama Rose en courant à son armoire. M. Wakely a dit qu'elle me donnait l'air d'une perdrix perchée sur un poirier !

— Tu crois qu'il viendra ce soir ? J'ai manqué sa visite cet après-midi. Tu l'as reçu ?

— Mmm… qui ?

— M. Wakely.

— Oh, oui, bien sûr. Il est un peu ennuyeux. Je lui ai raconté que tu rendais visite à un ami gravement malade et que cela te rendait très triste.

— Quoi ?

— Je ne pouvais tout de même pas lui dire que tu étais en train de vendre des bijoux à la vieille taupe ! En outre, cela ne fait jamais de mal à un homme de penser qu'il n'est pas seul dans le cœur de sa belle.

— Et qu'il est en compétition avec un mourant ? rétorqua Maddy en riant.

314

— C'était juste pour enjoliver un peu l'histoire. Il m'a dit qu'il ne viendrait pas à Vauxhall ce soir. Il paraît que c'est trop frivole pour un homme dans sa position.

Et surtout scandaleux d'être vu avec une femme de sa réputation. Maddy soupira.

— A-t-il dit s'il reviendrait demain ?

— Mmm... Je ne me rappelle pas. Caroline et sa mère sont arrivées, et nous avons parlé de sa sœur aînée qui est enceinte. Elle n'est mariée que depuis deux mois et...

Rose continua de jacasser, et la femme de chambre apporta les plateaux du dîner. M. Wakely ne serait pas à Vauxhall ce soir... C'était regrettable, mais cela permettrait à Maddy de se concentrer sur la vente des bijoux. Il valait mieux qu'il ne la voie pas s'engager dans ce commerce...

Sans compter qu'il fallait éviter que son prétendant et son associé se rencontrent.

Kit rôdait autour de Vauxhall, se faufilant dans l'obscurité. Il aurait dû mettre des habits plus formels que ce pantalon noir et cette chemise de pirate au col grand ouvert. Une cape sombre complétait son costume. C'était une idée fantasque qu'il avait eue. Puisque tout le monde le prenait pour un pirate, autant se présenter comme tel.

Ce soir, la bonne société célébrait la fin de la saison. Et il voulait prouver à Maddy qu'il était un homme civilisé.

Ce qui n'était pas tout à fait le cas. Les révélations de la jeune femme au sujet de son oncle avaient fait resurgir en lui l'esclave. Maintenant que la nuit était tombée, le côté obscur de sa personnalité grondait en lui. Sans oublier Michael et Lily, les deux personnes responsables de sa capture par les pirates, qu'il allait croiser ce soir.

Il aurait dû revêtir un costume de gentleman. Une sorte d'armure pour emprisonner le sauvage qui se débattait en lui. Trop tard. Et maintenant, il cherchait dans la foule la seule femme qui comptait.

Maddy. Son ange. Où diable se cachait-elle ?

Là !

Elle dansait avec un vieux dandy. Elle portait une robe d'un blanc nacré, sans ruban ni volant. Le drapé de la soie était superbe, et un masque blanc était accroché à son bras. Elle fit une révérence en riant. Le vieux gentleman était maigre comme un épouvantail, le visage couvert de poudre. Il sourit, en faisant un clin d'œil à la jeune femme. Kit poussa un grognement sourd.

— Tu ne devrais pas faire cette tête, fit une voix derrière lui. Tu es effrayant.

Kit fit volte-face. Lucas, son frère, se tenait devant lui.

— Tu es donc bien vivant, dit son aîné d'une voix étranglée par l'émotion.

Kit resta muet de stupeur. Son frère le prit dans ses bras, et il lui rendit son accolade.

— Tu as gagné en force, petit frère, dit Lucas en reculant. Tu as failli me briser les côtes.

— Quand… quand es-tu arrivé ? Je t'ai attendu chez Donald, en vain.

— Je me suis rendu au domaine hier. C'est là que j'ai appris la nouvelle. Je n'en croyais pas mes oreilles. Tu as changé, petit frère, ton regard est plus dur qu'autrefois.

Kit hocha la tête.

— Plus dur, oui.

— Viens boire un verre. Nous parlerons de voyages, de pays, de femmes...

— Non.

Lucas haussa les sourcils, surpris, et Kit se retourna pour observer Maddy.

— Comment s'appelle-t-elle ? s'enquit Lucas en suivant son regard.

— Mon ange... Maddy Wilson, rectifia-t-il aussitôt. Il faut que je lui parle. Elle est avec Michael et Lily. Et lady Rose, la petite blonde vêtue de cette robe ridicule, juste devant.

— Allons présenter nos respects...

— Je ne peux pas. C'est leur faute, Lucas. Ce sont eux qui m'ont embarqué dans ce navire marchand et m'ont fait passer pour mort. Ils savaient que j'avais été enlevé par les pirates, mais ont refusé de payer la rançon...

Il ne put continuer. Son frère comprit sans peine sa douleur et sa fureur.

— Reste là, dit Lucas. Je vais les saluer de ta part.

Kit demeura dans l'ombre, un œil sur Maddy l'autre sur son frère. La jeune femme retournait à la loge, escortée par le vieux dandy. Lucas baisa la main de lady Rose, avant de saluer le comte de Thorndale. Michael tendit le bras, avec un sourire chaleureux. Alors Lucas serra le poing et assena un coup sur la mâchoire de son interlocuteur.

317

Ce dernier chancela. Par chance, il était assis et ne tomba pas de trop haut. Lucas tourna le dos à Lily, ce qui constituait le pire des affronts, et s'éloigna d'un pas mesuré.

Kit éprouva une impression très étrange. Cela faisait si longtemps qu'il n'avait pas ressenti cela qu'il porta une main à ses lèvres pour s'assurer qu'il ne rêvait pas : Il souriait !

Oh, non ! Encore !

Maddy concentra toute son attention sur la loge où régnait un inimaginable chaos. Quelqu'un venait de donner un coup de poing au comte de Thorndale. Un homme qui ressemblait à Kit, mais en plus grand, plus maigre et beaucoup plus pâle.

— Mon Dieu, mon Dieu ! murmura le vicomte de Rothsby. C'est inacceptable.

— Ce qui est inacceptable, c'est de laisser son cousin être capturé par les pirates barbaresques et de refuser de payer la rançon, précisa-t-elle sèchement.

— Oh, vraiment ? C'est ce qui s'est passé ?

— Je n'aurais sans doute pas dû le dire, mais oui, monsieur. C'est cela.

Le comte avait joué de son influence pour répandre la rumeur que son cousin avait échappé aux pirates, passant sous silence l'histoire de la rançon.

L'étranger fauteur de troubles se dirigea vers elle.

— Mademoiselle Wilson, dit le cavalier de Maddy, permettez-moi de vous présenter M. Lucas Frazier.

Maddy fit une révérence.

— Me feriez-vous l'honneur de faire quelques pas avec moi ? s'enquit Lucas. Pour respecter les convenances, votre cousine a accepté de se joindre à nous.

Maddy jeta un coup d'œil à la loge. Au milieu du désordre, Rose agitait les mains, affolée.

— Naturellement, répondit Maddy.

— Parfait !

Lucas fit demi-tour et tendit la main à Rose. Le vicomte profita de cet instant pour prendre congé de Maddy.

— Vous êtes charmante, mademoiselle Wilson, dit-il en se penchant pour lui baiser la main. Ma fille adorerait avoir un de ces bijoux de pirates pour son anniversaire.

Maddy fit une gracieuse révérence. Elle était aux anges.

— Vous la féliciterez pour moi, monsieur.

Quand elle se redressa, elle se trouva nez à nez avec Kit. Son regard était sombre, sa tenue avait quelque chose de scandaleux. Mais quand il lui tendit la main, elle la prit sans hésiter. Ils rejoignirent Rose et Lucas.

Elle ne réalisa pas tout de suite qu'ils s'engageaient sur un chemin des plus inquiétants.

23

— Mon Dieu, Kit ! Vous… vous… vous avez beaucoup d'allure !

— Vous trouvez ? Dans ce cas, je suis content d'avoir choisi ce costume. Je n'avais jamais porté ce genre de vêtements auparavant !

— Pourtant vous semblez parfaitement à l'aise. C'est tout à fait vous.

— Je ne me sens pas bien dans la peau d'un gentleman. D'autre part, avec ma jambe folle, je ne serai plus jamais le marin que j'ai pu prétendre être. Je cherche encore mon style.

— Vous le trouverez, assura-t-elle. Rose et votre frère s'éloignent, vous ne trouvez pas ?

— Laissez, mon ange. Lucas sait que je dois vous parler.

Avant qu'elle ait eu le temps de réagir, il l'entraîna dans une allée qui n'était pas éclairée.

— Kit !

— Maddy, je vous en prie. Vous ne pouvez pas savoir quels sentiments font rage dans mon cœur en ce moment. J'ai l'impression d'être sur le point d'exploser.

— Vous avez déjà ressenti cela, ça passera.

Il acquiesça en silence et posa le front contre le sien.

— C'est si fort, murmura-t-il. Avez-vous vu mon frère frapper Michael ?

— Oui, je l'ai vu.

— Je n'avais pas été aussi joyeux depuis des années. Vous trouvez que c'est mal de ma part ?

— Non, avoua-t-elle dans un sourire. Le comte l'avait bien mérité, après ce qu'il vous a fait subir. Mais ce n'est pas tout, Kit. Dites-moi. Que se passe-t-il ?

— Je ne supporte pas de vous voir dans les bras d'un autre homme.

Un délicieux frisson parcourut le corps de la jeune femme à la pensée qu'il était jaloux.

— Vous voulez parler de lord Rothsby ? Il est marié et il a deux fois mon âge.

— Je sais.

— Sa fille va avoir dix-huit ans et il veut lui acheter un de vos bijoux de pirates pour en faire un collier. Ce n'est pas formidable, Kit ? Une nouvelle vente !

— Oh, oui, c'est merveilleux, répondit-il, tendu.

— Ça ne va pas ? s'inquiéta-t-elle en repoussant les cheveux sur son front. Craignez-vous de ne pas avoir assez de bijoux en réserve ?

Kit secoua la tête.

— Non. Il y a une heure, j'ai rencontré un homme qui pourra nous en fournir d'autres.

— Excellent !

— Vous vous lancez dans le commerce, mon ange. Vous dansez avec des hommes pour leur vendre des bijoux. Certains vont croire que vous vous vendez vous-même. Les hommes qui...

— J'accorde de moins en moins d'importance à ce que pensent les hommes et de plus en plus à l'argent que je possède. Et à la liberté qu'il me procure.

— Mon ange, je vous achèterais le monde si je pouvais.

— Je n'en veux pas, répondit-elle sans prendre le temps de réfléchir. C'est vous, que je veux.

— Vous le croyez, mais vous aurez peur de moi, mon ange. Je vous ferai du mal.

— Cela n'est encore jamais arrivé.

— Je me fais peur à moi-même. Vous ne pouvez pas savoir à quel point je vous veux.

Il prit ses lèvres. Elle s'offrit, séduite par l'intensité de son désir.

— Je suis venu vous chercher. Je ne peux pas supporter l'idée que vous restiez une nuit de plus chez votre oncle. J'ai réservé un petit bateau sur la rivière, il nous attend. Je veux vous enlever, vous arracher à cette vie.

Loin d'avoir peur, elle sentit son cœur se gonfler de bonheur. En un instant, tous les chemins possibles se déroulèrent devant elle, comme sur la page d'un livre. Elle pouvait devenir la maîtresse de son oncle, être dépendante de lui, mais en sécurité dans cette vie qu'elle connaissait déjà. Elle rejeta immédiatement cette possibilité. Ou bien, elle pouvait se servir de l'argent qu'elle avait gagné pour louer une chambre quelque part et chercher un travail honnête. Mais elle serait gênée dans ce projet par sa réputation. Et pire encore, elle serait dépendante de quelqu'un d'autre, vivrait sous le toit de son employeur et devrait se soumettre à ses règles.

C'était un choix honorable, mais qui la tentait de moins en moins. Elle serait mise à l'écart de la bonne société et ne verrait plus Rose. De plus, sa nouvelle activité avec Kit cesserait avant d'avoir commencé, puisqu'elle ne pourrait plus se rendre dans les salons de l'aristocratie vendre ses bijoux. Son statut social ne serait plus le même... M. Wakely s'abaisserait peut-être à épouser une femme soupçonnée d'être une courtisane, mais il ne porterait pas son choix sur une gouvernante.

Enfin, restait la dernière possibilité. Devenir la maîtresse de Kit, ici et maintenant. Certes, elle aurait préféré le mariage, des enfants, une vie légitime, mais cela ne faisait pas partie des choix qui s'offraient à elle.

Les maîtresses étaient admises en société, dans des cercles moins en vogue que ceux qu'elle fréquentait. Elle vivrait quand même à Londres, parmi les gens qu'elle aimait.

Et elle aurait Kit. Dans son lit, dans ses bras. Dans son corps. Cette pensée la fit frissonner d'impatience. En un instant, les mille objections qu'elle n'avait pas encore passées en revue furent balayées. Elle n'avait pas les idées claires, certes, mais cela rendait la situation encore plus excitante. Elle se sentait vivante.

— Prenez-moi, Kit. Tout de suite.

Elle glissa sa main sous le col ouvert de sa chemise et ses doigts dessinèrent des arabesques sur son torse.

— Je vous choisis, Kit. Je n'attendrai pas une seconde de plus ! J'ai été privée de bonheur pendant trop longtemps !

Elle se pressa contre lui, et ses seins vinrent caresser sa poitrine. Puis elle lui prit les mains et les plaqua sur ses mamelons durs et tendus.

— Maintenant, Kit. Faut-il que je me déshabille devant vous ?

— Mon ange, murmura-t-il.

Tout à coup, elle perdit patience. Elle qui s'était tant défendue pour garder sa virginité, elle n'aurait jamais cru devoir se battre pour la perdre ! Sa main vint se poser avec fermeté sur le sexe dressé. Avec un brusque grognement, il la souleva par la taille et la hissa sur son épaule. Maddy laissa fuser un petit cri de panique, qu'elle étouffa aussitôt. Elle voulait être enlevée. Elle ne voulait pas que quelqu'un empêche Kit de la séduire !

Il longea silencieusement l'allée obscure, puis s'arrêta soudain et la reposa à terre.

— Montez, dit-il.

Étourdie, elle regarda autour d'elle. Ils étaient au bord de la rivière, et un petit bateau était amarré devant eux. L'homme qui le manœuvrait leur fit un clin d'œil en désignant une banquette à l'avant. Maddy monta dans le bateau, avec l'aide de Kit. Ce dernier prit place sur la banquette et attira la jeune femme sur ses genoux. Il posa les mains sur sa taille, et Maddy sentit son sexe se presser contre ses reins.

— Regardez devant vous, chuchota-t-il. Contemplez le paysage.

Une brise agréable lui effleurait les bras, et elle s'adossa à Kit, la tête sur son épaule. Ils allaient devenir amants. Elle était impatiente.

Ses mains puissantes se posèrent sur ses seins, taquinèrent ses tétons. Le cœur de Maddy se gonfla de bonheur. Elle adorait cela, mais ce n'était pas suffisant. Elle voulut le toucher, mais n'y parvint pas.

— Doucement, chuchota-t-il, les lèvres contre son cou. Nous avons toute la nuit.

— Kit...

— Appuyez-vous contre moi, laissez-moi vous toucher.

Elle obéit. La fin du printemps approchait, et ses vêtements légers ne formaient qu'une infime barrière entre son corps et les mains de Kit. Il lui caressa les seins, la taille, les cuisses, puis remonta sur sa poitrine, traçant du bout des doigts les contours de son corsage. Elle poussa un soupir de ravissement.

— Vous êtes si belle.

De fait, elle se sentait belle. Son corps tout entier s'embrasait.

— Quand arrivons-nous, Kit ?

Il lui désigna du doigt un quai, droit devant eux. Elle vit d'autres barques, avec d'autres couples. Ils durent attendre une éternité avant de pouvoir débarquer. Une fois à terre, il la guida

dans un dédale de rues pour gagner son appartement. Elle attendit en trépignant d'impatience
qu'il ait ouvert la porte.

Enfin, ils furent seuls.

24

— C'est votre dernière chance de vous échapper, mon ange.

Maddy se mit à rire. Elle n'avait aucune envie de s'enfuir, elle ne s'était jamais sentie aussi libre. Avec un sourire enjôleur, elle passa les mains dans son dos pour dégrafer sa robe.

— Laissez-moi faire, dit-il avec un regard brûlant.

Il dégrafa habilement le dos de sa robe. Le corsage glissa sur ses seins, puis sur sa taille. Kit la caressa d'un air admiratif, repoussant doucement les pans de sa chemise.

— Vous m'avez déjà vue ainsi, chuchota-t-elle.

— Je ne m'en lasse pas.

Elle sourit, fit tomber sa robe sur le sol et se tint devant lui vêtue uniquement d'un fourreau de soie et de ses bas.

— Et vous, quand vous verrai-je ?

La question parut le gêner, mais elle ne le laissa pas se dérober. Elle tira sur son col ouvert.

— Il y a d'autres cicatrices, mon ange. C'est effrayant à voir.

— J'embrasserai chacune d'elles, promit-elle en lui ôtant sa chemise blanche.

— Cela risque de prendre du temps.

— Je n'en oublierai aucune.

De longues lignes blanches striaient sa peau brune, et elle aperçut aussi les traces circulaires de brûlures profondes. Elle posa les mains sur son torse et suivit des doigts une cicatrice qui descendait jusqu'à son ventre. Puis elle pressa les lèvres sur son abdomen et le sentit frémir. Il lui agrippa les épaules pour mieux conserver son équilibre et elle continua de l'embrasser, un peu plus bas. Il serra les mains sur elle et la repoussa brusquement.

— Kit ?

— Savez-vous ce que vous embrassez ?

— Vous.

— C'est mon nom d'esclave, expliqua-t-il en secouant la tête.

Il l'entraîna dans la chambre, devant le miroir de la table de toilette, alluma un chandelier et l'approcha de son reflet pour éclairer la trace de brûlure.

— « Esclave ». Pas « Kit », ni même « l'Anglais ». Juste « Esclave ».

— Comment vous ont-ils marqué ?

— C'était le premier soir, après que j'ai laissé Jeremy. Je suis monté sur le pont pour participer au combat. Quel imbécile ! Je n'étais pas entraîné pour lutter contre ces tueurs.

— Cette blessure aurait pu causer votre mort.

Il acquiesça d'un hochement de tête.

— Ils avaient une sorte de chirurgien à bord. Ils m'avaient laissé pour mort, mais un des marins leur a dit que j'étais un noble anglais, et qu'il fallait contacter Michael pour obtenir une rançon. C'est la seule raison pour laquelle ils ne m'ont pas achevé.

— Vous avez eu de la chance.

— Vous croyez ?

Elle se plaça devant lui, les mains à plat sur son torse.

— Je vous veux vivant, Kit. Je ne peux envisager ma vie si vous n'existez pas. Quand comprendrez-vous que je n'éprouve aucune répugnance pour votre corps ?

Il la prit par la taille et la souleva. Il n'eut que deux pas à faire pour la déposer sur le lit. Elle rebondit en riant sur le matelas, mais reprit son sérieux en voyant qu'il ne la suivait pas. Il posa sur elle un regard de braise.

— Kit ?

— C'est votre première fois, il faut que je sois doux.

— Je suis forte.

— Oui, je sais. Cela fait partie des choses que j'adore chez vous.

Il fit glisser ses doigts sur son bras, lui emprisonna la main et la guida sur son sexe.

— M'aimez-vous ?

Elle articula les mots sans réfléchir. Sa main continuait de caresser la source de son désir, mais son esprit voulait atteindre celui de Kit et savoir ce qu'il ressentait pour elle.

Kit déglutit.

— N'y pensez plus, dit-elle, soudain gênée.

Quelle drôle de courtisane elle faisait ! Tout le monde savait qu'il n'était pas question d'amour entre un amant et une maîtresse.

Kit s'agenouilla devant elle et lui prit le visage à deux mains.

— Je pense à vous tout le temps, Maddy. Et la nuit je rêve de vous. Je rêve que vous êtes Jeremy, seule dans le bateau qui coule. Ou bien que vous êtes une des nombreuses femmes que j'ai vues se faire violer et tuer. Ou pire encore, être vendues sur le marché aux esclaves. Mon ange, est-ce de l'amour ou de la démence ?

Maddy ne sut que répondre. Elle ne trouva pas de mots pour adoucir la douleur qui le hantait. Aussi se pencha-t-elle simplement pour poser les lèvres sur l'une des brûlures qui marquaient sa chair. Elle continua de l'embrasser, pressant sa bouche sur toutes les cicatrices qu'elle pouvait atteindre. Puis elle fit passer ses doigts sous la ceinture de son pantalon, qu'elle déboutonna.

Il ne bougea pas quand elle le caressa doucement.

— Allongez-vous, mon ange.

Elle obéit. Sa chemise longue lui couvrait les hanches et le haut de ses bas. Kit grimpa sur le lit à côté d'elle. Sans la quitter des yeux, il fit lentement remonter le tissu, dénudant son corps.

Puis il jeta la chemise de côté et embrassa la jeune femme. Doucement. Délicatement. L'effleurant à peine du bout de la langue, comme s'il craignait de lui faire mal. Elle enfouit les doigts dans ses cheveux soyeux et l'attira à elle, la bouche entrouverte.

Sa réaction fut immédiate. Il se pressa contre elle avec fougue et prit possession de sa bouche dans un élan passionné. Soudain il recula.

— Il faut que tu sois prête pour moi. Je ne veux pas te faire mal.

Elle comprit. Après tout, n'était-elle pas fille de médecin ? Mais la connaissance et l'expérience étaient deux choses totalement différentes.

— Alors, prépare-moi à te recevoir, dit-elle, le sourire aux lèvres.

Le regard de Kit s'assombrit, il posa les mains sur ses seins, puis en mordilla les pointes pour la faire crier de plaisir. Le cœur battant, le corps en feu, elle se cambra sur le lit.

Tout en continuant ses caresses, il posa une main sur son ventre et s'insinua dans son triangle de boucles brunes. Elle ouvrit les jambes et ne put retenir un gémissement quand il pressa le pouce contre ce point merveilleux. Puis il introduisit un doigt dans la moiteur de sa chair.

— Oui, Kit ! Encore, balbutia-t-elle. Kit !

Il retira son doigt, le fit entrer de nouveau plus profondément, répéta plusieurs fois le mouvement. Alors, elle lui agrippa les épaules et plongea le regard dans le sien. Elle resta haletante, frissonnante et éperdue, tandis qu'il continuait ses caresses.

— Je me moque de tes sentiments envers moi, chuchota-t-elle. Cela m'est égal. Moi, je t'aime.

Kit se figea, tandis qu'elle continua d'onduler sur sa main en gémissant.

— Je t'aime, répéta-t-elle. Oh, Kit... je t'ai...

Il se hissa au-dessus d'elle, s'insinua entre ses jambes et lui souleva les hanches.

— Encore Maddy, souffla-t-il d'une voix rauque. Dis-le encore !

— Je t'aime.

Il la pénétra. Maddy poussa un petit cri, se cambra de tout son corps, et Kit s'enfonça plus profondément. Il rencontra une légère résistance. Maddy retint son souffle, mais il n'arrêta pas ses mouvements. Il continua doucement, et la fine pellicule finit par céder. Son corps l'accueillit tout à fait, et il s'enfonça dans cette chaleur enivrante.

Maddy leva les yeux sur les veines saillantes de son cou et accrocha son regard.

— Tu es à moi, articula-t-il, la voix rauque.

— Oui.

Elle vit ses yeux se mouiller de larmes. Il se retira légèrement, et elle poussa un gémissement de protestation, nouant les jambes autour de ses hanches pour le retenir. Ses mains se posèrent sur son torse puissant, elle caressa la brûlure arrondie sur sa taille. Il la pénétra de nouveau.

Ses mouvements se firent plus rapides, moins contrôlés, sa respiration saccadée. Puis il marqua une pause. Elle retint un cri de frustration. Elle ne voulait pas...

Il glissa une main entre eux, et son pouce vint titiller l'endroit qu'il fallait. Son corps fut secoué d'un long frémissement. Des sensations déferlèrent en elle, des vagues de plaisir submergeant tout sur leur passage.

Elle sentit qu'il la pénétrait encore, plus fort, plus vite. Elle se laissa emporter dans un océan de jouissance.

Kit s'abandonna à son tour dans un violent soubresaut.

Il lui appartenait enfin.

25

Elle le fit parler, ce qui était un exploit, selon Kit. Autrefois, il y avait très longtemps, cet exercice lui était familier. Il bavardait à tort et à travers, énonçait des formules polies, de doux petits riens. Il savait exprimer toutes sortes de choses sans conséquence. Mais même alors, il ne révélait rien de ses pensées et n'évoquait jamais les pesanteurs de son existence de privilégié. Il ne voulait que charmer.

Elle le fit parler de sa souffrance. De l'horreur, de la mort, de l'emprisonnement. Mais aussi des moments agréables qui apparaissaient dans son quotidien d'esclave. En sept ans, il y en avait eu. Il lui était arrivé de rire, et elle fit remonter ces souvenirs à la surface.

Kit roula sur le dos et la contempla avec admiration. Elle n'était pas d'une beauté exceptionnelle, mais possédait un charme fou. Ce qui la rendait extraordinaire, c'était sa force, son calme, son sourire. Et l'idée enivrante qu'elle l'aimait.

Elle l'aimait, avec ses cicatrices, sa souffrance, ses sautes d'humeur.

— Tu ne m'évites pas... Tu devrais avoir peur de moi ?

— Pourquoi essaies-tu toujours de me repousser ? Pourquoi, Kit ?

— J'ai tué des gens, Maddy.

— Oui, et tu as vécu des choses affreuses. Alors, pourquoi est-ce moi qui te fais peur ?

— Je ne sais pas.

En vérité, il avait peur de le savoir. Maddy sourit et se nicha contre lui, la tête sur son épaule. Il l'enlaça. Il aurait aimé la prendre de nouveau, chercher l'oubli dans le plaisir. Mais il était trop tôt pour recommencer, elle risquait d'en souffrir, et il se contint. D'autre part, le jour se levait et il devait la ramener chez elle.

— Ne t'endors pas, mon ange, dit-il en l'embrassant. Il faut que tu rentres chez toi.

— Mais pourquoi ?

— Pour protéger ta réputation, répondit-il en riant.

— À quoi bon ? J'ai perdu ma virginité, et oncle Frank me mettra à la porte sous peu. Pourquoi tenter de sauver quelque chose qui sera perdu dans deux jours ?

Il s'assit sur le lit, sentant sa fureur resurgir à l'idée que le comte faisait chanter Maddy.

— Il peut se passer beaucoup de choses en quelques jours, Maddy. Ta vie peut changer radicalement.

Elle se redressa sur un coude pour le regarder. Ils étaient nus. Le drap glissa sur elle et révéla ses seins ronds et pleins.

— Je n'ai pas envie de rentrer, mais… je suis inquiète pour Rose. Je n'aurais pas dû l'abandonner.

— Mon frère a dû la raccompagner chez elle.

— Vraiment ? Oh, merci…

Ils furent interrompus par des coups furieux frappés à la porte.

— Ouvrez, salaud !

— Oncle Frank ! s'écria Maddy, horrifiée.

Kit fut debout dans l'instant et saisit un couteau à la lame aiguisée.

— Habille-toi ! ordonna-t-il en sortant de la chambre.

Il alla dans l'entrée, où le comte continuait de tambouriner contre le battant. Kit ouvrit d'un geste sec, attrapa l'homme par le col et le plaqua contre le mur en lui enfonçant la pointe de son couteau sur la gorge. Il attendit dans un silence total. Valait-il mieux tuer l'oncle de Maddy sur-le-champ ou attendre que la jeune femme soit partie ?

Le comte était plus grand que Kit. Il empestait la fumée et le brandy. Il fit une tentative pour se dégager, mais Kit lui appuya la lame contre la gorge, ce qui fit surgir une goutte de sang.

— Je vous conseille de vous tenir tranquille, monsieur, lui chuchota-t-il à l'oreille. Mes gestes sont parfois un peu brusques.

Mais le comte ne se laissa pas impressionner. Sans doute était-il trop imbibé d'alcool pour avoir conscience du danger.

— Vous avez débauché ma nièce, lança-t-il d'une voix sifflante. Je vous ferai pendre.

— Vraiment ? lança Maddy, depuis le seuil de la chambre. Et comment ferez-vous, mon oncle ? Apparemment, cela fait plus d'un an que vous me débauchez vous-même. Kit ne peut nuire à ma réputation que vous avez détruite.

— Je ne t'ai jamais touchée !

— Non, et je ne vous aurais jamais permis. Vous avez été assez sournois et efficace pour qu'aucun homme honnête ne veuille de moi. Aucun, en dehors de M. Frazier, précisa-t-elle en venant se camper devant le comte.

Maddy fit glisser ses doigts sur la main de Kit, et ajouta :

— Je peux tenir ce couteau pendant que tu t'habilles.

— Cette arme est la seule chose qui l'empêche de t'attraper par les cheveux et de te violer. Il est comte, Maddy. Et il a plus de force que toi.

Il ne pouvait s'empêcher d'admirer le calme de la jeune femme. Toute dame de la bonne société aurait poussé des cris jusqu'à ameuter tout le quartier.

— Mon oncle, j'ai déjà empêché deux fois M. Frazier de vous tuer. Ce sera la troisième. Même si vous m'emmeniez maintenant, il saurait où vous trouver. Et rien ne l'empêchera alors de vous égorger.

Le comte élargit les yeux d'effroi. Mais son arrogance était sans limites.

— Il n'oserait pas, fit-il d'un air dédaigneux.

Alors, Kit se pencha et lui murmura à l'oreille quelques mots que Maddy ne put entendre. Il n'eut aucun mal à lui décrire les différentes façons qu'il connaissait de tuer un homme.

340

Quand des gouttes de sueur perlèrent sur le front du comte, il recula.

— J'oserai, monsieur, annonça-t-il à voix haute. Je suis un sauvage et j'ai déjà du sang sur les mains. Pour Maddy, je serais prêt à tuer le prince régent lui-même.

— Kit ! s'exclama Maddy.

Il poursuivit, comme s'il ne l'avait pas entendue :

— Mais vous, monsieur, j'aurais plaisir à vous tuer lentement. Savez-vous qu'un homme peut survivre plusieurs heures, tandis qu'on l'écorche ?

Pour souligner ses paroles, il fit glisser la pointe du couteau vers le bas, comme s'il pelait une pomme. Une odeur de sang emplit l'air. Avec un cri d'horreur, le comte tenta de repousser son adversaire. En vain. Il esquissa un mouvement, et Kit lui rejeta la tête en arrière, l'assommant à moitié contre le mur. L'homme s'affaissa, sans perdre conscience.

— Tu devrais rentrer chez toi, Maddy, dit Kit. Il a dû venir en voiture. Sinon, prends un fiacre, il y a des pièces dans ma poche de...

— Certainement pas ! Je...

— Maddy ! Rentre chez toi !

Il se retourna et l'aida à reboutonner sa robe.

— Peux-tu aller chercher mes vêtements dans la chambre ? demanda-t-il. Je ne veux pas le laisser seul.

Elle acquiesça et revint un instant plus tard avec son pantalon neuf. Kit soupira. Il allait certainement tacher ses vêtements, mais c'était inévitable : le sang devrait couler.

— Maintenant écoute-moi, dit-il quand il fut habillé. Tu es très forte, et j'ai infiniment de respect pour toi. Mais certaines affaires doivent se régler entre hommes.

— Balivernes !

— Mon ange, ne discute pas, tu sais que c'est vrai. C'est injuste, mais ce sont les hommes qui possèdent le pouvoir, l'argent, et qui sont chargés de votre protection. Je sais que tu es tout à fait capable, mais dans ce domaine, c'est moi qui établis les règles. Il faut que je parle à ton oncle et je ne le ferai pas devant toi.

— Pourquoi ?

— Parce que je vais exposer ses péchés au grand jour. Des péchés qu'il vaut mieux que tu ignores.

Il la vit hésiter. Après tout, le comte était le seul parent qui lui restait. Puis elle serra les mâchoires et releva le menton.

— Je reste. Je veux connaître ses péchés.

— Mon ange, aie pitié de lui, insista Kit en soupirant. Ne l'oblige pas à parler de cela devant une femme. Et encore moins devant sa nièce.

Maddy regarda son oncle, effondré sur le sol. Son cou ne saignait plus, la coupure n'était pas profonde. Kit devina qu'il ruminait sa revanche. Il ne se soumettrait pas facilement. Il fallait qu'elle s'en aille.

— Maddy, sors. Je te promets de ne pas le tuer. Je viendrai plus tard te raconter ce qui s'est passé. Va-t'en !

— Je t'attendrai dans l'après-midi, lança-t-elle en gagnant la porte à regret.

— Sans faute, dit-il en souriant.

Elle fit un signe de tête, jeta un dernier regard à son oncle et sortit. Ses pas s'éloignèrent dans le

342

couloir. Une minute plus tard, il entendit la voiture s'ébranler. Il pouvait enfin concentrer son attention sur le comte.

— Je vous briserai ! siffla ce dernier.

— Savez-vous quel était mon travail quand j'étais esclave, monsieur ?

Tout en parlant, il fit tourner la lame entre ses doigts.

— J'étais chargé de briser les rêves et les espoirs des petits nouveaux. Ce n'était pas difficile. Leur vie était détruite, les gens qu'ils aimaient avaient été tués. Mais certains refusaient de voir la vérité en face. Ils étaient trop arrogants pour comprendre que plus rien ne serait comme avant.

Le comte s'adossa au mur, sans se départir de son expression hautaine d'aristocrate.

— Nous ne sommes pas sur le bateau des Barbaresques et vous n'avez aucun pouvoir sur moi.

— Tout ce qu'il faut pour briser un homme, c'est trouver ce qu'il aime le plus au monde et le détruire sous ses yeux. Vendre sa fille en esclavage, castrer son fils, le fouetter. Ce à quoi vous attachez de la valeur, monsieur, c'est votre place dans la société. Les nobles vous regardent, et voient un comte fortuné, qui possède une fille très belle et une nature charitable.

— Exactement. Comparé à moi, vous n'êtes rien.

— C'est vrai. Mais les réputations sont faciles à détruire. Voyez, comme vous avez détruit celle de Maddy : une insinuation par-ci, un regard entendu par-là. Et ainsi vous la privez de ce qu'elle désire le plus au monde, un mari et une vie respectable. Vous avez détruit Maddy et, pour cela, vous méritez de mourir.

— Ce n'est pas moi qui ai couché avec elle ce soir.

— Elle s'est offerte à moi, j'ai été trop faible pour refuser.

— Vous m'ennuyez, déclara le comte en se redressant pour faire mine de sortir.

Mais Kit fut plus rapide que lui et lança son couteau. Celui-ci alla se ficher dans la porte, juste devant son nez. Kit saisit aussitôt deux autres lames dans un tiroir. En fait, il avait sept armes différentes, cachées dans le minuscule logement. Il n'avait pas plus d'un pas à faire pour mettre la main sur un pistolet.

Il était temps de cesser les bavardages et de brandir la punition.

— Je me suis laissé dire que vous aviez volé l'argent de votre nièce. Après quoi, vous avez laissé entendre qu'elle était votre maîtresse afin qu'elle ne puisse pas se marier et que personne ne sache jamais ce que vous aviez fait.

— C'est un mensonge ! Elle ne possédait rien au monde quand elle est arrivée chez moi !

— Oui, c'est un mensonge, mais il n'est pas sans fondement. J'ai payé grassement un jeune homme, afin que le bruit se répande qu'il enquêtait à ce sujet. Il ne trouvera rien, mais cela prendra du temps. Et il ne manquera pas d'ébruiter ses soupçons.

— Vous êtes un démon ! Je serai banni des cercles financiers !

— Et après ? Vous avez ruiné les chances de Maddy.

— Je suis connu. Personne ne vous croira.

— Ah, mais vous avez un penchant pour le jeu, n'est-ce pas ? Le comté n'est pas aussi riche que vous le faites croire. Cela apparaîtra au grand jour. Sans oublier que vous avez tué votre femme, parce qu'elle avait découvert que vous aviez dépensé toute sa fortune et qu'elle allait le faire savoir.

— C'est faux ! Je n'ai jamais violenté Susan !

La voix du comte tremblait de rage, et Kit comprit qu'il avait touché le point sensible. L'homme avait sincèrement aimé sa femme, et c'était sans doute la mort de celle-ci qui l'avait aigri. Il aurait pu utiliser ce point faible, brandir le spectre de Susan et trouver un moyen de faire croire que le comte avait tué sa femme bien-aimée.

Mais il avait encore assez de cœur pour éprouver de la pitié. Il inclina la tête.

— Personne n'aura vent de cette rumeur, monsieur. Et les bruits concernant l'enquête seront étouffés si vous faites une chose.

Le comte étrécit les yeux, méfiant.

— Je pourrais vous faire tuer. Engager des brigands pour vous égorger. Faire répandre vos entrailles dans les rues de Londres.

Les menaces demeurèrent sans effet.

— Vous pourriez, répliqua tranquillement Kit. Mais cela n'empêcherait pas les rumeurs. Au contraire. J'ai donné des instructions, au cas où il m'arriverait malheur.

Le comte déglutit. Son teint était devenu cireux.

— Que voulez-vous ?

— Que vous donniez une belle dot à Maddy. Quelque chose qui prouvera que vous ne l'avez pas spoliée de sa fortune. Je pense que dix mille livres feraient l'affaire.

— Dix mille livres ! Vous êtes fou !

— Vous avez cet argent, monsieur. Oh bien sûr, il faudra peut-être que vous vous absteniez de jouer pendant quelque temps, que vous renonciez à investir dans cette mine du Nord et que vous économisiez sur les dépenses du ménage.

— Mais je ne l'ai jamais touchée !

— Non, mais vous avez dit que vous l'aviez fait. Vous avez ruiné sa réputation, il faut payer. Onze mille. Ce sera plus, si vous continuez de discuter.

— Espèce d'ordure !

Kit se contenta de hausser les sourcils. Il ne voulait pas rentrer dans le petit jeu des insultes. Son regard fit lentement le tour de la pièce, tandis que le comte fulminait, conscient qu'il allait perdre la bataille.

— Très bien, je lui donnerai six mille livres, pas un sou de plus !

— Douze mille, si vous ne voulez pas que je répande cette vilaine rumeur au sujet de la mort de votre femme. Aviez-vous d'autres raisons de la tuer ? Vous trompait-elle ? Était-elle si dégoûtée par votre personne qu'elle avait pris un amant deux fois plus jeune qu'elle ?

Il s'attendait à ce que le comte contre-attaque. Sa fureur était palpable, mais il n'était pas

346

stupide non plus. Il savait qu'il risquait de perdre beaucoup. Après une heure de négociation, le marché fut conclu :

— Douze mille livres. C'est d'accord.

26

Maddy arriva chez elle une heure avant l'aube. Les questions fusaient dans sa tête. De quoi les deux hommes allaient-ils discuter ? Qu'allait-elle faire, maintenant ? Qu'allait-elle dire à Rose ? Comment oncle Frank l'avait-il trouvée ?

La maison était plongée dans le silence. Une bougie brûlait encore dans l'entrée, à son intention. Elle la prit, mais ses doigts tremblaient tant qu'elle renversa de la cire sur sa robe. Aurait-elle assez d'argent pour en acheter une autre ? Kit payerait-il les robes de sa maîtresse ? Ou bien l'obligerait-il à rester nue dans son lit toute la journée ?

L'idée n'était pas pour lui déplaire. Elle était plongée dans le souvenir de ce qui s'était passé cette nuit quand elle poussa le battant de sa chambre et poussa un cri de frayeur en distinguant une forme sombre sur son lit. Mais presque aussitôt elle reconnut la masse de boucles blondes. Rose s'était endormie en l'attendant.

— Rose, ma chérie, que fais-tu là ?

La jeune fille s'éveilla en se frottant les yeux.

— Tu es enfin rentrée. J'étais inquiète. Il ne t'a pas fait de mal ? demanda-t-elle en bâillant.

— Qui ?

— M. Frazier. Je l'ai vu t'emporter. Son frère m'a dit que ce n'était pas grave, qu'il s'assurerait que tu allais bien. Mais comme tu n'es pas rentrée... j'en ai parlé à père.

Ce qui expliquait comment celui-ci avait retrouvé Maddy.

— C'est fini, maintenant. Tu peux retourner dans ton lit.

— Je ne crois pas, dit Rose en repoussant ses cheveux en arrière. Papa a dit qu'il était obligé de te mettre à la porte, après cela.

— Je sais, mais nous en parlerons demain.

— Non ! Je ne veux pas que tu partes ! Je ne veux pas que M. Frazier t'enlève ! C'est moi qu'il aime !

Maddy se figea. Au milieu de tout ce tumulte, elle avait oublié le rêve de sa cousine d'épouser Kit.

— Ma chérie, tu sais que M. Frazier a l'esprit trop dérangé pour se marier. Comment as-tu trouvé son frère ?

Rose sourit, et ses joues se colorèrent.

— Très gentil, mais pas malin. J'en savais plus que lui au sujet de mon prince pirate.

— Rose...

La jeune fille se leva et se dirigea vers la porte en soupirant.

— Ne t'inquiète pas, Maddy. Et ce n'est pas la peine de faire tes bagages. J'ai tout arrangé.

350

— Quoi ? Que veux-tu dire ? Qu'as-tu manigancé ?

— Tout sera réglé demain, tu verras. J'ai un plan.

— Mais…

— Non ! répliqua Rose plus sérieuse et déterminée que jamais. Je ne te laisserai pas à la rue. Jamais !

Sur ces mots, elle sortit et referma la porte derrière elle. Maddy demeura bouche bée. Apparemment, Rose avait encore une de ses idées folles. Quelle qu'elle soit, il ne se passerait rien avant le lendemain. Maddy ne pouvait prendre aucune décision pour le moment.

Épuisée, elle se laissa tomber sur le lit et posa un bras sur son front. Quelques secondes plus tard, elle était dans les bras de Morphée.

Elle se réveilla plusieurs heures plus tard, ankylosée. Un coup d'œil à la fenêtre lui fit comprendre qu'il était plus de midi. Comment avait-elle pu dormir si longtemps ? Kit n'allait pas tarder à arriver.

Elle se leva d'un bond et sonna la femme de chambre tout en essayant d'ôter sa robe. Gilly arriva très vite, les yeux brillants de curiosité.

— Pourquoi ne m'avez-vous pas réveillée ?

— Lady Rose nous a laissé des instructions très précises. Elle nous a dit que vous étiez malade.

— C'est gentil de sa part, mais je vais mieux. Y a-t-il un visiteur pour moi, en bas ?

— Non, mademoiselle.

Gilly se mordillait les lèvres, comme si elle avait quelque chose d'extrêmement important à dire.

— Il se passe quelque chose ?

— Non, mademoiselle. Mais nous étions tous très inquiets, avec vous malade, Mlle Rose qui est sortie, et le comte qui n'est pas rentré.

— Le comte n'est pas rentré ?

— Non, mademoiselle. Lady Rose s'est levée tôt ce matin, en disant qu'elle partait faire des courses à Mayfair. Elle n'a pas voulu que je l'accompagne, précisa la femme de chambre avec un petit reniflement vexé. Elle a emmené Tessa, la fille de cuisine.

Cela n'avait aucun sens. Tessa n'avait que dix ans. Et où était oncle Frank ? Et Kit ?

— Très bien ! déclara Maddy en passant une brosse dans ses cheveux emmêlés. Aidez-moi à m'habiller, je vais voir ce que je peux faire.

Mais il n'y avait rien à faire. Personne ne savait quoi que ce soit. Oncle Frank avait disparu, Rose s'était volatilisée. Maddy se résigna à boire une tasse de thé et prit son petit déjeuner avec une impression de désœuvrement.

Enfin, le heurtoir retomba sur la porte. Elle se précipita pour ouvrir et se trouva nez à nez avec Kit. Celui-ci avait l'air détendu et plus sûr de lui que jamais. Elle eut le plus grand mal à ne pas se jeter à son cou.

— Monsieur Frazier ! C'est merveilleux. Voulez-vous entrer dans le salon ?

Il accepta poliment, tout en la dévorant des yeux. Maddy le précéda dans la pièce et laissa la porte grande ouverte, par habitude. C'était la règle quand on n'avait pas de chaperon. Ce n'est que lorsqu'il lui baisa le bout des doigts en lui murmurant des mots doux qu'elle se rendit compte qu'ils se trouvaient à la vue de tous.

— J'ai pensé à vous chaque seconde depuis que nous nous sommes quittés. Je rêvais de vous embrasser les seins, de...

— Kit !

— Il faut que je vous dise ce qui s'est passé, reprit-il d'un ton plus grave, en l'entraînant vers un canapé. La saison est finie, votre oncle a décidé de partir dans le domaine familial.

— Mais... il n'a pas pris ses affaires. Il déteste voyager...

— Il est parti, Maddy. Ne vous inquiétez pas, il ne vous approchera plus.

Il fallut quelques secondes à Maddy pour absorber le sens de ces paroles. Elle eut l'impression qu'un poids énorme glissait de ses épaules. Elle poussa un long soupir.

— Ce n'est pas tout. Écoutez-moi. Je serais venu plus tôt si je n'avais dû accompagner votre oncle chez le notaire.

— Chez le notaire ? répéta-t-elle, ébahie. Pourquoi donc ?

— Le comte a décidé de vous accorder une dot, Maddy. De douze mille livres.

— Quoi ? Non, ce n'est pas possible ! Il ne ferait jamais une chose pareille. Que lui avez-vous fait ?

— J'ai souligné ses péchés. Et je lui ai conseillé de réparer le mal qu'il vous avait fait. C'est lui-même qui a fixé cette somme. Les documents ont été signés ce matin. Vous êtes une héritière, à présent. Vous pourrez rester à Londres pour une autre saison, vous acheter des vêtements et choisir le mari qui vous plaira.

— Non, non, je ne veux personne d'autre. Kit, je…

À cet instant, Gilly entra dans le salon en coup de vent, suivie de la petite Tessa, en larmes.

— Mademoiselle ! Mademoiselle !

Maddy et Kit se levèrent d'un bond. La petite fille de cuisine tremblait de terreur et de grosses larmes roulaient sur ses joues. Elle tenait un papier tout froissé au creux de sa main.

— Lady Rose a été enlevée ! cria Gilly. Raconte, Tessa !

— Que tiens-tu dans ta main ? demanda gentiment Kit en touchant le morceau de papier.

La fillette retira vivement sa main, effrayée, et tendit le papier à Maddy.

— Ils l'ont kidnappée dans la rue ! cria Gilly.

S'efforçant de garder son calme, Maddy prit le papier et le passa à Kit. Puis elle se concentra sur la fillette.

— Commençons par le début, Tessa. Tu es allée à Mayfair avec lady Rose ?

La fillette hocha la tête.

— Que s'est-il passé ?

— Elle… m'a dit d'attendre… au coin de la rue… et de regarder…

— À quel endroit, précisément ? demanda Kit.

La fillette tressaillit, et Maddy s'interposa pour la rassurer. Elle s'agenouilla et fixa l'enfant dans les yeux.

— Regarde-moi, ordonna-t-elle avec douceur. Où étiez-vous ?

— Devant l'atelier de la modiste. J'ai essayé de l'aider, mais... je n'ai pas pu ! Elle est partie avant que j'aie pu faire quelque chose.

— Explique-moi comment cela s'est passé.

— Elle est entrée dans la boutique, puis elle est ressortie. Elle est retournée dedans, et est encore ressortie.

Maddy se rembrunit. Cela n'avait aucun sens.

— Et ensuite, Tessa ?

— Ces hommes sont passés et l'ont attrapée ! Ils étaient trois, à cheval. Elle a crié. Tout s'est passé très vite.

— De quoi avaient-ils l'air, Tessa ? s'enquit Kit d'une voix calme.

— C'étaient des hommes des quais.

Maddy se mordit les lèvres sans comprendre. Il lui tendit le message, froissé et mouillé de larmes, mais encore lisible. C'était l'écriture de Rose.

J'ai été kidnappée par des pirates !!! Ils veulent de l'or et des rubis ! Aidez-moi, ils vont me tuer ! Oh, j'ai peur !!!
Rose

Maddy lut la missive trois fois. Une idée se forma dans son esprit. C'était ridicule, et tout à fait plausible.

— Comment as-tu eu ce message ? demanda Kit à la fillette.

— C'est un des hommes qui me l'a jeté, en partant.

— Donc, il avait déjà la lettre quand il a attrapé lady Rose ? fit remarquer Maddy, devinant que

355

Kit avait compris comme elle le fin mot de l'histoire.

Tessa fit signe que oui et reporta les yeux sur le papier.

— Que dit la lettre ? demanda-t-elle.

— Elle dit que Rose est une satanée idiote. Gilly, Tessa nous a beaucoup aidés. Emmenez-la à la cuisine et donnez-lui tout ce qu'elle veut.

Gilly acquiesça avec gravité. Les deux servantes disparurent et Maddy ferma la porte du salon. Elle n'osait pas croiser le regard de Kit. Rose s'était fait enlever, afin de mettre la main sur les bijoux du pirate. C'était complètement idiot, mais elle était certaine d'avoir deviné juste.

Elle sentit la main de Kit se poser sur son épaule et s'abandonna contre lui. Son torse était puissant et ses bras rassurants. Il posa la joue sur sa tempe et la tint tendrement enlacée. Pendant quelques secondes ils gardèrent le silence.

— Kit, je suis désolée.

— Tu étais au courant de ce plan ?

— Bien sûr que non !

— Alors, ce n'est pas ta faute. Dis-moi ce qui s'est passé, selon toi.

— Je pense que Rose était bouleversée parce que son père voulait me mettre à la porte. Alors, elle a échafaudé un plan.

— Elle voulait de l'argent, donc elle s'est fait enlever ? Pour que son père paye la rançon ?

Maddy posa les doigts sur ses tempes. La vérité était pire que cela.

— Non. Rose croit qu'elle va t'épouser. Je pense qu'elle était vexée que tu m'aies enlevée hier soir, au lieu de l'enlever, elle.

— Mais je ne lui ai jamais laissé croire que j'allais demander sa main !

— Je sais. Rose n'a pas besoin d'encouragements pour inventer des histoires romantiques. Elle m'a dit hier soir qu'elle avait un plan, mais j'étais si fatiguée…

— Tu ne pouvais prévoir ceci. Rose trouve romantique d'être enlevée par des pirates ?

— Non, non, ce n'est pas cela. Ce n'est pas le kidnapping qui est romantique, Kit, c'est d'être secourue ! Elle veut que tu la sauves et, quand ce sera fait, elle pense que tu tomberas instantanément amoureux d'elle !

— Elle croit vraiment que je possède de l'or et des rubis ?

— Bien sûr. Elle croit que tu vas la délivrer, l'épouser, et que je viendrai vivre avec vous pour être votre gouvernante.

— Crois-tu qu'elle a parlé de l'or et des rubis aux hommes qui l'ont enlevée ?

Maddy fronça les sourcils sans comprendre.

— Elle a engagé des hommes pour qu'ils l'enlèvent, n'est-ce pas ?

— Oh. Oh, bien sûr. Elle n'a pas d'argent. Elle a dû leur promettre qu'ils seraient payés.

— Donc ces hommes s'attendent à avoir de l'or…

— Et des rubis. Oh, bonté divine ! Que vont-ils faire si les choses ne se passent pas comme ils l'espèrent ? Oh, mon Dieu… S'ils trouvent qu'elle n'est pas une captive assez coopérative ?

Kit la prit dans ses bras et l'attira contre lui.

— Ne t'inquiète pas. Les choses n'iront pas jusque-là.

— Mais si ! Elle est insupportable, quand elle s'y met ! Oh mon Dieu, je voudrais... l'étrangler !

Kit noua les bras autour de ses épaules pour la réconforter.

— Je vais envoyer un mot à Alex. Avec son aide, nous retrouverons Rose. Nous la sauverons. Et ensuite nous la sermonnerons jusqu'à ce que le soleil se couche !

27

Alex arriva rapidement avec la corde qu'on lui avait demandée. Kit alla lui ouvrir et lui exposa la situation, en précisant que le comte était parti dans son domaine et ne pourrait leur prêter main-forte. Alex ne fit qu'une remarque.

— Comment cette fille peut-elle être aussi stupide ?

Kit se contenta de hausser les épaules. Maddy arpentait le salon, en proie à une agitation croissante.

— Elle est naïve, romantique et jeune. Très, très jeune. Il faut la retrouver. Et nous le ferons. Ces hommes nous contacteront forcément pour avoir la rançon.

Il n'avait pas fini de parler, quand Gilly fit irruption dans la pièce accompagnée d'un garçon très sale. Le majordome entra derrière eux.

— Mademoiselle ! Ce garçon est venu frapper à la porte de la cuisine.

Maddy s'avança et toisa l'enfant, les bras croisés. Le gamin se renfrogna, les yeux au sol, les mains dans les poches. Il devait avoir douze ans, mais vivre dans la rue l'avait endurci. Il ne craquerait pas facilement.

Kit vint poser un bras sur l'épaule de Maddy et demanda :

— Comment t'appelles-tu ?

— J'vous le dirai pas, fit le gamin en levant le menton.

— D'accord. Je ne parlerais pas non plus si je risquais d'être pendu pour avoir kidnappé la fille d'un comte. Rien de ce que tu diras ne pourra te sauver, de toute façon.

Le choc, puis l'horreur et enfin la colère s'inscrivirent sur le visage du garçon.

— C'est pas un kidnapping ! Elle va bien, elle se plaint que la bière n'est pas bonne !

Cela ne l'étonnait pas de la part de Rose.

— J'ai rien à voir avec ça !

— Tu es impliqué, mon gars. Tu es venu demander la rançon, pas vrai ?

— Non, je dois vous dire où vous devez aller, une fois que vous m'aurez donné l'or !

Kit sourit. Le gamin eut un moment d'hésitation, mais ne céda pas. Kit fit un signe à Alex, dans son dos. Ce dernier changea de place et, avec adresse, fit passer la corde autour du cou du garçon. Ce dernier poussa un cri, mais il était trop tard. La corde l'étranglait déjà. Kit fit un pas en avant et se pencha vers lui.

— Je me moque pas mal de toi et de lady Rose, mon petit. Elle est folle et elle mériterait de finir ses jours à Bedlam. Alors, décide. Soit je te tue soit tu me dis où elle est, et nous faisons comme si rien ne s'était passé.

Le garçon avait les yeux exorbités mais, de toute évidence il ne croyait pas que Kit mettrait sa menace à exécution.

— Tu sais, dit Kit en s'adressant à Alex. Je suis sûr que le comte me remerciera si Rose meurt et qu'il en est débarrassé. Personne ne veut d'une folle dans son arbre généalogique.

— Mais nous ne pouvons pas compter sur le silence de ce gamin des rues. Il dira au comte que nous l'avons laissée mourir exprès. Il faut nous débarrasser de lui.

Kit soupira et sortit une longue lame de sa botte.

— Je vais le faire. Tu n'as encore jamais éventré d'enfant. Moi, j'ai appris avec les pirates.

Alex hocha la tête et fit approcher le garçon en tirant sur la corde.

— Où allons-nous l'emmener ? Il va y avoir beaucoup de sang.

La femme de chambre les regardait, tétanisée.

— Allez prévenir la cuisinière que nous avons besoin d'un seau. Ensuite, allez tous vous promener. Il vaut mieux que personne ne sache à quoi il va nous servir.

La servante sortit de sa torpeur et s'enfuit avec le majordome. Soudain apeuré par le départ des domestiques, le garçon se mit à agiter les bras.

— J'vais tout vous dire ! Ils sont dans un vieux hangar, près des docks. Ils ne l'ont pas touchée !

Maddy croisa les bras et entra dans le jeu de Kit.

— Je n'ai pas envie qu'on tue un garçon dans ma maison, dit-elle d'un ton bougon. Et Rose est ma cousine. Elle a son charme, après tout.

— Elle est belle, remarqua Alex.

— Oui, renchérit Kit. Mais ils l'ont peut-être défigurée.

— Non, non ! protesta le garçon. Je vais vous emmener là-bas. Ils vous la rendront. Paps m'écoutera. C'est juré !

— Alors ? fit Alex en resserrant le nœud coulant. Vous lui faites confiance ? Ou bien on laisse le pirate jouer avec son couteau ?

— Non, non, assez de couteaux et de sang ! protesta Maddy. Tu vas nous dire où ils retiennent Rose, mon garçon. Et tu leur demanderas de nous la rendre. Sinon, je laisserai le pirate vous tuer, toi et tes amis.

Elle fit mine d'enlever la corde du cou de l'enfant, mais Alex l'en empêcha.

— Laissez. Ainsi il ne pourra pas s'enfuir.

Maddy haussa les épaules.

— Très bien. Nous allons prendre la voiture.

28

Kit sauta de la voiture, un couteau dans chaque main, un autre glissé dans sa botte. Il avait appris à se battre contre un adversaire face à lui, mais il était moins bon au lancer de poignard et il n'était pas sûr de pouvoir protéger efficacement la femme qu'il aimait.

Son amour pour elle faisait maintenant partie de lui, et l'idée de devoir affronter le danger avec elle le rendait malade.

Il était temps de passer à l'acte. Ainsi armé, il sentait le sauvage gronder en lui.

— Combien sont-ils ? demanda-t-il au garçon.

— Sais pas. Six. Peut-être huit.

Kit fronça les sourcils. L'enfant exagérait peut-être, il n'était pas sûr de pouvoir se fier à lui. Mais même quatre ou cinq hommes armés étaient dangereux.

— Vas-y, lui dit-il.

Le gamin se dirigea vers l'entrepôt, passa devant la porte, déplaça une planche un peu plus loin et se glissa à l'intérieur.

— Fais le tour, ordonna Kit à Alex. Tâche de trouver une autre entréc, vite.

Alex fit un signe de tête et fila. L'entrepôt, plus petit que les autres, était à l'abandon. Les gardiens ne lui lancèrent qu'un coup d'œil distrait.

— Maddy, reste en arrière jusqu'à ce que je sache ce qui nous attend à l'intérieur.

— Tu contrôles la situation, Kit. Tu n'es pas obligé de tuer qui que ce soit si tu ne le veux pas.

Kit battit des paupières. Elle avait raison, il avait l'entière maîtrise de soi. Il déposa un baiser sur ses lèvres et tourna les talons. L'instant d'après, il soulevait la planche et disparaissait dans le bâtiment.

L'espace était faiblement éclairé par deux lanternes. Il était caché derrière une pile de caisses, mais n'importe qui faisant le guet pouvait l'apercevoir.

Quelques secondes à peine après qu'il fut entré, un hurlement de femme résonna dans l'obscurité, lui rappelant vaguement le cri d'un chat. C'était Rose, et il fut soudain très content que Maddy les ait accompagnés. Elle se chargerait de cette petite écervelée.

Il distingua quatre hommes en plus du garçon, placés à des endroits stratégiques. Rose était au centre, maintenue solidement par un des brigands. Elle se balançait d'avant en arrière, en faisant semblant de se débattre.

— Oh, mon amour ! Vous êtes venu me délivrer !

— Fermez-la ! lança-t-il, exactement en même temps que le chef des voyous.

Rose poussa une exclamation consternée, puis se mit à sangloter bruyamment.

— Vous avez l'or ? s'inquiéta l'homme, sans doute le dénommé Paps. Elle dit que vous avez un trésor.

— Je n'ai rien, annonça Kit calmement, en avançant au centre de la salle. C'est une idiote. Vous feriez mieux de la libérer avant qu'on vous passe la corde au cou à cause d'elle. C'est la fille d'un comte, vous savez, et elle doit être conduite à Bedlam.

— Ce n'est pas vrai ! lança Rose, indignée.

— Rose, tais-toi et viens ici, ordonna Maddy, derrière Kit.

Le gamin choisit cet instant pour avancer.

— Ils sont tous fous, Paps. Vaut mieux pas avoir affaire à eux.

Paps croisa les bras et toisa Kit.

— Fous ou pas, on m'a promis de l'or. Et il me semble que nous sommes quatre contre un. Je veux ce qu'on m'a promis.

Rose s'échappa à cet instant. Maddy attrapa un volant de sa jupe déchirée et l'attira en arrière.

— Je n'en ai pas, répondit Kit. Combien vous a-t-elle promis ?

— Elle a promis un trésor de pirate.

— Voilà cinq livres, dit Kit en jetant une bourse sur le sol. Cinq livres pour une journée de travail, et je promets de ne pas parler au comte de cet incident. Cela vous fait une livre chacun.

— S'il a cinq livres, il a plus, ronchonna un des hommes.

Kit réagit aussitôt. La seule façon de réprimer une rébellion c'était de réduire la première voix au silence. Il frappa l'homme à la mâchoire avec la poignée de son couteau. Puis il fit pleuvoir les coups de poing sur lui, jusqu'à ce qu'il tombe à terre. Kit avait déjà fait cela des centaines de fois. Généralement, il mettait fin au combat en plantant son poignard dans le dos de l'adversaire.

Il se retint à temps. La lame effleura la main du voleur, laissant une simple estafilade.

— La prochaine fois je ne m'arrêterai pas, lança-t-il en défiant les autres du regard.

Paps leva les mains en signe d'apaisement.

— D'accord. Cinq livres, c'est un bon prix pour un petit kidnapping. Nous ne vous ennuierons plus, ajouta-t-il en ramassant la bourse.

Maddy recula avec Rose, et Kit les suivit, sans quitter les brigands des yeux. Une ombre surgit derrière une pile de cartons. La haute silhouette d'Alex se dessina dans la pénombre. Il vint se placer à côté de Kit.

— Ne nous causez plus d'ennuis, les gars. Vous seriez trop faciles à éliminer. N'est-ce pas, Paps Turner ? Je crois que ceci t'appartient.

Il prit un coutelas dans sa poche et le jeta sur le sol. Une bourse suivit.

— Bon sang ! s'écria Paps, éberlué. Mon argent !

— Et ceci est à Sam Heads, dit Alex en continuant la distribution. Cette bourse est à Bull Smithee. Et celle-ci à Tommy Peters.

Kit ne put s'empêcher d'admirer l'audace de son compagnon. Il avait oublié qu'Alex était un excellent pickpocket. Mais ils avaient poussé les

quatre brigands à bout. Ils n'allaient pas accepter facilement cette dernière humiliation.

— Alex...

— Oui, monsieur.

Ils tournèrent les talons et prirent leurs jambes
à leur cou.

29

— Rose ! Monte dans la voiture ! ordonna Maddy.

— Allons-y ! hurla Kit, qui courait dans leur direction, Alex sur les talons.

La voiture s'ébranla au moment où les brigands surgissaient de l'entrepôt. Alex se laissa tomber à côté de Rose en riant.

— C'était trop drôle !

— Tu as pris un grand risque, dit Kit en grimaçant. Mais comment connaissais-tu leurs noms ?

— J'ai discuté avec le gardien d'un autre hangar. Un brave homme qui s'ennuie à mourir et qui se demandait d'où provenaient ces cris de chat.

— Oh, mon amour ! s'exclama Rose, en essayant de se jeter au cou de Kit. J'ai eu si peur.

Kit l'attrapa et la repoussa en arrière.

— Vous ne devriez pas engager des brigands pour qu'ils vous enlèvent !

— Oh, fit Rose en écarquillant les yeux. Comment pouvez-vous croire une chose pareille ?

— Nous savons ce que tu as fait, ma chérie, dit Maddy. Et nous pensons savoir pourquoi. Tu as fait cela pour que je ne sois pas jetée à la rue, n'est-ce pas ? Tu voulais que Kit te porte secours, qu'il tombe follement amoureux de toi. Et ensuite, une fois que vous auriez été mariés, j'aurais pu vivre chez vous.

— Je me disais que nous pourrions aller à Gretna Green, murmura Rose. Vous étiez très séduisant, quand vous êtes entré dans l'entrepôt ! Très...

— Écoutez, lady Rose, séduisant ou pas, je ne vous aime pas et je ne vous épouserai jamais !

— Oh ! s'exclama Rose en plaquant ses mains sur sa bouche.

Les larmes n'allaient pas tarder à couler, mais Maddy ne pouvait rien faire pour sa cousine. À vrai dire, il fallait que la jeune fille entende raison.

— Je ne suis pas sûr de pouvoir vous pardonner ce que vous avez fait, reprit Kit. Non seulement vous vous êtes mise en danger, mais vous avez fait courir des risques à Maddy. En cela... vous êtes impardonnable.

Alex s'agitait, mal à l'aise.

— Monsieur. Ce n'est qu'une enfant qui a fait une bêtise...

— Avec des criminels armés ! cria Kit.

Il renversa la tête contre le dossier de la banquette et essaya de prendre sur lui.

— Tout le monde va bien, Kit, dit gentiment Maddy. Vous nous avez tous sauvés.

— J'aurais préféré que vous ne me voyiez pas à l'œuvre.

370

— J'ai vu un héros. Un homme qui a sauvé ma cousine.

Il lui prit la main sur laquelle il déposa un baiser et ferma les yeux.

— Je mourrais s'il vous arrivait malheur, mon ange, murmura-t-il. Je vous aime.

Maddy battit des paupières, stupéfaite.

— Oh, fit Rose. Il l'aime.

C'est à peine si Maddy entendit. Elle se pencha, et Kit l'embrassa avec une passion non dissimulée. Puis il la serra contre lui.

— Mon ange, dit-il en cherchant quelque chose dans sa poche. Attendez. Voilà pourquoi j'étais en retard cet après-midi. Il fallait que j'aille chercher ceci, et le travail n'était pas fini. J'ai attendu pendant qu'il terminait.

Il ouvrit une petite bourse de velours et en sortit une bague ornée d'un rubis en forme de cœur.

Maddy demeura sans voix.

— Je savais que ça fonctionnerait ! s'écria Rose. Le danger a quelque chose de terriblement excitant !

Personne d'autre n'osa prononcer un mot. Maddy tremblait de tous ses membres.

— Madeline Wilson, mon ange, voulez-vous m'épouser ? Quoi qu'il arrive, mon cœur et mon âme vous appartiennent déjà. Toutes les portes vous sont aujourd'hui ouvertes, avec votre dot et votre statut dans la société. Si vous dites oui, je jure que je passerai chaque heure de chaque jour à vous rendre heureuse.

Le cœur de Maddy battait follement. Les yeux pleins de larmes, elle tendit la main et, sans le vouloir, l'aida à lui passer la bague au doigt.

Mais au lieu de contempler le rubis qui se détachait sur sa main blanche, elle plongea les yeux dans ceux de Kit.

Il l'aimait, il voulait l'épouser. Pour la première fois depuis la mort de son père, elle rayonnait de bonheur. Cet homme était son bonheur.

— Oui, chuchota-t-elle. Oh, oui !

Ils s'embrassèrent de nouveau, et elle entendit les cris de joie de Rose et Alex.

— J'ai réussi ! clama Rose. Ma cousine ne sera pas à la rue ! Je savais que mon plan fonctionnerait !

Découvrez les prochaines nouveautés
des différentes collections J'ai lu pour elle

AVENTURES
&PASSIONS

Le 21 août

Inédit *Il était une fois - 3 - La princesse au petit pois*
ଓଷ **Eloisa James**
Tarquin, duc de Sconce, sait parfaitement que la fragile et très séduisante Georgiana Lytton ferait une parfaite duchesse. Pourtant, il est irrésistiblement attiré par sa sœur jumelle, la scandaleuse Olivia. Entre son cœur et sa raison, Tarquin parviendra-t-il à choisir ?

Inédit *Les chevaliers des Highlands - 3 - La Vigie*
ଓଷ **Monica McCarthy**
1307, Écosse. Lorsqu'il reçoit l'ordre de s'infiltrer dans le clan du chef qui a assassiné son père, Arthur Campbell est bien décidé à en profiter pour se venger. Mais rapidement ses plans sont bouleversés par une sirène aux cheveux couleur de miel : la fille de son ennemi…

La saga des Montgomery - 4- Un ange de velours
ଓଷ **Jude Deveraux**
Lorsque Miles Montgomery reçoit, de la part de lord Pagnell, un tapis roulé, il est pour le moins surpris. Quel étrange cadeau ! Il s'approche, déroule le tapis et découvre une ravissante jeune fille nue. Elizabeth est une Chatworth et elle hait les Montgomery. Or Miles n'a que faire des différends entre leurs deux familles et brûle d'envie de la posséder. Lui seul pourra lui offrir ce qu'elle recherche si seulement elle se laisse approcher…

Le 28 août

CRÉPUSCULE

Le 28 août

Des romans légers et coquins

Le 21 août

Inédit ***Houston, forces spéciales - 2 - Douce persuasion*** ❧ **Maya Banks**

Grâce à la société qu'elle dirige, Serena James donne vie aux moindres fantaisies de ses clients. Mais son propre bonheur à elle, qui s'en charge ? Dans ses rêves les plus fous, elle s'offre à un homme qui a total pouvoir sur son corps. Un homme que pourrait bien incarner Damon Roche, le directeur de *The House*, un club privé où tous les fantasmes deviennent possibles…

Le 28 août

Inédit ***Les liaisons sulfureuses (nouvelles)***

❧ **Lisa Marie Rice**

Révélation fatale : Grace est une femme comblée depuis qu'elle a épousé Drake. Dévoué, protecteur, il est aussi un amant d'exception. Or sous le masque se cache un homme particulièrement dangereux…

Secrets privés : Jack a découvert l'amour au côté de Caroline, avec qui il entretient une relation passionnelle. Aussi, quand un fou furieux s'en prend à elle, Jack n'hésite pas à renouer avec son passé dans les forces armées…

PROMESSES

Le 21 août

Inédit *Friday Harbor - 3 - Le phare des sortilèges*
ぐ **Lisa Kleypas**

Quand Jason Black, le concepteur génial de jeux vidéo, a annoncé son arrivée à Friday Harbor, Justine savait déjà que son auberge allait accueillir un personnage insolite, réputé pour ses bizarreries. Et en effet ! Végétarien, épris de bouddhisme, d'une discrétion exacerbée, Black ne ressemble pas vraiment au millionnaire-type. Et surtout, Justine devine en lui une facette cachée, sulfureuse, qui la fascine d'emblée. Mais il lui faudrait rompre le sortilège qui, depuis sa naissance, interdit à Justine toute prétention à l'amour et au bonheur...

Le 28 août

Inédit *Une nuit avec mon héros* ぐ **Laura Kaye**

Après cinq années passées dans les Forces Spéciales, Brady Scott s'est mis au vert le temps de faire la paix avec un douloureux passé. Dans un parc, à Washington, il rencontre Joss. Si délicieuse et sexy avec ses mèches roses, ses tatouages et ses piercings. Pourtant si triste avec ses yeux verts, les plus beaux qu'il ait jamais vus, embués de larmes. Attirance et fascination s'emparent de chacun d'eux. S'il ne cherche pas l'amour, Brady ne refuse pas une aventure d'un soir...

10426

Composition
FACOMPO

Achevé d'imprimer en Italie
par GRAFICA VENETA
Le 3 juin 2013.

Dépôt légal : juin 2013
EAN 9782290058428
L21EPSN000990N001

ÉDITIONS J'AI LU
87, quai Panhard-et-Levassor, 75013 Paris

Diffusion France et étranger : Flammarion